«Eine Satire auf die deutsche Klassik, ein Abenteuerroman, ein Abbild des Bürgertums im beginnenden 19. Jahrhundert, eine Studie über Opfer und Moral der Wissenschaft, das Porträt zweier alternder Männer, jeder auf seine Weise einsam; und ein wunderbar lesbarer Text voller gebildeter Anspielungen und Zitate und versteckter Kleinode.»
Die Zeit

«Urkomisch und herzzerreißend.»
Time Magazine

«Ein wahrhaft reicher und bahnbrechender Roman.»
Nouvel Observateur

«Die leichthändig ineinander verwobene Doppelbiographie zweier großer Gelehrter, so unterhaltsam und humorvoll und auf schwerelose Weise tiefgründig und intelligent, wie man es hierzulande kaum für möglich hält.»
Frankfurter Allgemeine Zeitung

Daniel Kehlmann, 1975 in München geboren, lebt in Berlin und Wien. Sein Werk wurde unter anderem mit dem Candide-Preis, dem Literaturpreis der Konrad-Adenauer-Stiftung, dem WELT-Literaturpreis, dem Per-Olov-Enquist-Preis, dem Kleist-Preis und dem Thomas-Mann-Preis ausgezeichnet. Der Roman «Die Vermessung der Welt», in bisher 46 Sprachen übersetzt und von Detlev Buck verfilmt, wurde zu einem der erfolgreichsten deutschen Romane der Nachkriegszeit. Außerdem lieferbar sind zahlreiche weitere Werke des Autors, unter anderem: «Beerholms Vorstellung», «Unter der Sonne», «Mahlers Zeit», «Der fernste Ort», «Ich und Kaminski», «Ruhm. Ein Roman in neun Geschichten» sowie der Materialienband «Daniel Kehlmanns ‹Die Vermessung der Welt›. Sekundärband von Gunther Nickel».

Daniel Kehlmann **DIE
VErmessung**
Roman **der Welt**

Rowohlt Taschenbuch Verlag

48. Auflage Oktober 2018

Veröffentlicht im Rowohlt Taschenbuch Verlag,
Reinbek bei Hamburg, März 2008
Copyright © 2005 by Rowohlt Verlag GmbH,
Reinbek bei Hamburg
Umschlaggestaltung any.way,
Cathrin Günther / Walter Hellmann
(Foto: ‹Alexander von Humboldt – Plantes Équinoxiales›,
akg-images)
Satz Adobe Garamond PostScript, InDesign,
bei Pinkuin Satz und Datentechnik, Berlin
Druck und Bindung
CPI books GmbH, Leck, Germany
ISBN 978 3 499 24100 0

Das für dieses Buch verwendete Papier ist FSC®-zertifiziert.

Die
Vermessung
der Welt

Die
Reise

Im September 1828 verließ der größte Mathematiker des Landes zum erstenmal seit Jahren seine Heimatstadt, um am Deutschen Naturforscherkongreß in Berlin teilzunehmen. Selbstverständlich wollte er nicht dorthin. Monatelang hatte er sich geweigert, aber Alexander von Humboldt war hartnäckig geblieben, bis er in einem schwachen Moment und in der Hoffnung, der Tag käme nie, zugesagt hatte.

Nun also versteckte sich Professor Gauß im Bett. Als Minna ihn aufforderte aufzustehen, die Kutsche warte und der Weg sei weit, klammerte er sich ans Kissen und versuchte seine Frau zum Verschwinden zu bringen, indem er die Augen schloß. Als er sie wieder öffnete und Minna noch immer da war, nannte er sie lästig, beschränkt und das Unglück seiner späten Jahre. Da auch das nicht half, streifte er die Decke ab und setzte die Füße auf den Boden.

Grimmig und notdürftig gewaschen ging er die Treppe hinunter. Im Wohnzimmer wartete sein Sohn Eugen mit gepackter Reisetasche. Als Gauß ihn sah, bekam er einen Wutanfall: Er zerbrach einen auf dem Fensterbrett stehenden Krug, stampfte mit dem Fuß und schlug um sich. Er beruhigte sich nicht einmal, als Eugen von der einen und Minna von der anderen Seite ihre Hände auf seine Schultern legten und beteuerten, man werde gut für ihn sorgen, er werde bald wieder daheim sein, es werde so schnell vorbeigehen wie ein böser Traum. Erst als seine uralte Mutter, aufgestört vom Lärm, aus ihrem Zimmer kam, ihn in die Wange kniff und fragte, wo denn ihr tapferer Junge sei, faßte er sich. Ohne Herzlichkeit verabschiedete er sich von Minna; seiner Tochter und dem jüngsten Sohn strich er geistesabwesend über den Kopf. Dann ließ er sich in die Kutsche helfen.

[handwritten margin note: Gauß will nicht weg]

Die Fahrt war qualvoll. Er nannte Eugen einen Versager, nahm ihm den Knotenstock ab und stieß mit aller Kraft nach seinem Fuß. Eine Weile sah er mit gerunzelten Brauen aus dem Fenster, dann fragte er, wann seine Tochter endlich heiraten werde. Warum wolle die denn keiner, wo sei das Problem?

Eugen strich sich die langen Haare zurück, knetete mit beiden Händen seine rote Mütze und wollte nicht antworten.

Raus mit der Sprache, sagte Gauß.

Um ehrlich zu sein, sagte Eugen, die Schwester sei nicht eben hübsch.

Gauß nickte, die Antwort kam ihm plausibel vor. Er verlangte ein Buch.

Eugen gab ihm das, welches er gerade aufgeschlagen hatte: Friedrich Jahns *Deutsche Turnkunst*. Es war eines seiner Lieblingsbücher.

Gauß versuchte zu lesen, sah jedoch schon Sekunden später auf und beklagte sich über die neumodische Lederfederung der Kutsche; da werde einem ja noch übler, als man es gewohnt sei. Bald, erklärte er, würden Maschinen die Menschen mit der Geschwindigkeit eines abgeschossenen Projektils von Stadt zu Stadt tragen. Dann komme man von Göttingen in einer halben Stunde nach Berlin.

Eugen wiegte zweifelnd den Kopf.

Seltsam sei es und ungerecht, sagte Gauß, so recht ein Beispiel für die erbärmliche Zufälligkeit der Existenz, daß man in einer bestimmten Zeit geboren und ihr verhaftet sei, ob man wolle oder nicht. Es verschaffe einem einen unziemlichen Vorteil vor der Vergangenheit und mache einen zum Clown der Zukunft.

Eugen nickte schläfrig.

Sogar ein Verstand wie der seine, sagte Gauß, hätte in frühen Menschheitsaltern oder an den Ufern des Orinoko nichts zu leisten vermocht, wohingegen jeder Dummkopf in zweihundert Jahren sich über ihn lustig machen und absurden Unsinn über seine Person erfinden könne. Er überlegte, nannte Eugen noch einmal einen Versager und widmete sich dem Buch. Während er las, starrte Eugen angestrengt aus dem Kutschenfenster, um sein vor Kränkung und Wut verzerrtes Gesicht zu verbergen.

In der *Deutschen Turnkunst* ging es um Gymnastikgeräte. Ausführlich beschrieb der Autor Vorrichtungen, die er sich ausgedacht hatte, damit man auf ihnen herumklimmen könne. Eine nannte er Pferd, eine andere den Balken, wieder eine andere den Bock.

Der Kerl sei von Sinnen, sagte Gauß, öffnete das Fenster und warf das Buch hinaus.

Das sei seines gewesen, rief Eugen.

Genau so sei es ihm vorgekommen, sagte Gauß, schlief ein und wachte bis zum abendlichen Pferdewechsel an der Grenzstation nicht mehr auf.

Während die alten Pferde ab- und neue angeschirrt

9

wurden, aßen sie Kartoffelsuppe in einer Gastwirtschaft. Ein dünner Mann mit langem Bart und hohlen Wangen, der einzige Gast außer ihnen, musterte sie verstohlen vom Nebentisch aus. Das Körperliche, sagte Gauß, der zu seinem Ärger von Turngeräten geträumt hatte, sei wahrhaftig die Quelle aller Erniedrigung. Er habe es immer bezeichnend für Gottes bösen Humor gefunden, daß ein Geist wie seiner in einen kränklichen Körper eingesperrt sei, während ein Durchschnittskopf wie Eugen praktisch nie krank werde.

Als Kind habe er schwere Pocken gehabt, sagte Eugen. Er habe es fast nicht überlebt. Hier sehe man noch die Narben!

Ja richtig, sagte Gauß, das habe er vergessen. Er wies auf die Postpferde vor dem Fenster. Eigentlich sei es nicht ohne Witz, daß reiche Leute für eine Reise doppelt so lange bräuchten wie arme. Wer Tiere der Post verwende, könne sie nach jeder Etappe austauschen. Wer seine eigenen habe, müsse warten, bis sie sich erholt hätten.

Na und, fragte Eugen.

Natürlich, sagte Gauß, komme das einem, der nicht ans Denken gewöhnt sei, selbstverständlich vor. Ebenso wie der Umstand, daß man als junger Mann einen Stock trage und als alter keinen.

Ein Student führe einen Knotenstock mit, sagte Eugen. Das sei immer so gewesen, und das werde so bleiben.

Vermutlich, sagte Gauß und lächelte.

Sie löffelten schweigend, bis der Gendarm von der Grenzstation hereinkam und ihre Pässe verlangte. Eugen gab ihm seinen Passierschein: ein Zertifikat des Hofes,

> Gauß ist sehr von sich überzeug
• hat interessante (richtige) Ideen

in dem stand, daß er, wiewohl Student, unbedenklich sei und in Begleitung des Vaters preußischen Boden betreten dürfe. Der Gendarm betrachtete ihn mißtrauisch, prüfte den Paß, nickte und wandte sich Gauß zu. Der hatte nichts.

Gar keinen Paß, fragte der Gendarm überrascht, keinen Zettel, keinen Stempel, nichts?

Er habe so etwas noch nie gebraucht, sagte Gauß. Zum letztenmal habe er Hannovers Grenzen vor zwanzig Jahren überschritten. Damals habe er keine Probleme gehabt.

Eugen versuchte zu erklären, wer sie seien, wohin sie führen und auf wessen Wunsch. Die Naturforscherversammlung finde unter Schirmherrschaft der Krone statt. Als ihr Ehrengast sei sein Vater gewissermaßen vom König eingeladen. → angesehen

Der Gendarm wollte einen Paß.

Er könne das ja nicht wissen, sagte Eugen, aber sein Vater werde verehrt in entferntesten Ländern, sei Mitglied aller Akademien, werde seit früher Jugend Fürst der Mathematiker genannt. → weit bekannt

Gauß nickte. Man sage, Napoleon habe seinetwegen auf den Beschuß Göttingens verzichtet.

Eugen wurde blaß.

Napoleon, wiederholte der Gendarm.

Allerdings, sagte Gauß.

Der Gendarm verlangte, etwas lauter als zuvor, einen Paß.

Gauß legte den Kopf auf seine Arme und rührte sich nicht. Eugen stieß ihn an, doch ohne Erfolg. Ihm sei es egal, murmelte Gauß, er wolle nach Hause, ihm sei es ganz egal.

Der Gendarm rückte verlegen an seiner Mütze.

Da mischte sich der Mann am Nebentisch ein. Das alles werde enden! Deutschland werde frei sein, und gute Bürger würden unbehelligt leben und reisen, gesund an Körper und Geist, und kein Papierzeug mehr brauchen.

Ungläubig verlangte der Gendarm seinen Ausweis.

Das eben meine er, rief der Mann und kramte in seinen Taschen. Plötzlich sprang er auf, stieß seinen Stuhl um und stürzte hinaus. Der Gendarm starrte ein paar Sekunden auf die offene Tür, bevor er sich faßte und ihm nachlief.

Gauß hob langsam den Kopf. Eugen schlug vor, sofort weiterzufahren. Gauß nickte und aß schweigend den Rest der Suppe. Das Gendarmenhäuschen stand leer, beide Polizisten hatten sich an die Verfolgung des Bärtigen gemacht. Eugen und der Kutscher wuchteten gemeinsam den Schlagbaum in die Höhe. Dann fuhren sie auf preußischen Boden.

Gauß war nun aufgeräumt, fast heiter. Er sprach über Differentialgeometrie. Man könne kaum ahnen, wohin der Weg in die gekrümmten Räume noch führen werde. Er selbst begreife erst in groben Zügen, Eugen solle froh sein über seine Mittelmäßigkeit, manchmal werde einem angst und bange. Dann erzählte er von der Bitternis seiner Jugend. Er habe einen harten, abweisenden Vater gehabt, Eugen könne sich glücklich schätzen. Gerechnet habe er noch vor seinem ersten Wort. Einmal habe der Vater beim Abzählen des Monatslohns einen Fehler gemacht, darauf habe er zu weinen begonnen. Als der Vater den Fehler korrigiert habe, sei er sofort verstummt.

Eugen tat beeindruckt, obgleich er wußte, daß die Geschichte nicht stimmte. Sein Bruder Joseph hatte sie erfunden und verbreitet. Inzwischen mußte sie dem Vater so oft zu Ohren gekommen sein, daß er angefangen hatte, sie zu glauben.

Gauß kam auf den Zufall zu sprechen, den Feind allen Wissens, den er immer habe besiegen wollen. Aus der Nähe betrachtet, sehe man hinter jedem Ereignis die unendliche Feinheit des Kausalgewebes. Trete man weit genug zurück, offenbarten sich die großen Muster. Freiheit und Zufall seien eine Frage der mittleren Entfernung, eine Sache des Abstands. Ob er verstehe?

So ungefähr, sagte Eugen müde und sah auf seine Taschenuhr. Sie ging nicht sehr genau, aber es mußte zwischen halb vier und fünf Uhr morgens sein.

Doch die Regeln der Wahrscheinlichkeit, fuhr Gauß fort, während er die Hände auf seinen schmerzenden Rücken preßte, gälten nicht zwingend. Sie seien keine Naturgesetze, Ausnahmen seien möglich. Zum Beispiel ein Intellekt wie seiner oder jene Gewinne beim Glücksspiel, die doch unleugbar ständig irgendein Strohkopf mache. Manchmal vermute er sogar, daß auch die Gesetze der Physik bloß statistisch wirkten, mithin Ausnahmen erlaubten: Gespenster oder die Übertragung der Gedanken.

Eugen fragte, ob das ein Scherz sei.

Das wisse er selbst nicht, sagte Gauß, schloß die Augen und fiel in tiefen Schlaf.

Sie erreichten Berlin am Spätnachmittag des nächsten Tages. Tausende kleine Häuser ohne Mittelpunkt und Anordnung, eine ausufernde Siedlung an Europas sumpfigster Stelle. Eben erst hatte man angefangen, prunkvolle Gebäude zu errichten: einen Dom, einige Paläste, ein Museum für die Funde von Humboldts großer Expedition.

In ein paar Jahren, sagte Eugen, werde das hier eine Metropole sein wie Rom, Paris oder Sankt Petersburg.

Niemals, sagte Gauß. Widerliche Stadt!

Die Kutsche rumpelte über schlechtes Pflaster. Zweimal scheuten die Pferde vor knurrenden Hunden, in den Nebenstraßen blieben die Räder fast im nassen Sand stecken. Ihr Gastgeber wohnte im Packhof Nummer vier, in der Stadtmitte, gleich hinter der Baustelle des neuen Museums. Damit sie es nicht verfehlten, hatte er mit dünner Feder einen sehr genauen Lageplan gezeichnet. Jemand mußte sie von weitem gesehen und angekündigt haben, denn wenige Sekunden nachdem sie in den Hof eingefahren waren, flog die Haustür auf, und vier Männer liefen ihnen entgegen.

Alexander von Humboldt war ein kleiner alter Herr mit schlohweißen Haaren. Hinter ihm kamen ein Sekretär mit aufgeschlagenem Schreibblock, ein Bote in Livree und ein backenbärtiger junger Mann, der ein Gestell mit einem Holzkasten trug. Als hätten sie es geprobt, stellten sie sich in Positur. Humboldt streckte die Arme nach der Kutschentür aus.

Nichts geschah.

Aus dem Inneren des Fahrzeugs hörte man hektisches Reden. Nein, rief jemand, nein! Ein dumpfer Schlag ertönte, dann zum dritten Mal: Nein! Und eine Weile nichts.

Endlich klappte die Tür auf, und Gauß stieg vorsichtig auf die Straße hinab. Er zuckte zurück, als Humboldt ihn an den Schultern faßte und rief, welche Ehre es sei, was für ein großer Moment für Deutschland, die Wissenschaft, ihn selbst.

Der Sekretär notierte, der Mann hinter dem Holzkasten zischte: Jetzt!

Humboldt erstarrte. Das sei Herr Daguerre, flüsterte er, ohne die Lippen zu bewegen. Ein Schützling von ihm, der an einem Gerät arbeite, welches den Augenblick auf eine lichtempfindliche Silberjodidschicht bannen und der fliehenden Zeit entreißen werde. Bitte auf keinen Fall bewegen!

Gauß sagte, er wolle nach Hause.

Nur einen Augenblick, flüsterte Humboldt, fünfzehn Minuten etwa, man sei schon recht weit fortgeschritten. Vor kurzem habe es noch viel länger gedauert, bei den ersten Versuchen habe er gemeint, sein Rücken halte es nicht aus. Gauß wollte sich loswinden, aber der kleine Alte hielt ihn mit überraschender Kraft fest und murmelte: Dem König Bescheid geben! Schon war der Bote fortgerannt. Dann, offenbar weil es ihm gerade durch den Kopf ging: Notiz, Möglichkeit einer Robbenzucht in Warnemünde prüfen, Bedingungen scheinen günstig, mir morgen vorlegen! Der Sekretär notierte.

Eugen, der erst jetzt leicht hinkend aus der Kutsche stieg, entschuldigte sich für die späte Stunde ihrer Ankunft.

Hier gebe es keine frühe oder späte Stunde, murmelte Humboldt. Hier gebe es nur Arbeit, und die werde getan. Zum Glück habe man noch Licht. Nicht bewegen!

Ein Polizist betrat den Hof und fragte, was hier los sei.

Später, zischte Humboldt mit zusammengepreßten Lippen.

Dies sei eine Zusammenrottung, sagte der Polizist. Entweder man gehe sofort auseinander, oder er werde amtshandeln.

Er sei Kammerherr, zischte Humboldt.

Was bitte? Der Polizist beugte sich vor.

Kammerherr, wiederholte Humboldts Sekretär. Angehöriger des Hofes.

Daguerre forderte den Polizisten auf, aus dem Bild zu gehen.

Mit gerunzelter Stirn trat der Polizist zurück. Erstens könne das nun aber jeder sagen, zweitens gelte das Versammlungsverbot für alle. Und der da, er zeigte auf Eugen, sei offensichtlich Student. Da werde es besonders heikel.

Wenn er sich nicht gleich davonmache, sagte der Sekretär, werde er Schwierigkeiten bekommen, die er sich noch gar nicht vorstellen könne.

So spreche man nicht mit einem Beamten, sagte der Polizist zögernd. Er gebe ihnen fünf Minuten.

Gauß stöhnte und riß sich los.

Ach nein, rief Humboldt.

Daguerre stampfte mit dem Fuß auf. Jetzt sei der Moment für immer verloren!

Wie alle anderen, sagte Gauß ruhig. Wie alle anderen.

Und wirklich: Als Humboldt noch in derselben Nacht, während Gauß im Nebenzimmer so laut schnarchte, daß man es in der ganzen Wohnung hörte, die belichtete Kupferplatte mit einer Lupe untersuchte, erkannte er darauf

16

gar nichts. Und erst nach einer Weile schien ihm ein Ge-
wirr gespenstischer Umrisse darin aufzutauchen, die ver-
schwommene Zeichnung von etwas, das aussah wie eine
Landschaft unter Wasser. Mitten darin eine Hand, drei
Schuhe, eine Schulter, der Ärmelaufschlag einer Uniform und der untere Teil eines Ohres. Oder doch nicht?
Seufzend warf er die Platte aus dem Fenster und hörte
sie dumpf auf den Boden des Hofes schlagen. Sekunden
später hatte er sie, wie alles, was ihm je mißlungen war,
vergessen.

— Gauß ~~kor~~ reist ~~bei~~ nach Berlin an

Das Meer

Alexander von Humboldt war in ganz Europa berühmt wegen einer Expedition in die Tropen, die er fünfundzwanzig Jahre zuvor unternommen hatte. Er war in Neuspanien, Neugranada, Neubarcelona, Neuandalusien und den Vereinigten Staaten gewesen, hatte den natürlichen Kanal zwischen Orinoko und Amazonas entdeckt, den höchsten Berg der bekannten Welt bestiegen, Tausende Pflanzen und Hunderte Tiere, manche lebend, die meisten tot, gesammelt, hatte mit Papageien gesprochen, Leichen ausgegraben, jeden Fluß, Berg und See auf seinem Weg vermessen, war in jedes Erdloch gekrochen und hatte mehr Beeren gekostet und Bäume erklettert, als sich irgend jemand vorstellen mochte.

Er war der jüngere von zwei Brüdern. Ihr Vater, ein wohlhabender Mann von niederem Adel, war früh gestorben. Seine Mutter hatte sich bei niemand anderem als Goethe erkundigt, wie sie ihre Söhne ausbilden solle.

Ein Brüderpaar, antwortete dieser, in welchem sich so recht die Vielfalt menschlicher Bestrebungen ausdrücke, wo also die reichen Möglichkeiten zu Tat und Genuß auf das vorbildlichste Wirklichkeit geworden, das sei in der Tat ein Schauspiel, angetan, den Sinn mit Hoffnung und den Geist mit mancherlei Überlegung zu erfüllen.

Diesen Satz verstand keiner. Nicht die Mutter, nicht

19

ihr Majordomus Kunth, ein magerer Herr mit großen Ohren. Er meine zu begreifen, sagte Kunth schließlich, es handle sich um ein Experiment. Der eine solle zum Mann der Kultur ausgebildet werden, der andere zum Mann der Wissenschaft.

Und welcher wozu?

Kunth überlegte. Dann zuckte er die Schultern und schlug vor, eine Münze zu werfen.

Fünfzehn hochbezahlte Experten hielten ihnen Vorlesungen auf Universitätsniveau. Für den jüngeren Bruder Chemie, Physik, Mathematik, für den älteren Sprachen und Literatur, für beide Griechisch, Latein und Philosophie. Zwölf Stunden am Tag, jeden Tag der Woche, ohne Pause oder Ferien.

Der jüngere Bruder, Alexander, war wortkarg und schwächlich, man mußte ihn zu allem ermutigen, seine Noten waren mittelmäßig. Wenn man ihn sich selbst überließ, strich er durch die Wälder, sammelte Käfer und ordnete sie nach selbsterdachten Systemen. Mit neun Jahren baute er den von Benjamin Franklin erfundenen Blitzableiter nach und befestigte ihn auf dem Dach des Schlosses, das sie nahe der Hauptstadt bewohnten. Es war der zweite in Deutschland überhaupt; der andere stand in Göttingen auf dem Dach des Physikprofessors Lichtenberg. Nur an diesen zwei Orten war man vor dem Himmel sicher.

Der ältere Bruder sah aus wie ein Engel. Er konnte reden wie ein Dichter und schrieb früh altkluge Briefe an die berühmtesten Männer des Landes. Wer immer ihn traf, wußte sich vor Begeisterung kaum zu fassen. Mit dreizehn beherrschte er zwei Sprachen, mit vierzehn vier, mit fünfzehn sieben. Er war noch nie bestraft worden, keiner konnte sich erinnern, daß er je etwas falsch gemacht hätte. Mit dem englischen Gesandten sprach er über Handelspolitik, mit dem französischen über die Gefahr des Aufruhrs. Einmal sperrte er den jüngeren Bruder in einen Schrank in einem entlegenen Zimmer. Als ein Diener den Kleinen dort am nächsten Tag halb ohnmächtig fand, behauptete der, sich selbst eingeschlossen zu haben; er wußte, die Wahrheit hätte keiner geglaubt. Ein anderes Mal entdeckte er weißes Pulver in seinem Essen. Er verstand genug von Chemie, um zu erkennen, daß es Rattengift war. Mit zitternden Händen schob er den Teller weg. Von der anderen Seite des Tisches sah ihn der ältere anerkennend mit unergründlich hellen Augen an.

Niemand konnte leugnen, daß es im Schloß spukte. Nichts Spektakuläres, bloß Schritte in leeren Gängen, Kinderweinen ohne Ursprung und manchmal ein schemenhafter Herr, der mit schnarrender Stimme darum bat, ihm Schuhbänder, kleine Spielzeugmagneten oder ein Glas Limonade abzukaufen. Unheimlicher als die Geister aber waren die Geschichten über sie: Kunth gab den beiden Jungen Bücher zu lesen, in denen es um Mönche ging, um offene Gräber, Hände, die aus der Tiefe ragten, in der Unterwelt gebraute Elixiere und Séancen, bei denen Tote zu schreckensstarren Zuhörern sprachen. Solches kam gerade in Mode und war noch so neu, daß keine Gewohnheit gegen das Grauen half. Das sei nötig, erklärte Kunth, die Begegnung mit dem Dunkel sei Teil des Heranwachsens, wer metaphysische Angst nicht kenne, werde nie ein deutscher Mann. Einmal stießen sie auf eine Geschichte über Aguirre den Wahnsinnigen, der seinem König abgeschworen und sich selbst zum Kaiser ernannt hatte. In einer Alptraumfahrt ohnegleichen waren er und seine Männer den Orinoko entlanggefahren, an dessen Ufern das Unterholz so dicht war, daß man nicht an Land gehen konnte. Vögel schrien in den Sprachen ausgestorbener Völker, und wenn man aufblickte, spiegelte der Himmel Städte, deren Architektur offenbarte, daß ihre Erbauer keine Menschen waren. Noch immer waren kaum Forscher in diese Gegend vorgedrungen, und eine verläßliche Karte gab es nicht.

Aber er werde es tun, sagte der jüngere Bruder. Er werde dorthin reisen.

Sicherlich, antwortete der Ältere.

Er meine es ernst!

Das sei ihm klar, sagte der Ältere und rief einen Diener, um Tag und Stunde zu bezeugen. Einmal werde man froh sein, diesen Augenblick fixiert zu haben.

In Physik und Philosophie unterrichtete sie Marcus Herz, Lieblingsschüler von Immanuel Kant und Ehemann der für ihre Schönheit berühmten Henriette. Er goß zwei Substanzen in einen Glaskrug: Die Flüssigkeit zögerte einen Moment, bevor sie mit einem Schlag die Farbe wechselte. Er ließ Wasserstoff aus einem Röhrchen strömen, hielt eine Flamme an die Mündung, und mit einem Jauchzen schoß das Feuer auf. Ein halbes Gramm, sagte er, zwölf Zentimeter hoch die Flamme. Wann immer einen die Dinge erschreckten, sei es eine gute Idee, sie zu messen.

In Henriettes Salon trafen sich einmal in der Woche gebildete Leute, sprachen über Gott und ihre Gefühle,

weinten ein wenig, schrieben einander Briefe und nannten sich selbst die Tugendbündler. Niemand wußte mehr,
wer auf diesen Namen gekommen war. Ihre Gespräche
mußten nach außen hin geheimgehalten werden; aber
anderen Tugendbündlern hatte man über alles, was einem in der Seele vorging, offen und mit Ausführlichkeit
Auskunft zu geben. Ging einem nichts in der Seele vor,
mußte man etwas erfinden. Die zwei Brüder waren die
jüngsten. Auch dies sei nötig, sagte Kunth, und sie dürf-
ten keinesfalls ein Treffen versäumen. Es diene der Her-
zensbildung. Ausdrücklich ermutigte er sie, an Henriette
zu schreiben. Eine Vernachlässigung sentimentalischer
Kultur in frühen Lebensphasen könne später unerfreu-
liche Folgen zeitigen. Es verstand sich von selbst, daß
ihm jedes Schreiben vorgelegt werden mußte. Wie erwartet, waren die Briefe des älteren Bruders die besseren.

Henriette antwortete ihnen höflich, in einer unsicheren Kinderschrift. Sie war selbst erst neunzehn. Ein
Buch, das ihr der jüngere geschenkt hatte, kam ungelesen
zurück: *L'homme machine* von La Mettrie. Dieses Werk
sei verboten, ein verabscheuungswürdiges Pamphlet. Sie
bringe es nicht über sich, es auch nur aufzuschlagen.

Das bedaure er, sagte der jüngere Bruder zum älteren.
Es sei ein bemerkenswertes Buch. Der Autor behaupte
ernstlich, der Mensch sei eine Maschine, ein automatisch
agierendes Gestell von höchster Kunstfertigkeit.

Und ohne Seele, antwortete der Ältere. Sie gingen
durch den Schloßpark; der Schnee lag dünn auf kahlen
Bäumen.

Nein, widersprach der Jüngere. Mit Seele. Mit Ah-
nungen und poetischem Gespür für Weite und Schön-

heit. Doch sei diese Seele selbst nur ein Teil, wenn auch der komplizierteste, der Maschinerie. Und er frage sich, ob das nicht der Wahrheit entspreche.

Alle Menschen Maschinen?

Vielleicht nicht alle, sagte der Jüngere nachdenklich. Aber wir.

Der Teich war zugefroren, die Dämmerung des Spätnachmittags färbte Schnee und Eiszapfen blau. Er habe ihm etwas mitzuteilen, sagte der Ältere. Man mache sich Sorgen um ihn. Seine schweigsame Art, seine Verschlossenheit. Die schleppenden Erfolge im Unterricht. Mit ihnen beiden stehe und falle ein großer Versuch. Keiner von ihnen habe das Recht, sich gehenzulassen. Er zögerte einen Moment. Das Eis sei übrigens ganz fest.

Tatsächlich?

Aber ja.

Der Jüngere nickte, holte Luft und trat auf den See. Er überlegte, ob er Klopstocks Eislaufode rezitieren sollte. Mit den Armen weit ausschwingend, glitt er zur Mitte. Er drehte sich um sich selbst. Sein Bruder stand leicht zurückgebeugt am Ufer und schaute ihm zu.

Auf einmal war es still. Er sah nichts mehr, und die Kälte nahm ihm fast die Sinne. Erst da begriff er, daß er unter Wasser war. Er strampelte. Sein Kopf prallte gegen etwas Hartes, das Eis. Seine Fellmütze löste sich und schwebte davon, seine Haare richteten sich auf, seine Füße schlugen auf den Boden. Jetzt hatten sich seine Augen an die Dunkelheit gewöhnt. Einen Moment lang sah er eine erstarrte Landschaft: zitternde Halme, darüber Gewächse, durchsichtig wie Schleier, einen einzelnen Fisch, eben noch da, jetzt schon weg, wie eine

Täuschung. Er machte Schwimmbewegungen, stieg auf, prallte wieder gegen das Eis. Ihm wurde klar, daß er nur noch Sekunden zu leben hatte. Er tastete, und gerade als er keine Luft mehr hatte, sah er einen dunklen Fleck über sich, die Öffnung; er riß sich nach oben, atmete ein und aus und spuckte, das scharfkantige Eis zerschnitt ihm die Hände, er hievte sich empor, rollte sich ab, zog die Beine nach und lag keuchend, schluchzend da. Er drehte sich auf den Bauch und robbte auf das Ufer zu. Sein Bruder stand noch wie zuvor, zurückgebeugt, die Hände in den Taschen, die Mütze ins Gesicht gezogen. Er streckte die Hand aus und half ihm auf die Füße.

In der Nacht kam das Fieber. Er vernahm Stimmen und wußte nicht, ob sie Gestalten seiner Träume oder den Menschen gehörten, die sein Bett umringten, und immer noch spürte er die Eiseskälte. Ein Mann ging mit großen Schritten im Zimmer auf und ab, wahrscheinlich der Arzt, und sagte, entscheide dich, gelingen oder nicht, das ist ein Entschluß, man muß dann nur durchhalten, oder? Aber als er darauf antworten wollte, erinnerte er sich nicht mehr, was gesagt worden war, statt dessen sah er ein weit ausgespanntes Meer unter einem elektrisch flackernden Himmel, und als er wieder die Augen öffnete, war es Mittag am übernächsten Tag, die Wintersonne hing bleich im Fenster, und sein Fieber hatte nachgelassen.

Von nun an wurden seine Noten besser. Er arbeitete konzentriert und nahm die Gewohnheit an, beim Nachdenken die Fäuste zu ballen, als müsse er einen Feind besiegen. Er habe sich verändert, schrieb ihm Henriette, ein wenig mache er ihr jetzt angst. Er bat darum, eine Nacht in dem leeren Zimmer verbringen zu dürfen, aus dem man am häufigsten nächtliche Laute hörte. Am Morgen darauf war er blaß und still, und senkrecht über seine Stirn zog sich die erste Falte.

Kunth entschied, daß der ältere Bruder die Rechte und der jüngere Kameralistik studieren solle. Natürlich reiste er mit ihnen zur Universität nach Frankfurt an der Oder, begleitete sie in die Vorlesungen und überwachte ihre Fortschritte. Es war keine gute Hochschule. Wenn einer nichts könne und Doktor werden wolle, schrieb der Ältere an Henriette, solle er getrost kommen. Auch sei aus Gründen, die keiner kenne, meist ein großer Hund im Kollegium, kratze sich viel und mache Geräusche.

Beim Botaniker Wildenow sah der Jüngere zum erstenmal getrocknete Tropenpflanzen. Sie hatten fühlerartige Auswüchse, Knospen wie Augen und Blätter, deren Oberfläche sich anfühlte wie menschliche Haut. Aus Träumen kamen sie ihm vertraut vor. Er zerschnitt sie, machte sorgfältige Skizzen, prüfte ihre Reaktion auf Säuren und Basen und verarbeitete sie säuberlich zu Präparaten.

Er wisse nun, sagte er zu Kunth, womit er sich befassen wolle. Mit dem Leben.

Das könne er nicht billigen, sagte Kunth. Man habe auf der Welt andere Aufgaben, als einfach nur dazusein. Leben allein, das sei kein Inhalt einer Existenz.

So meine er es nicht, antwortete er. Er wolle das Leben erforschen, die seltsame Hartnäckigkeit verstehen, mit der es den Globus umspanne. Er wolle ihm auf die Schliche kommen!

Also durfte er bleiben und bei Wildenow studieren.

Im nächsten Semester wechselte der ältere Bruder an die Universität Göttingen. Während er dort seine ersten Freunde fand, zum erstenmal Alkohol trank und eine Frau berührte, schrieb der Jüngere seine erste wissenschaftliche Arbeit.

Gut, sagte Kunth, aber noch nicht gut genug, um unter dem Namen Humboldt gedruckt zu werden. Mit dem Veröffentlichen müsse man noch warten.

In den Ferien besuchte er den älteren Bruder. Auf einem Empfang des französischen Konsuls lernte er den Mathematiker Kästner kennen, dessen Freund Hofrat Zimmermann und den wichtigsten Experimentalphysiker Deutschlands, Professor Georg Christoph Lichtenberg. Dieser drückte ihm weich die Hand und starrte, bucklig, doch mit makellos schönem Gesicht, ein Klumpen aus Fleisch und Intelligenz, belustigt an ihm empor. Humboldt fragte ihn, ob es stimme, daß er an einem Roman arbeite.

Ja und nein, antwortete Lichtenberg mit einem Blick, als sehe er etwas, von dem Humboldt selbst nichts ahne. Das Werk heiße *Über Gunkel*, handle von nichts und komme überhaupt nicht voran.

Das Romanschreiben, sagte Humboldt, erscheine ihm als Königsweg, um das Flüchtigste der Gegenwart für die Zukunft festzuhalten.

Aha, sagte Lichtenberg.

Humboldt errötete. Somit sei es ein albernes Unterfangen, wenn ein Autor, wie es jetzt Mode werde, eine schon entrückte Vergangenheit zum Schauplatz wähle.

Lichtenberg betrachtete ihn mit schmalen Augen. Nein, sagte er dann. Und ja.

Auf dem Heimweg sahen die Brüder eine zweite, nur wenig größere Silberscheibe neben dem gerade aufgegangenen Mond. Ein Heißluftballon, erklärte der ältere. Pilâtre de Rozier, der Mitarbeiter der Montgolfiers, weile zur Zeit im nahen Braunschweig. Die ganze Stadt rede davon. Bald würden alle Menschen in die Luft steigen.

Aber sie würden es nicht wollen, sagte der Jüngere. Sie hätten zuviel Angst.

Kurz vor seiner Abreise lernte er den berühmten Georg Forster kennen, einen dünnen, hustenden Mann mit ungesunder Gesichtsfarbe. Er hatte mit Cook die Welt umrundet und mehr gesehen als irgendein anderer Mensch aus Deutschland; jetzt war er eine Legende, sein Buch war weltbekannt, und er arbeitete als Bibliothekar in Mainz. Er erzählte von Drachen und lebenden Toten, von überaus höflichen Kannibalen, von Tagen, an denen das Meer so klar war, daß man meinte, über einem Abgrund zu schweben, von Stürmen, so heftig, daß man nicht zu beten wagte. Melancholie umgab ihn wie ein feiner Nebel. Er habe zuviel gesehen, sagte er. Eben davon handle das Gleichnis von Odysseus und den Sirenen. Es helfe nichts, sich an den Mast zu binden, auch als Davongekommener erhole man sich nicht von der Nähe des Fremden. Er finde kaum Schlaf mehr, die Erinnerungen seien zu stark. Vor kurzem habe er Nachricht bekommen, daß sein Kapitän, der große und dunkle Cook, auf Hawaii gekocht und gegessen worden sei. Er rieb sich die Stirn und betrachtete die Schnallen seiner Schuhe. Gekocht und gegessen, wiederholte er.

Er selbst wolle auch reisen, sagte Humboldt.

Forster nickte. Mancher wolle das. Und jeder bereue es später.

Warum?

Weil man nie zurückkommen könne.

Forster empfahl ihn an die Bergbauakademie in Freiberg. Dort lehrte Abraham Werner: Das Erdinnere sei kalt und fest. Gebirge entstünden durch chemische Ausfällungen aus dem schrumpfenden Ozean der Urzeit. Das Feuer der Vulkane komme keineswegs von tief innen, es werde genährt von brennenden Kohlelagern, der Erdkern sei aus hartem Stein. Diese Lehre nannte sich Neptunismus und wurde von beiden Kirchen und Johann Wolfgang Goethe verfochten. In der Freiberger Kapelle ließ Werner Seelenmessen für seine die Wahrheit noch leugnenden Gegner lesen. Einmal hatte er einem zweifelnden Studenten die Nase gebrochen, angeblich einem anderen vor vielen Jahren ein Ohr abgebissen. Er war einer der letzten Alchimisten: Mitglied geheimer Logen, Kenner der Zeichen, denen die Dämonen gehorchten. Er vermochte Zerstörtes wieder zusammenzufügen, aus dem Rauch das zuvor Verbrannte und aus dem Zerstoßenen wieder Festes zu formen, auch hatte er mit dem Teufel gesprochen und Gold gemacht. Intelligent wirkte er dennoch nicht. Er lehnte sich zurück, kniff die Augen zusammen und fragte Humboldt, ob er Neptunist sei und ans kalte Erdinnere glaube.

Humboldt versicherte es.

Dann müsse er aber auch heiraten.

Humboldt wurde rot.

Werner blies die Backen auf, machte eine Verschwörermiene und fragte, ob er einen Schatz habe.

Das behindere nur, sagte Humboldt. Man heirate, wenn man nichts Wesentliches im Leben vorhabe.

Werner starrte ihn an.

So werde behauptet, sagte Humboldt schnell. Natürlich zu Unrecht!

Ein unverheirateter Mann, sagte Werner, sei noch nie ein guter Neptunist gewesen.

Humboldt durchlief das Kurrikulum der Akademie in einem Vierteljahr. Morgens war er sechs Stunden unter der Erde, nachmittags hörte er Vorlesungen, am Abend und die Hälfte der Nacht lernte er für den nächsten Tag. Freunde hatte er keine, und als sein Bruder ihn zu seiner Hochzeit einlud – er habe eine Frau gefunden, wie sie ihm gezieme, eine, die nicht ihresgleichen habe auf der Welt –, antwortete er höflich, daß er nicht kommen könne, ihm fehle Zeit. Er kroch durch die niedrigsten Schächte, bis er sich an seine Platzangst gewöhnt hatte wie an einen nicht nachlassenden, allmählich jedoch erträglichen Schmerz. Er stellte Temperaturmessungen an: Je tiefer man hinabstieg, desto wärmer wurde es, und das widersprach allen Lehren Abraham Werners. Ihm fiel auf, daß es noch in der tiefsten Höhlendunkelheit Vegetation gab. Das Leben schien nirgendwo aufzuhören, überall fand sich noch eine Form von Moos und Wucherung, irgendeine Art verkümmerter Gewächse. Sie waren ihm unheimlich, und darum zerlegte und untersuchte er sie, ordnete sie nach Klassen und schrieb eine Abhandlung darüber. Jahre später, als er ähnliche Pflanzen in der Höhle der Toten sah, war er vorbereitet.

Er machte den Abschluß und bekam eine Uniform. Wo immer er auch hinkam, sollte er sie tragen. Sein

Amtstitel war der eines Assessors beim Berg- und Hüttendepartement. Er schäme sich selbst, schrieb er seinem Bruder, daß er sich so darüber freue.

Wenige Monate später war er schon Preußens zuverlässigster Bergwerksinspektor. Er ließ sich durch Hütten, Torfstechereien und zu den Brennöfen der Königlichen Porzellanmanufaktur führen; überall erschreckte er die Arbeiter durch die Geschwindigkeit, mit der er sich Notizen machte. Er war ständig unterwegs, schlief und aß kaum und wußte selbst nicht, was all das sollte. Etwas sei an ihm, schrieb er seinem Bruder, das ihn befürchten lasse, er verliere den Verstand.

Zufällig stieß er auf Galvanis Buch über den Strom und die Frösche. Galvani hatte abgetrennte Froschschenkel mit zwei unterschiedlichen Metallen verbunden, und sie hatten gezuckt wie lebendig. Lag das nun an den Schenkeln, in denen noch Lebenskraft war, oder war die Bewegung von außen gekommen, aus dem Unterschied der Metalle, und von den Froschteilen bloß sichtbar gemacht? Humboldt beschloß, es herauszufinden.

Er zog sein Hemd aus, legte sich aufs Bett und wies einen Diener an, zwei Aderlaßpflaster auf seinen Rükken zu kleben. Der Diener gehorchte, Humboldts Haut warf zwei große Blasen. Und jetzt solle er die Blasen aufschneiden! Der Diener zögerte, Humboldt mußte laut werden, der Diener nahm das Skalpell. Es war so scharf, daß der Schnitt kaum schmerzte. Blut tropfte auf den Boden. Humboldt befahl, ein Stück Zink auf eine der Wunden zu legen.

Der Diener fragte, ob er eine Pause machen dürfe, ihm sei nicht wohl.

Humboldt bat ihn, sich nicht dumm anzustellen. Als ein Silberstück die zweite Wunde berührte, ging ein schmerzhaftes Pochen durch seine Rückenmuskeln, bis hinauf in den Kopf. Mit zitternder Hand notierte er: *Musculus cucularis,* Hinterhauptbein, Stachelfortsätze des Rückenwirbelbeins. Kein Zweifel, hier wirkte Elektrizität. Noch einmal das Silber! Er zählte vier Schläge, in regelmäßigem Abstand, dann wichen die Farben aus den Gegenständen.

Als er wieder zu sich kam, saß der Diener auf dem Boden, das Gesicht bleich, die Hände blutig.

Weiter, sagte Humboldt, und mit seltsamem Schrecken wurde ihm klar, daß etwas in ihm Lust empfand. Jetzt die Frösche!

Das nicht, sagte der Diener.

Humboldt fragte, ob er sich eine neue Anstellung suchen wolle.

Der Diener legte vier tote, sorgsam gereinigte Frösche auf Humboldts blutigen Rücken. Aber jetzt reiche es, sagte er, sie seien doch Christenmenschen.

Humboldt ignorierte ihn und befahl: Wieder das Silber! Schon kamen die Schläge. Bei jedem davon, er sah es im Spiegel, sprangen die Froschleiber wie lebendig. Er biß in das Kissen, der Stoff war naß von seinen Tränen. Der Diener kicherte hysterisch, Humboldt wollte Notizen machen, aber seine Hände waren zu schwach. Mühsam stand er auf. Aus den zwei Wunden lief Flüssigkeit, so ätzend, daß sie seine Haut entzündete. Humboldt versuchte etwas davon in einem Glasröhrchen aufzufangen, aber seine Schulter war geschwollen, und er konnte sich nicht drehen. Er sah den Diener an.

Der schüttelte den Kopf.

Na gut, sagte Humboldt, dann solle er jetzt in Gottes Namen den Arzt holen! Er wischte sich das Gesicht ab und wartete, bis er wieder fähig war, die Hände zu gebrauchen und das Nötigste aufzuschreiben. Strom war geflossen, das hatte er gespürt, und entsprungen war er nicht seinem Körper und nicht den Fröschen, sondern der chemischen Feindschaft der Metalle.

Es war nicht leicht, dem Arzt zu erklären, was hier geschehen war. Der Diener kündigte in der Woche darauf, zwei Narben blieben, und die Abhandlung über die lebendige Muskelfaser als leitende Substanz begründete Humboldts wissenschaftlichen Ruf.

Er scheine verwirrt zu sein, schrieb sein Bruder aus Jena. Doch möge er bedenken, daß man moralische Verpflichtungen auch dem eigenen Körper gegenüber habe, der doch kein Ding unter Dingen sei; ich bitte Dich, komm! Schiller möchte Dich kennenlernen.

Du verkennst mich, antwortete Humboldt. Ich habe herausgefunden, daß der Mensch bereit ist, Unbill zu erfahren, aber viel Erkenntnis entgeht ihm, weil er den Schmerz fürchtet. Wer sich jedoch zum Schmerz entschließt, begreift Dinge, die er nicht … Er legte die Feder weg, rieb sich die Schulter und zerknüllte das Blatt. Unsere Brüderlichkeit, begann er von neuem, wieso erscheint sie mir als das eigentliche Rätsel? Daß wir allein sind und verdoppelt, daß Du bist, was ich nicht werden soll, und ich bin, was Du nicht sein kannst, daß wir zu zweit durchs Dasein müssen, einander, ob wir wollen oder nicht, für immer näher als jedem anderen. Und wieso vermute ich, daß unsere Größe folgenlos bleiben und, was wir auch vollbringen, dahinschwinden wird, als wäre es nichts, bis unsere gegeneinander gewachsenen Namen, wieder zu einem verschmolzen, verblassen werden? Er stockte, dann zerriß er das Blatt in winzige Fetzen.

Um die Pflanzen in der Freiberger Mine zu untersuchen, entwickelte er die Grubenlampe: eine Flamme, genährt von einem Behälter Gas, die auch an Orten ohne Luft noch Licht gab. Fast hätte es ihn umgebracht. Er stieg in eine noch nie erforschte Kammer ab, stellte die Lampe hin und wurde nach wenigen Minuten ohnmächtig. Sterbend sah er tropische Schlingpflanzen, welche unter seinem Blick zu Frauenkörpern wurden, aufschreiend kam er zu sich. Ein Spanier namens Andres del Rio, ein ehemaliger Mitschüler an der Freiberger Akademie, hatte ihn gefunden und hinaufgeschafft. Vor Scham brachte Humboldt es kaum fertig, sich zu bedanken.

In einem Monat harter Arbeit entwickelte er eine Respirationsmaschine: Von einem Luftsack führten zwei Schläuche zu einer Atemmaske. Er schnallte das Gerät um und stieg hinab. Mit steinernem Gesicht ertrug er die beginnenden Halluzinationen. Dann erst, seine Knie wurden bereits weich und das Schwindelgefühl vervielfachte die Kerzenflamme zu einer Feuersbrunst, öffnete er das Ventil und sah grimmig zu, wie die Frauen wieder zu Pflanzen und die Pflanzen zu nichts wurden. Er blieb noch Stunden in der kühlen Dunkelheit. Als er ans Tageslicht kam, erwartete ihn Kunths Schreiben, das ihn ans Sterbebett seiner Mutter rief.

Wie es sich gehörte, ritt er auf dem schnellsten Pferd, das zu bekommen war. Regen schlug ihm ins Gesicht, sein Mantel flatterte, zweimal rutschte er vom Sattel und fiel in den Dreck. Unrasiert und schmutzig traf er ein, und weil er wußte, was sich in solchen Fällen schickte, tat er, als wäre er außer Atem. Kunth nickte beifällig, gemeinsam saßen sie an ihrem Bett und sahen zu, wie der Schmerz ihr Gesicht in etwas Fremdes verwandelte. Die Auszehrung hatte sie innerlich verbrannt, ihre Wangen waren eingefallen, ihr Kinn war lang und ihre Nase plötzlich krumm, an den Aderlässen war sie beinahe verblutet. Während Humboldt ihre Hand hielt, ging der Nachmittag in den Abend über, und ein Bote brachte einen Brief seines Bruders, der sich wegen dringender Geschäfte in Weimar entschuldigte. Als die Nacht anbrach, bäumte sich seine Mutter auf und begann spitze Schreie auszustoßen. Das Schlafmittel wirkte nicht, auch ein weiterer Aderlaß brachte keine Beruhigung, und Humboldt kam es unbegreiflich vor, daß sie sich so ungesittet benehmen konnte. Gegen Mitternacht wurden ihre Schreie so hemmungslos laut, schienen so tief aus ihrem sich aufbäumenden Körper emporzudringen, als durchlebte sie einen Höhepunkt der Lust. Er wartete mit geschlossenen Augen. Erst nach zwei Stunden verstummte sie. Als es hell wurde, murmelte sie Unverständliches, als die Sonne in den Vormittagshimmel stieg, sah sie ihren Sohn an und sagte, er solle sich gerade halten, so zu lümmeln sei doch keine Art. Dann wandte sie den Kopf ab, ihre Augen schienen zu Glas zu werden, und er sah die erste Tote seines Lebens.

Kunth legte ihm die Hand auf die Schulter. Niemand könne ermessen, was ihm diese Familie gewesen sei.

Doch, sagte Humboldt, als soufflierte ihm jemand, er könne es, und er werde es nie vergessen.

Kunth seufzte gerührt. Er wußte jetzt, er würde auch weiterhin sein Gehalt bekommen.

Am Nachmittag sahen die Bedienten Humboldt vor dem Schloß auf und ab gehen, über die Hügelkuppen, um den Teich, den Mund offen, das Gesicht zum Himmel gekehrt wie ein Idiot. So hatten sie ihn noch nie erlebt. Er müsse, sagten sie zueinander, arg erschüttert sein. Und wirklich: Er war noch nie so glücklich gewesen.

Eine Woche später kündigte er seine Anstellung. Der Minister begriff nicht. So ein hohes Amt in solcher Jugend, dem Aufstieg seien doch keine Grenzen gesetzt! Warum also?

Weil das alles zu wenig sei, antwortete Humboldt. Er stand kleingewachsen, aber aufrecht, mit leuchtenden Augen und leicht hängenden Schultern vor dem Schreibtisch seines Vorgesetzten. Und weil er jetzt endlich aufbrechen könne.

Zunächst ging es nach Weimar, wo sein Bruder ihn Wieland, Herder und Goethe vorstellte. Dieser begrüßte ihn als Bundesgenossen. Jeder Schüler des großen Werner finde in ihm einen Freund.

Er werde in die Neue Welt reisen, sagte Humboldt. Das habe er noch keinem verraten. Niemand werde ihn abhalten, und er rechne nicht damit, lebend zurückzukehren.

Goethe nahm ihn beiseite und führte ihn durch eine Flucht in unterschiedlichen Farben gestrichener Zimmer zu einem hohen Fenster. Ein großes Unterfangen, sagte er. Wichtig sei vor allem, die Vulkane zu erforschen, um die neptunistische Theorie zu stützen. Unter der Erde brenne kein Feuer. Das Innerste der Natur sei nicht kochende Lava. Nur verdorbene Geister könnten auf solch abstoßende Gedanken verfallen.

Humboldt versprach, sich die Vulkane anzusehen.

Goethe verschränkte die Arme auf dem Rücken. Und nie solle er vergessen, von wem er komme.

Humboldt verstand nicht.

Er solle bedenken, wer ihn geschickt habe. Goethe machte eine Handbewegung in Richtung der bunten Zimmer, der Gipsabgüsse römischer Statuen, der Männer, die sich im Salon mit gedämpften Stimmen unterhielten. Humboldts älterer Bruder sprach über die Vorteile des Blankverses, Wieland nickte aufmerksam, auf dem Sofa saß Schiller und gähnte verstohlen. Von uns kommen Sie, sagte Goethe, von hier. Unser Botschafter bleiben Sie auch überm Meer.

Humboldt reiste nach Salzburg weiter, wo er sich das teuerste Arsenal von Meßgeräten zulegte, das je ein Mensch besessen hatte. Zwei Barometer für den Luftdruck, ein Hypsometer zur Messung des Wassersiedepunktes, ein Theodolit für die Landvermessung, ein Spiegelsextant mit künstlichem Horizont, ein faltbarer Taschensextant, ein Inklinatorium, um die Stärke des Erdmagnetismus zu bestimmen, ein Haarhygrometer für die Luftfeuchtigkeit, ein Eudiometer zur Messung des Sauerstoffgehaltes der Luft, eine Leydener Flasche zur Speicherung elektrischer Ladungen und ein Cyanometer zur Messung der Himmelsbläue. Dazu zwei jener unbezahlbar teuren Uhren, welche man seit kurzem in Paris anfertigte. Sie brauchten kein Pendel mehr, sondern schlugen die Sekunden unsichtbar, mit regelmäßig schwingenden Federn, in ihrem Inneren. Wenn man sie gut behandelte, wichen sie nicht von der Pariser Zeit ab und ermöglichten, indem man die Sonnenhöhe über dem Horizont ermittelte und dann Tabellen befragte, die Bestimmung des Längengrades.

Er blieb ein Jahr und übte. Er vermaß jeden Salzburger Hügel, er stellte täglich den Luftdruck fest, er kartographierte das magnetische Feld, prüfte Luft, Wasser, Erde und Himmelsfarbe. Er übte das Zerlegen und Zusammenbauen jedes Instruments, bis er es blind beherrschte, auf einem Bein stehend, bei Regen oder inmitten einer fliegenumschwärmten Kuhherde. Die Einheimischen hielten ihn für verrückt. Aber auch daran, er wußte es, mußte er sich gewöhnen. Einmal band er sich eine Woche lang den Arm auf den Rücken, um sich mit Unbill und Schmerz vertraut zu machen. Weil ihn die Uniform störte, ließ er sich eine zweite anmessen, die er auch nachts im Bett trug. Der ganze Kniff sei, sich nie etwas durchgehen zu lassen, sagte er zu Frau Schobel, seiner Zimmervermieterin, und bat um noch ein Glas der grünlichen Molke, vor der es ihn so ekelte.

Dann erst fuhr er nach Paris, wo sein Bruder jetzt als Privatmann lebte, um seine verwirrend klugen Kinder nach einem strengen, selbstentwickelten System zu erziehen. Seine Schwägerin konnte ihn nicht leiden. Er sei ihr unheimlich, sagte sie, seine Geschäftigkeit scheine ihr eine Form des Wahnsinns, überhaupt komme er ihr vor wie ein zur Karikatur verzerrtes Abbild ihres Gatten.

Ganz könne er ihr da nicht unrecht geben, antwortete dieser, und es sei ihm nie leichtgefallen, so vollständig verantwortlich zu sein für alle Torheiten des Bruders, sein Hüter gleichsam.

An der Akademie hielt Humboldt Vorlesungen über die Leitfähigkeit menschlicher Nerven. Er stand dabei, als im Nieselregen auf ausgetretenem Rasen vor der Stadt der letzte Abschnitt des Längengrades gemessen wurde, der Paris mit dem Pol verband. Als es vollbracht war, nahmen alle die Hüte ab und schüttelten einander die Hände: Ein Zehnmillionstel der Strecke würde, in Metall gefaßt, zur Einheit aller künftigen Längenmessungen werden. Man wollte es Meter nennen. Es erfüllte Humboldt stets mit Hochgefühl, wenn etwas gemessen wurde; diesmal war er trunken vor Enthusiasmus. Die Erregung ließ ihn mehrere Nächte nicht schlafen.

Er erkundigte sich nach Expeditionen. Ein gewisser Lord Bristol wollte nach Ägypten, doch kurz darauf kam er als Spion ins Gefängnis. Humboldt erfuhr, daß das Direktorium eine Forschertruppe unter Leitung des großen Bougainville in die Südsee schicken wollte, aber Bougainville war alt wie ein Felsen, völlig taub, saß in einem Thronsessel, murmelte vor sich hin und machte Dirigierbewegungen, von denen keiner wußte, wem sie galten. Als Humboldt sich vor ihm verbeugte, segnete er ihn mit bischöflicher Geste und winkte ihn weg. Das Direktorium ersetzte ihn durch den Offizier Baudin. Der empfing Humboldt freundlich und versprach alles. Wenig später war er mit dem gesamten Geld, das der Staat ihm übergeben hatte, abgereist.

Eines Abends saß auf der Treppe von Humboldts Wohnhaus ein junger Mann, trank Schnaps aus einer Silberflasche und schimpfte fürchterlich, als Humboldt ihm aus Versehen auf die Hand trat. Humboldt entschuldigte sich, die beiden kamen ins Gespräch. Der Mann hieß *eher rutergekommen / arm*

Aimé Bonpland und hatte ebenfalls mit Baudin reisen wollen. Er war fünfundzwanzig, hochgewachsen, etwas zerlumpt, hatte nur wenige Pockennarben und bloß eine Zahnlücke, ganz vorne. Die beiden sahen einander an, und später hätte keiner von ihnen mehr sagen können, ob wirklich eine Vorahnung zwischen ihnen hin- und hergegangen war, daß jeder für den anderen wichtiger sein sollte als irgendein Mensch sonst, oder ob es ihnen bloß beim Zurückdenken so schien.

Er komme aus La Rochelle, erzählte Bonpland, habe den niedrigen Himmel der Provinz erduldet wie das Dach eines Gefängnisses. Täglich habe er fortgewollt, sei dann Militärarzt geworden, aber die Universität habe seinen Titel nicht anerkannt. Während er den Abschluß nachgeholt habe, habe er Botanik studiert, er liebe Tropenpflanzen, und jetzt wisse er nicht, was anfangen. Zurück nach La Rochelle, da lieber der Tod!

Humboldt erkundigte sich, ob er ihn umarmen dürfe.

Nein, sagte Bonpland erschrocken.

Sie hätten, sagte Humboldt, Ähnliches hinter und dasselbe vor sich, und täten sie sich zusammen, wer solle sie aufhalten? Er streckte die Hand aus.

Bonpland verstand nicht.

B. wird sein Gefährte

Sie könnten gemeinsam gehen, erklärte Humboldt, er brauche einen Reisegefährten, er habe Geld.

Bonpland sah ihn aufmerksam an und schraubte die Flasche zu.

Jung seien sie beide, sagte Humboldt, entschlossen auch, gemeinsam würden sie groß sein. Oder habe Bonpland nicht dieses Gefühl?

40

Bonpland hatte es nicht, aber Humboldts Begeisterung war ansteckend. Deshalb, und auch, weil es unhöflich war, jemanden mit ausgestreckter Hand stehenzulassen, schlug er ein und unterdrückte einen Schmerzenslaut: Humboldts Händedruck war fester, als er es von dem kleinen Mann erwartet hatte.

Und was jetzt?

Wohin sonst, antwortete Humboldt, als nach Spanien!

Wenig später verabschiedeten sich die Brüder mit den Gesten zweier Monarchen. Humboldt wurde ganz verlegen, als die Haarspitzen der Schwägerin beim Abschiedskuß seine Wange streiften. Er fragte, ob man sich wohl wiedersehen werde.

Gewiß, sagte der ältere Bruder. In dieser oder der anderen Welt. Im Fleische oder im Licht.

Humboldt und Bonpland bestiegen die Pferde und ritten los. Mit Verblüffung sah Bonpland, daß sein Gefährte es fertigbrachte, sich kein einziges Mal umzudrehen, bis Bruder und Schwägerin außer Sichtweite waren.

Auf dem Weg nach Spanien vermaß Humboldt jeden Hügel. Er erklomm jeden Berg. Er klopfte Steinproben von jeder Felswand. Mit seiner Sauerstoffmaske erkundete er jede Höhle bis in die hinterste Kammer. Einheimische, die beobachteten, wie er die Sonne durch das Okular des Sextanten fixierte, hielten sie für heidnische Anbeter des Gestirns und bewarfen sie mit Steinen, so daß sie auf die Pferde springen und im Galopp fliehen mußten. Die ersten zwei Male entkamen sie unverletzt, vom dritten trug Bonpland eine schlimme Platzwunde davon.

Er begann sich zu wundern. Ob das denn nötig sei, fragte er, man sei schließlich auf der Durchreise, man wolle doch nur nach Madrid und wäre viel schneller dort, wenn man einfach nur hinritte, Herrgott noch mal.

Humboldt überlegte. Nein, sagte er dann, er bedaure. Ein Hügel, von dem man nicht wisse, wie hoch er sei, beleidige die Vernunft und mache ihn unruhig. Ohne stetig die eigene Position zu bestimmen, könne ein Mensch sich nicht fortbewegen. Ein Rätsel, wie klein auch immer, lasse man nicht am Wegesrand.

muss alle Hügel vermessen

Von jetzt an reisten sie nachts, damit er unbehelligt Messungen vornehmen konnte. Man müsse die Plankoordinaten genauer bestimmen, als es bisher getan worden sei. Die Karten von Spanien seien nicht exakt. Man wolle ja wissen, wohin man reite.

Aber das wisse man doch, rief Bonpland. Hier sei die Landstraße, und sie führe nach Madrid. Mehr brauche man nicht!

Um die Straße gehe es nicht, antwortete Humboldt. Es gehe ums Prinzip.

In der Nähe der Hauptstadt nahm das Tageslicht eine silbrige Tönung an. Bald gab es kaum noch Bäume. Die Mitte Spaniens sei kein Becken, erklärte Humboldt. Die Geographen seien wieder einmal im Unrecht. Vielmehr sei sie ein Hochplateau und habe einst als Insel aus einem vorzeitlichen Meer geragt.

Selbstverständlich, sagte Bonpland und nahm einen Schluck aus seiner Flasche. Als Insel.

In Madrid regierte der Minister Manuel de Urquijo. Jeder wußte, daß er mit der Königin schlief. Der König war machtlos, seine Kinder verachteten ihn, das Land fand ihn komisch. An Urquijo führte kein Weg vorbei, denn die Kolonien waren für Ausländer gesperrt, und eine Ausnahme hatte es noch nie gegeben. Humboldt suchte den preußischen, den österreichischen, den niederländischen und den französischen Botschafter auf. Nachts lernte er Spanisch.

Bonpland fragte, ob er denn niemals schlafe.

Wenn er es vermeiden könne, antwortete Humboldt, nicht.

Nach einem Monat hatte er es geschafft, eine Audienz bei Urquijo im Palast von Aranjuez zu bekommen. Der Minister war fettleibig, nervös und sorgenvoll. Aufgrund eines Mißverständnisses und vielleicht, weil er einmal von Paracelsus gehört hatte, hielt er Humboldt für einen deutschen Arzt und fragte nach einem Potenzmittel.

Was bitte?

Der Minister führte ihn in einen dunklen Winkel des steinernen Saales, legte ihm die Hand auf die Schulter und dämpfte seine Stimme. Es gehe nicht ums Vergnügen. Seine Macht über das Land rühre von seiner Macht über die Königin her. Diese sei keine junge Frau mehr, er selbst kein junger Mann.

Humboldt sah blinzelnd aus dem Fenster. Im weißen Mittagslicht breitete sich in unwirklicher Symmetrie die Parkanlage aus. Über einem maurischen Brunnen stand ein träge funkelnder Wasserstrahl.

Viel bleibe zu tun, sagte Urquijo. Die Inquisition sei noch mächtig, zur Abschaffung der Sklaverei sei es ein weiter Weg. Einflüsterer gebe es überall. Er wisse nicht, wie lange er noch standhalten könne. Im wahrsten Sinn gesprochen. Ob er sich klar genug ausdrücke?

Langsam und mit geballten Fäusten ging Humboldt zu Urquijos Schreibtisch, tunkte die Feder ein und schrieb ein Rezept. Chinarinde aus dem Amazonastiefland, Mohnextrakt aus dem mittleren Afrika, sibirisches Savannenmoos und eine in die Legende entrückte Blume aus Marco Polos Reisebericht. Von alldem ein starker Absud, davon der dritte Aufguß. Langsam trinken, jeden zweiten Tag. Es würde Jahre dauern, alle Zutaten zu sammeln. Zögernd reichte er Urquijo das Blatt.

Nie zuvor hatten Ausländer solche Papiere bekommen. Baron von Humboldt und seinem Assistenten sei jede Unterstützung zu gewähren. Sie seien zu beherbergen, freundlich zu behandeln, hätten Zugang zu jedem Platz, der sie interessiere, und könnten auf allen Schiffen der Krone reisen.

Nun, sagte Humboldt, müßten sie nur noch durch die englische Blockade.

Bonpland fragte, wieso da Assistent stehe.

Wisse er nicht, sagte Humboldt geistesabwesend. Ein Mißverständnis.

Könne man das noch ändern?

Humboldt sagte, das sei kein guter Einfall. Solche Pässe seien ein Geschenk des Himmels. Das stelle man nicht in Frage, damit mache man sich auf den Weg.

Sie nahmen die erste Fregatte, die von La Coruña aus in die Tropen aufbrach. Der Wind blies scharf von Westen, der Seegang war stark. Humboldt saß in einem Klappstuhl an Deck. Er fühlte sich frei wie noch nie. Zum Glück, schrieb er in sein Tagebuch, sei er niemals seekrank. Dann mußte er sich übergeben. Auch das war eine Willensfrage! Mit äußerster Konzentration, und nur manchmal unterbrechend, um sich über die Reling zu beugen, schrieb er drei Seiten über das Gefühl des Aufbruchs, die übers Meer sinkende Nacht und die im Dunkel verschwindenden Küstenlichter. Bis zum Morgen stand er neben dem Kapitän und beobachtete ihn beim Navigieren. Dann holte er seinen eigenen Sextanten hervor. Gegen Mittag begann er den Kopf zu schütteln. Nachmittags um vier legte er sein Gerät beiseite und fragte den Kapitän, wieso er so unexakt arbeite.

Er mache das seit dreißig Jahren, sagte der Kapitän.

Bei allem Respekt, sagte Humboldt, das erstaune ihn.

Man tue das doch nicht für die Mathematik, sagte der Kapitän, man wolle übers Meer. Man fahre so ungefähr den Breitengrad entlang, und irgendwann sei man da.

Aber wie könne man leben, fragte Humboldt, reizbar geworden vom Kampf gegen die Übelkeit, wenn einem Genauigkeit nichts bedeute?

Bestens könne man das, sagte der Kapitän. Dies sei übrigens ein freies Schiff. Falls jemandem etwas nicht passe, dürfe er jederzeit von Bord.

Kurz vor Teneriffa sichteten sie ein Seeungeheuer. In der Ferne, fast durchsichtig vor dem Horizont, hob sich ein Schlangenleib aus dem Wasser, bildete zwei ringförmige Verschlingungen und blickte mit im Fernrohr sehr deutlich erkennbaren Edelsteinaugen zu ihnen herüber. Um sein Maul hingen barthaardünne Fasern. Schon Sekunden nachdem es wieder untergetaucht war, glaubte jeder, er hätte es sich eingebildet. Vielleicht die Dünste, sagte Humboldt, oder das schlechte Essen. Er beschloß, nichts darüber aufzuschreiben.

Das Schiff ging zwei Tage vor Anker, um Vorräte aufzufrischen. Noch im Hafen wurden sie von einer Gruppe käuflicher Frauen umkreist, die nach ihnen faßten und lachend die Hände über ihre Körper wandern ließen. Bonpland wollte sich von einer mitziehen lassen, aber Humboldt rief ihn scharf zur Ordnung. Eine trat hinter ihn, zwei nackte Arme schlangen sich um seinen Hals, ihre Haare fielen über seine Schulter. Er wollte sich losreißen, doch einer ihrer Ohrreifen hatte sich in einer Spange seines Gehrocks verfangen. Alle Frauen lachten, Humboldt wußte nicht, wohin mit seinen Händen. Endlich sprang sie kichernd zurück, und auch Bonpland lächelte, aber als er Humboldts Miene sah, wurde er ernst.

Dort sei ein Vulkan, sagte Humboldt mit zitternder Stimme, die Zeit sei knapp, kein Grund zum Trödeln!

Sie engagierten zwei Führer und stiegen hinauf. Hinter einem Kastanienwald kamen Farne, dann eine sandige Ebene voll Ginster. Humboldt bestimmte nach der Methode Pascals ihre Höhe durch Messung des Luftdrucks. Sie übernachteten in einer noch mit Schnee gefüllten Höhle. Starr vor Kälte betteten sie sich in den Schutz des Eingangs. Der Mond stand klein und erfroren am Himmel, manchmal wehten Fledermäuse vorbei, der Schatten der Bergspitze lag scharf gezeichnet auf der Wolkendecke unter ihnen.

Ganz Teneriffa, erklärte Humboldt ihren Führern, sei ein einziger, aus dem Meer ragender Berg. Ob sie das nicht interessiere?

Um ehrlich zu sein, sagte einer von ihnen, nicht sehr.

Am nächsten Morgen stellten sie fest, daß auch die Führer den Weg nicht kannten. Humboldt fragte, ob sie denn nie hier oben gewesen seien.

Nein, sagte der andere Führer. Warum auch?

Das Schotterfeld um den Gipfel war kaum begehbar; jedesmal, wenn sie abrutschten, polterten Steine zu Tal. Einer der Führer verlor den Halt und zerbrach die Wasserflaschen. Durstig und an den Händen blutend, erklommen sie den Gipfel. Der Vulkantrichter war seit Jahrhunderten erkaltet, sein Boden mit versteinerter Lava bedeckt. Die Sicht reichte bis Palma, Gomera und zu den dunstumhangenen Bergen von Lanzarote. Während Humboldt mit Barometer und Sextant die Bergeshöhen prüfte, kauerten die Führer feindselig auf dem Boden, und Bonpland starrte frierend in die Ferne.

Halb verdurstet kamen sie am späten Nachmittag in die Gärten von Orotava. Benommen sah Humboldt die ersten Gewächse der Neuen Welt. Der Anblick einer haarigen Spinne, die sich auf einem Palmenstamm sonnte, erfüllte ihn mit Schrecken und Glück. Dann erst bemerkte er den Drachenbaum.

Er drehte sich um, doch Bonpland war verschwunden. Der Baum war riesenhaft und wohl Jahrtausende alt. Er war hier gewesen noch vor den Spaniern und vor den alten Völkern. Er war dagewesen vor Christus und Buddha, Platon und Tamerlan. Humboldt horchte an seiner Uhr. Wie sie, tickend, die Zeit in sich trug, so wehrte dieser Baum die Zeit ab: eine Klippe, an der ihr Fluß sich brach. Humboldt berührte den schrundigen Stamm. Weit droben liefen die Äste auseinander, das Zwitschern Hunderter Vögel durchdrang die Luft. Zärtlich strich er über die Rinde. Alles starb, alle Menschen, alle Tiere, immerzu. Nur einer nicht. Er legte seine Wange ans Holz, dann wich er zurück und sah erschrocken um sich, ob ihn jemand gesehen hatte. Schnell wischte er die Tränen weg und machte sich auf die Suche nach Bonpland.

Der Franzose? Ein Fischer beim Hafen zeigte auf eine Holzhütte.

Humboldt öffnete die Tür und sah Bonplands nackten Rücken über einer braunen, nackten Frau. Er schlug die Tür zu, ging eilig zum Schiff, blieb nicht stehen, als er Bonplands Laufschritt hinter sich hörte, und wurde auch nicht langsamer, als Bonpland, das Hemd über die Schulter geworfen, die Hose noch über dem Arm, atemlos um Verzeihung bat.

Wenn so etwas noch einmal vorfalle, sagte Humboldt, betrachte er die Zusammenarbeit als beendet.

Also bitte, keuchte Bonpland, während er im Laufen sein Hemd anzog. Manchmal überkomme es einen, sei das so schwer zu verstehen? Humboldt sei doch auch ein Mann!

Humboldt forderte ihn auf, an seine Verlobte zu denken.

Habe er nicht, sagte Bonpland und stieg in seine Hose. Er habe niemanden!

Der Mensch sei kein Tier, sagte Humboldt.

Manchmal doch, sagte Bonpland.

Humboldt fragte, ob er nie Kant gelesen habe.

Ein Franzose lese keine Ausländer.

Er wolle das nicht diskutieren, sagte Humboldt. Noch einmal so etwas, und ihre Wege würden sich trennen. Ob er das akzeptieren könne?

Großer Gott, sagte Bonpland.

Ob er das akzeptieren könne?

Bonpland murmelte etwas Unverständliches und schloß seine Hose.

Einige Tage später überfuhr das Schiff den Wendekreis. Humboldt legte den Fisch, dessen Schwimmblase er gerade im Licht einer abgedämpften Öllampe sezierte, zur Seite und sah zu den klar gestochenen Punkten des südlichen Kreuzes auf. Die Sternbilder der neuen Hemisphäre, erst zum Teil in den Atlanten erfaßt. Die andere Hälfte von Erde und Himmel.

Unversehens gerieten sie in einen Molluskenschwarm. Die Gegenströmung der roten Quallen war so heftig, daß das Schiff sich langsam rückwärts bewegte. Bonpland fischte zwei der Tiere heraus. Er fühle sich seltsam, sagte er. Er wisse nicht, wieso, aber etwas sei hier nicht in Ordnung.

Am nächsten Morgen brach das Fieber aus. Unter Deck stank es erbärmlich, nachts wimmerten die Kranken, selbst an freier Luft roch es nach Erbrochenem. Der Schiffsarzt hatte keine Chinarinde mitgenommen: Neumodisches Zeug, Aderlässe seien erprobt und viel wirksamer! Ein junger Matrose aus Barcelona verblutete bei der dritten Behandlung. Eines anderen Delirium war so stark, daß er davonzufliegen versuchte, erst nach einigen Flügelschlägen abstürzte und fast ertrunken wäre, hätte man nicht sofort ein Boot zu Wasser gelassen und ihn zu fassen bekommen. Während Bonpland krank in seiner Koje lag, kochendheißen Rum trank und für keine Arbeit zu gebrauchen war, zerschnitt Humboldt die beiden Mollusken unter dem Mikroskop, bestimmte viertelstündlich Luftdruck, Himmelsfarbe und Wassertemperatur, ließ alle dreißig Minuten ein Senkblei hinab und trug die Ergebnisse in ein dickes Logbuch ein. Gerade jetzt, erklärte er dem röchelnden Bonpland, dürfe man sich keine Schwäche erlauben. Die Arbeit helfe nämlich. Zahlen bannten Unordnung. Selbst die des Fiebers.

Bonpland fragte ihn, ob er selbst nicht wenigstens ein kleines bißchen seekrank sei.

Er wisse es nicht. Er habe sich entschlossen, es zu ignorieren, also bemerke er es nicht. Natürlich müsse er sich manchmal übergeben. Doch eigentlich falle ihm das kaum mehr auf.

Am Abend mußte der nächste Tote unter Wasser.

Dies beunruhige ihn, sagte Humboldt zum Kapitän. Das Fieber dürfe seine Expedition nicht gefährden. Er habe entschieden, nicht bis Veracruz mitzufahren, sondern in vier Tagen von Bord zu gehen.

Der Kapitän fragte, ob er ein guter Schwimmer sei.

Das sei nicht nötig, sagte Humboldt, gegen sechs Uhr früh in drei Tagen werde man Inseln sehen, einen Tag später das Festland erreichen. Er habe es ausgerechnet.

Der Kapitän erkundigte sich, ob es gerade nichts zu zerschneiden gebe.

Stirnrunzelnd fragte Humboldt, ob man sich an ihm belustigen wolle.

Keineswegs, sondern bloß an die Kluft zwischen Theorie und Praxis erinnern. Berechnungen in Ehren, aber dies sei keine Schulaufgabe, dies sei der Ozean. Niemand könne Strömungen und Winde voraussagen. So genau sei das Auftauchen von Land einfach nicht vorherzusehen.

Am frühen Morgen des dritten Tages bildeten sich langsam die Umrisse einer Küste im Dunst.

berechnet voraus

Trinidad, sagte Humboldt ruhig.

Wohl kaum. Der Kapitän wies auf die Seekarte.

Die sei nicht exakt, sagte Humboldt. Die Entfernung zwischen altem und neuem Kontinent sei offenbar falsch eingeschätzt worden. Es habe noch niemand die Strömungen gewissenhaft gemessen. Wenn es recht sei, werde er morgen früh nach Terra Firma übersetzen.

Vor der Mündung eines großen Flusses gingen sie von Bord. Seine Kraft war so gewaltig, daß das Meer aus schäumendem Süßwasser zu bestehen schien. Während drei Boote die Kisten mit ihrer Ausrüstung an Land brachten, verabschiedete sich Humboldt in tadellos preußischer Uniform salutierend vom Kapitän. Noch im Boot, das sie in Richtung des träge vor ihnen schaukelnden Festlands trug, begann er seinem Bruder von der hellen Luft, dem warmen Wind, den Kokosbäumen und Flamingos zu schreiben. Ich weiß nicht, wann dies eintreffen wird, doch sieh zu, daß Du es in die Zeitung bekommst. Die Welt soll von mir erfahren. Ich müßte mich sehr irren, wenn ich ihr gleichgültig bin.

Der
Lehrer

Wer den Professor nach frühen Erinnerungen fragte, bekam zur Antwort, daß es so etwas nicht gebe. Erinnerungen scien, anders als Kupferstiche oder Postsendungen, undatiert. Man finde Dinge in seinem Gedächtnis vor, welche man manchmal durch Überlegung in die richtige Reihenfolge bringen könne.

Leblos und zweitklassig fühlte sich etwa die Erinnerung an den Nachmittag an, als er seinen Vater beim Abzählen des Lohnes korrigiert hatte. Vielleicht hatte er sie zu oft erzählen hören; sie schien ihm zurechtgebogen und unwirklich. Jede andere hatte mit seiner Mutter zu tun. Er war gefallen, sie tröstete ihn; er weinte, sie wischte die Tränen weg; er konnte nicht schlafen, sie sang ihm vor; ein Junge aus der Nachbarschaft wollte ihn prügeln, aber sie sah es, rannte ihm nach, bekam ihn zu fassen, klemmte ihn zwischen die Knie und schlug ihm ins Gesicht, bis er blutig und taub davontappte. Er liebte sie unsagbar. Er würde sterben, stieße ihr etwas zu. Das war keine Redensart. Er wußte, daß er es nicht überleben würde. So war es gewesen, als er drei Jahre alt war, und dreißig Jahre später war es nicht anders.

Sein Vater war Gärtner, hatte meist dreckige Hände, verdiente wenig, und wann immer er sprach, beklagte er sich oder gab Befehle. Ein Deutscher, sagte er immer

53

wieder, während er müde die abendliche Kartoffelsuppe aß, sei jemand, der nie krumm sitze. Einmal fragte Gauß: Nur das? Reiche das denn schon, um ein Deutscher zu sein? Sein Vater überlegte so lange, daß man es kaum mehr glauben konnte. Dann nickte er.

Seine Mutter war mollig und melancholisch, und außer Kochen, Waschen, Träumen und Weinen sah er sie nie etwas tun. Schreiben oder lesen konnte sie nicht. Schon früh war ihm aufgefallen, daß sie alterte. Ihre Haut verlor an Spannung, ihr Körper seine Form, ihre Augen hatten immer weniger Glanz, und jedes Jahr waren auf ihrem Gesicht neue Falten. Er wußte, daß es sich mit allen Menschen so verhielt, aber in ihrem Fall war es nicht zu ertragen. Sie verging vor seinen Augen, und er konnte nichts dagegen machen.

Die meisten späteren Erinnerungen kreisen um die Trägheit. Lange hatte er gemeint, daß die Leute Theater spielten oder einem Ritual anhingen, das sie verpflichtete, immer erst nach einer kurzen Pause zu sprechen oder zu handeln. Manchmal konnte er sich anpassen, dann wieder war es nicht auszuhalten. Erst allmählich kam er dahinter, daß sie diese Pausen brauchten. Warum dachten sie so langsam, so schwer und mühevoll? Als würden Gedanken von einer Maschine hervorgebracht, die man zuvor anwerfen und in Gang kurbeln mußte, als wären sie nicht lebendig und bewegten sich von selbst. Ihm fiel auf, daß man sich ärgerte, wenn er die Pausen nicht einhielt. Er tat sein Bestes, aber oft gelang es ihm nicht.

Auch die schwarzen Zeichen in den Büchern, welche zu den meisten Erwachsenen sprachen, nicht aber zu seiner Mutter und zu ihm, störten ihn. An einem Sonntag-

nachmittag ließ er sich von seinem Vater, aber wie stehst du denn da, Junge, einige erklären: das mit dem großen Balken, das unten weit ausschwingende, den Halb- und den ganzen Kreis. Dann betrachtete er die Seite, bis sich die noch unbekannten ganz von allein ergänzten und da plötzlich Wörter standen. Er blätterte um, diesmal ging es schneller, ein paar Stunden später konnte er lesen, und noch am selben Abend war er mit dem Buch, das übrigens langweilig war und immerzu von Christi Tränen und der Liebesreue des Sünderherzens redete, fertig. Er brachte es seiner Mutter, um auch ihr die Zeichen zu erklären, aber sie schüttelte traurig lachend den Kopf. In diesem Moment begriff er, daß niemand den Verstand benutzen wollte. Menschen wollten Ruhe. Sie wollten essen und schlafen, und sie wollten, daß man nett zu ihnen war. Denken wollten sie nicht.

Der Lehrer in der Schule hieß Büttner und prügelte gern. Er tat, als wäre er streng und asketisch, und nur manchmal verriet sein Gesichtsausdruck, wieviel Spaß ihm das Zuschlagen machte. Am liebsten stellte er ihnen Aufgaben, an denen sie lange arbeiten mußten und die trotzdem kaum ohne Fehler zu lösen waren, so daß es zum Schluß einen Anlaß gab, den Stock hervorzuholen. Es war das ärmste Viertel Braunschweigs, keines der Kinder hier würde eine höhere Schule besuchen, niemand mit etwas anderem arbeiten als den Händen. Er wußte, daß Büttner ihn nicht leiden konnte. So stumm er sich auch verhielt und so sehr er versuchte, langsam wie alle zu antworten, spürte er doch Büttners Mißtrauen, und daß der Lehrer nur auf einen Grund wartete, ihn ein wenig fester zu schlagen als den Rest.

Und dann gab er ihm einen Grund.

Büttner hatte ihnen aufgetragen, alle Zahlen von eins bis hundert zusammenzuzählen. Das würde Stunden dauern, und es war beim besten Willen nicht zu schaffen, ohne irgendwann einen Additionsfehler zu machen, für den man bestraft werden konnte. Na los, hatte Büttner gerufen, keine Maulaffen feilhalten, anfangen, los! Später hätte Gauß nicht mehr sagen können, ob er an diesem Tag müder gewesen war als sonst oder einfach nur gedankenlos. Jedenfalls hatte er sich nicht unter Kontrolle gehabt und stand nach drei Minuten mit seiner Schiefertafel, auf die nur eine einzige Zeile geschrieben war, vor dem Lehrerpult.

So, sagte Büttner und griff nach dem Stock. Sein Blick fiel auf das Ergebnis, und seine Hand erstarrte. Er fragte, was das solle.

Fünftausendfünfzig.

Was?

Gauß versagte die Stimme, er räusperte sich, er schwitzte. Er wünschte nur, er wäre noch auf seinem Platz und rechnete wie die anderen, die mit gesenktem Kopf dasaßen und taten, als hörten sie nicht zu. Darum sei es doch gegangen, eine Addition aller Zahlen von eins bis hundert. Hundert und eins ergebe hunderteins. Neunundneunzig und zwei ergebe hunderteins. Achtundneunzig und drei ergebe hunderteins. Immer hunderteins. Das könne man fünfzigmal machen. Also fünfzig mal hunderteins.

Büttner schwieg.

Fünftausendfünfzig, wiederholte Gauß, in der Hoffnung, daß Büttner es ausnahmsweise verstehen würde.

Fünfzig mal hunderteins sei fünftausendfünfzig. Er rieb sich die Nase. Er war nahe am Weinen.

Gott verdamm mich, sagte Büttner. Dann schwieg er lange. Auf seinem Gesicht arbeitete es: Er sog die Wangen ein und machte ein langes Kinn, er rieb sich die Stirn und klopfte sich an die Nase. Dann schickte er Gauß auf seinen Platz. Er solle sich setzen, den Mund halten und nach dem Unterricht dableiben.

Gauß holte Luft.

Widerworte, sagte Büttner, und sofort setze es den Knüttel.

Also erschien Gauß nach der letzten Lektion mit gesenktem Kopf vor dem Lehrerpult. Büttner verlangte sein Ehrenwort, und zwar bei Gott, der alles sehe, daß er das allein ausgerechnet habe. Gauß gab es ihm, aber als er erklären wollte, daß doch nichts daran sei, daß man ein Problem nur ohne Vorurteil und Gewohnheit betrachten müsse, dann zeige es von selbst seine Lösung, unterbrach ihn Büttner und reichte ihm ein dickes Buch. Höhere Arithmetik: ein Steckenpferd von ihm. Gauß solle es mit nach Hause nehmen und durchsehen. Und zwar vorsichtig. Eine geknickte Seite, ein Fleck, der Abdruck eines Fingers, und es setze den Knüttel, daß der Herrgott gnaden möge.

Am nächsten Tag gab er das Buch zurück.

Büttner fragte, was das solle. Natürlich sei es schwierig, aber so schnell gebe man nicht auf!

Gauß schüttelte den Kopf, wollte erklären, konnte nicht. Seine Nase lief. Er mußte schniefen.

Na was denn!

Er sei fertig, stotterte er. Es sei interessant gewesen, er

wolle sich bedanken. Er starrte Büttner an und betete, daß es genug sein würde.

Man dürfe ihn nicht belügen, sagte Büttner. Das sei das schwierigste Lehrbuch deutscher Zunge. Niemand könne es an einem Tag studieren, schon gar nicht ein Achtjähriger mit triefender Nase.

Gauß wußte nicht, was er sagen sollte.

Büttner griff mit unsicheren Händen nach dem Buch. Er könne sich auf etwas gefaßt machen, jetzt werde er ihn befragen!

Eine halbe Stunde später sah er Gauß mit leerer Miene an. Er wisse, daß er kein guter Lehrer sei. Er habe weder eine Berufung noch besondere Fähigkeiten. Aber jetzt sei es soweit: Wenn Gauß nicht aufs Gymnasium komme, habe er umsonst gelebt. Er musterte ihn mit verschwommenem Ausdruck, dann, wahrscheinlich um seine Rührung zu bekämpfen, faßte er nach dem Stock, und Gauß erhielt die letzte Tracht Prügel seines Lebens.

Am selben Nachmittag klopfte ein junger Mann an die Tür des Elternhauses. Er sei siebzehn Jahre alt, heiße Martin Bartels, studiere Mathematik und arbeite als Büttners Assistent. Er bitte um ein paar Worte mit dem Sohn des Hauses.

Er habe nur einen, sagte der Vater, und der sei acht Jahre alt.

Eben den, sagte Bartels. Er bitte um Erlaubnis, mit dem jungen Herrn dreimal die Woche Mathematik treiben zu dürfen. Von Unterricht wolle er nicht sprechen, denn der Begriff scheine ihm unpassend, er lächelte nervös, für eine Tätigkeit, bei der er vielleicht mehr zu lernen habe als der Schüler.

Der Vater forderte ihn auf, gerade zu stehen. Das sei alles Blödsinn! Er dachte eine Weile nach. Andererseits spreche nichts dagegen.

Ein Jahr lang arbeiteten sie zusammen. Zu Beginn freute Gauß sich auf die Nachmittage, die immerhin die Gleichförmigkeit der Wochen unterbrachen, obwohl er für Mathematik nicht viel übrig hatte, Lateinstunden wären ihm lieber gewesen. Dann wurde es langweilig. Bartels dachte zwar nicht ganz so schwerfällig wie die anderen, aber mühsam war es auch mit ihm.

Bartels erzählte, daß er mit dem Rektor des Gymnasiums gesprochen habe. Wenn sein Vater es erlaube, erhalte Gauß dort eine Freistelle.

Gauß seufzte.

Es gehöre sich nicht, sagte Bartels vorwurfsvoll, daß ein Kind immer traurig sei!

Er überlegte, die Bemerkung schien ihm interessant. Warum er traurig war? Vielleicht, weil er sah, wie seine Mutter starb. Weil die Welt sich so enttäuschend ausnahm, sobald man erkannte, wie dünn ihr Gewebe war, wie grob gestrickt die Illusion, wie laienhaft vernäht ihre Rückseite. Weil nur Geheimnis und Vergessen es erträglich machten. Weil man es ohne den Schlaf, der einen täglich aus der Wirklichkeit riß, nicht aushielt. Nicht Wegsehenkönnen war Traurigkeit. Wachsein war Traurigkeit. Erkennen, armer Bartels, war Verzweiflung. Warum, Bartels? Weil die Zeit immer verging.

Gemeinsam überzeugten Bartels und Büttner seinen Vater davon, daß er nicht in der Spinnerei arbeiten, sondern aufs Gymnasium sollte. Unwillig stimmte der Vater zu und gab ihm den Rat mit, sich immer, was auch geschehe, aufrecht zu halten. Schon längst hatte Gauß Gärtnern bei der Arbeit zugesehen und verstanden, daß seinen Vater nicht die Unmoral der Menschen, sondern der chronische Rückenschmerz seines Berufsstandes umtrieb. Er bekam zwei neue Hemden und einen Freitisch beim Pastor.

Die Höhere Schule enttäuschte ihn. Viel lernte man wirklich nicht: Etwas Latein, Rhetorik, Griechisch, Mathematik auf lachhaftem Niveau, ein bißchen Theologie. Die neuen Mitschüler waren nicht viel klüger als die alten, die Lehrer schlugen zwar nicht seltener, aber immerhin weniger fest. Bei ihrem ersten Mittagessen fragte ihn der Pastor, wie es in der Schule gehe.

Leidlich, antwortete er.

Der Pastor fragte, ob ihm das Lernen schwerfalle.

Er zog die Nase hoch und schüttelte den Kopf.

Hüte dich, sagte der Pastor.

Gauß sah überrascht auf.

Der Pastor blickte ihn streng an. Stolz sei eine Todsünde!

Gauß nickte.

Das solle er nie vergessen, sagte der Pastor. Sein Leben lang nicht. Wie klug man auch sei, man habe demütig zu bleiben.

Warum?

Der Pastor bat um Verzeihung. Er habe wohl falsch verstanden.

Nichts, sagte Gauß, gar nichts.

Doch, sagte der Pastor, er wolle das hören.

Er meine es rein theologisch, sagte Gauß. Gott habe einen geschaffen, wie man sei, dann aber solle man sich ständig bei ihm dafür entschuldigen. Logisch sei das nicht. *~hinterfragt*

Der Pastor äußerte die Vermutung, daß etwas mit seinen Ohren nicht stimme.

Gauß holte ein sehr schmutziges Taschentuch hervor und schneuzte sich. Er sei überzeugt, daß er etwas mißverstehe, aber ihm erscheine das wie eine mutwillige Verkehrung von Ursache und Wirkung.

Bartels besorgte ihm einen neuen Freitisch bei Hofrat Zimmermann, einem Professor an der Göttinger Universität. Zimmermann war hager und leutselig, betrachtete ihn nie ohne eine höfliche Furcht und nahm ihn mit zu einer Audienz beim Herzog von Braunschweig.

Der Herzog, ein freundlicher Herr mit zuckenden Augenlidern, erwartete sie in einem goldgeschmückten Raum, in dem so viele Kerzen brannten, daß es keine Schatten gab, nur Reflexionen in den Deckenspiegeln, die einen zweiten, gleichsam umgefalteten Raum über ihren Köpfen schweben ließen. Das sei also das kleine Genie?

Gauß machte die Verbeugung, die man ihm beigebracht hatte. Er wußte, daß es bald keine Herzöge mehr geben würde. Dann würde man von absoluten Herrschern nur mehr in Büchern lesen, und der Gedanke, vor einem zu stehen, sich zu verneigen und auf sein Machtwort zu warten, käme jedem Menschen fremd und märchenhaft vor.

Rechne was, sagte der Herzog.

Gauß hustete, ihm war heiß und schwindlig. Die Kerzen verbrauchten fast die gesamte Luft. Er sah in die Flammen, und plötzlich wurde ihm klar, daß Professor

Lichtenberg unrecht hatte und die Phlogistonhypothese unnötig war. Es war kein Lichtstoff, der brannte, sondern die Luft selbst.

Mit Verlaub, sagte Zimmermann, da liege ein Mißverständnis vor. Der junge Mann sei kein Rechenkünstler. Im Gegenteil, er sei nicht einmal sehr gut im Rechnen. Doch Mathematik habe, wie Seine Hoheit natürlich wisse, nichts mit Additionskunst zu tun. Vor zwei Wochen habe der Junge, ganz auf sich gestellt, Bodes Gesetz der Planetenentfernungen abgeleitet, danach zwei ihm unbekannte Theoreme Eulers neu entdeckt. Auch zur kalendarischen Arithmetik habe er Erstaunliches beigetragen: Seine Formel zur Berechnung des Osterdatums finde mittlerweile in ganz Deutschland Verwendung. Seine Leistungen in der Geometrie seien außerordentlich. Einiges sei bereits publiziert, wenn auch natürlich unter dem Namen des einen oder anderen Lehrers, da man den Knaben nicht der Verderblichkeit frühen Ruhmes aussetzen wolle.

Er interessiere sich mehr fürs Lateinische, sagte Gauß heiser. Auch könne er Dutzende Balladen.

Der Herzog fragte, ob da jemand geredet habe.

Zimmermann stieß Gauß in die Rippen. Er bitte um Entschuldigung, der junge Mann stamme aus groben Verhältnissen, sein Benehmen lasse noch zu wünschen übrig. Doch er verbürge sich dafür, daß nur ein Stipendium des Hofes zwischen ihm und jenen Leistungen stehe, welche den Ruhm des Vaterlandes mehren würden.

Also werde jetzt nichts gerechnet, fragte der Herzog.

Leider nein, sagte Zimmermann.

Na ja, sagte der Herzog enttäuscht. Dann solle er das

Stipendium trotzdem haben. Und wiederkommen, wenn er etwas vorzeigen könne. Er sei sehr für die Wissenschaft. Sein liebster Patensohn, der kleine Alexander, sei eben aufgebrochen, um in Südamerika Blumen zu suchen. Vielleicht züchte man hier ja noch so einen Kerl! Er machte eine entlassende Handbewegung, und wie sie es geübt hatten, gingen Zimmermann und Gauß unter Verbeugungen rückwärts durch die Tür.

Bald darauf kam Pilâtre de Rozier in die Stadt. Gemeinsam mit dem Marquis d'Arland war er in einem Korb, welchen die Montgolfiers an einem mit Heißluft gefüllten Beutel befestigt hatten, fünfeinhalb Meilen über Paris geflogen. Nach der Landung hatten, so hieß es, zwei Männer den Marquis stützen und wegführen müssen, er habe Unsinn geredet und behauptet, geflügelte Lichtwesen mit Frauenbüsten und Vogelschnäbeln hätten sie umflogen. Erst nach Stunden hatte er sich beruhigt und alles auf die Überreizung seiner Nerven geschoben. Pilâtre dagegen war gefaßt geblieben und hatte auf alle Fragen geantwortet. So besonders sei es nicht gewesen; man meine, am gleichen Ort zu bleiben, während der Erdboden unter einem in die Tiefe sinke. Doch das verstehe nur, wer es erlebt habe. Jeder andere müsse es entweder für größer oder für gewöhnlicher halten, als es sei.

Pilâtre war mit eigenem Fluggerät und zwei Assistenten auf dem Weg nach Stockholm. Er hatte in einem der billigeren Gasthöfe übernachtet und wollte eben weiterziehen, als der Herzog ihn um eine Vorführung bitten ließ.

Pilâtre sagte, das sei aufwendig und komme ihm nicht gelegen.

63

Der Bote gab zu bedenken, daß der Herzog es nicht gewohnt sei, seine Gastfreundschaft mit Grobheit erwidert zu sehen.

Welche Gastfreundschaft, fragte Pilâtre. Er habe für seine Unterkunft bezahlt, und allein die Vorbereitung des Ballons würde ihn zwei Reisetage kosten.

Vielleicht könne man in Frankreich so mit der Obrigkeit sprechen, sagte der Bote, dort sei ja allerhand möglich. In Braunschweig aber solle er sich gut überlegen, ihn mit solch einer Antwort zurückzusenden.

Pilâtre fügte sich. Er hätte es wissen müssen, sagte er müde, in Hannover sei das gleiche passiert, in Bayern ebenso. Er werde also in Christi Namen morgen nachmittag vor den Toren dieser dreckigen Stadt in die Luft steigen.

Am nächsten Morgen klopfte jemand an seine Tür. Ein Junge stand draußen, sah mit aufmerksamen Augen zu ihm auf und fragte, ob er mitfliegen dürfe.

Mitfahren, sagte Pilâtre. Mit dem Ballon fahre man. Man sage nicht fliegen, sondern fahren. So sei es Sitte unter Ballonleuten.

Welchen Ballonleuten?

Er sei der erste, sagte Pilâtre, und er habe es so verfügt. Und nein, natürlich könne keiner mitfahren. Er tätschelte ihm die Wange und wollte die Tür schließen.

Das sei sonst nicht seine Art, sagte der Junge und wischte sich die Nase mit dem Handrücken ab. Aber sein Name sei Gauß, er sei nicht unbekannt, und in Kürze werde er so große Entdeckungen machen wie Isaac Newton. Das sage er nicht aus Eitelkeit, sondern weil die Zeit knapp und es nötig sei, daß er an dem Flug teilnehme.

Man sehe doch die Sterne von da oben besser, nicht wahr? Klarer und nicht verschleiert vom Dunst?

Darauf könne er wetten, sagte Pilâtre.

Deshalb müsse er mit. Er wisse viel über Sterne. Man könne ihn der schärfsten Prüfung unterziehen.

Pilâtre lachte und fragte, wer einem kleinen Mann denn beibringe, so schön zu reden. Er überlegte eine Weile. Na gut, sagte er schließlich, wenn es um die Sterne gehe!

Am Nachmittag, vor einer Menschenmenge, dem Herzog und dem salutierenden Gardebataillon, füllte ein Feuer durch zwei Schläuche den Pergamentbeutel allmählich mit Hitze. Niemand hatte erwartet, daß es so lange dauern würde. Die Hälfte der Zuschauer war bereits gegangen, als der Ballon sich rundete, und kaum ein Viertel war noch da, als er zu steigen begann und zögernd vom Boden abhob. Die Seile strafften sich, Pilâtres Assistenten lösten die Schläuche, der kleine Korb ruckte, und Gauß, der vor sich hin flüsternd auf dem geflochtenen Boden kauerte, wäre schon hochgesprungen, hätte Pilâtre ihn nicht hinuntergedrückt.

Noch nicht, keuchte er. Betest du?

Nein, flüsterte Gauß, er zähle Primzahlen, das mache er immer, wenn er nervös sei.

Pilâtre hob den Daumen, um die Windrichtung zu prüfen. Der Ballon würde steigen, dann treiben, wohin der Wind wollte, dann wieder sinken, wenn die Luft in ihm abkühlte. Eine Möwe schrie ganz nahe am Korb. Noch nicht, rief Pilâtre, noch nicht. Noch nicht. Jetzt! Und halb am Kragen, halb an den Haaren riß er Gauß empor.

Das in die Ferne gekrümmte Land. Der tiefe Horizont, die Hügelkuppen, halb aufgelöst im Dunst. Die heraufstarrenden Menschen, winzige Gesichter um das noch brennende Feuer, daneben die Dächer der Stadt. Rauchwölkchen, festgesteckt an Schornsteinen. Ein Weg schlängelte sich durch das Grün, darauf ein insektenkleiner Esel. Gauß klammerte sich an den Korbrand, und erst als er den Mund zumachte, wurde ihm klar, daß er die ganze Zeit geschrien hatte.

So sieht Gott die Welt, sagte Pilâtre.

Er wollte antworten, aber er hatte keine Stimme mehr. Mit welcher Kraft die Luft sie schüttelte! Und die Sonne – warum so viel heller hier oben? Seine Augen taten weh, aber er konnte sie nicht schließen. Und der Raum selbst: eine Gerade von jedem Punkt zu jedem, von diesem Dach zu dieser Wolke, zur Sonne, zum Dach zurück. Aus Punkten Linien, aus Linien Flächen und aus Flächen Körper, doch damit war es nicht getan. Seine feine Biegung, von hier oben war sie fast zu sehen. Er spürte Pilâtres Hand auf seiner Schulter. Nie mehr hinab. Hinauf und weiter hinauf, bis kein Land mehr unter ihnen wäre. Eines Tages würden das Menschen erleben. Dann würde jeder fliegen, als wäre es normal, aber dann würde er tot sein. Er spähte aufgeregt in die Sonne, das Licht veränderte sich. Die Dämmerung schien wie Nebel in den noch hellen Himmel zu steigen. Ein paar letzte Flammen, das Rot am Horizont, dann keine Sonne mehr, dann die Sterne. Drunten ging es nie so schnell.

Wir sinken schon, sagte Pilâtre.

Nein, bettelte er, noch nicht! So viele von ihnen, und jede Minute mehr. Jeder eine sterbende Sonne. Jeder verging, und alle folgten ihren Bahnen, und wie es Formeln gab für jeden Planeten, der um eine Sonne, und jeden Mond, der um einen Planeten kreiste, gab es auch eine Formel, unendlich kompliziert wohl, aber vielleicht auch nicht, womöglich versteckt in ihrer eigenen Einfachheit, die all diese Bewegungen beschrieb, jede Drehung jedes einzelnen um jeden; vielleicht mußte man nur lange genug schauen. Seine Augen schmerzten. Ihm war, als hätte er seit langem nicht geblinzelt.

Gleich sind wir unten, sagte Pilâtre.

Noch nicht! Er stellte sich auf die Zehenspitzen, als könnte das helfen, starrte hinauf, begriff zum erstenmal, was Bewegung war, was ein Körper, was vor allem der Raum, den sie zwischen sich aufspannten und der sie alle, auch ihn, Pilâtre und diesen Korb, umfaßt hielt. Der Raum, der –

Sie krachten in das Holzgestell eines Heustapels, ein Seil riß, der Korb kippte, Gauß rollte in eine Lehmpfütze, Pilâtre fiel unglücklich, verstauchte sich den Arm und stieß, als er den Riß in der Pergamenthaut sah, so unselige Flüche aus, daß der von seinem Haus herbeilaufende Bauer stehenblieb und drohend seinen Spaten aufhob. Atemlos kamen die Assistenten und falteten den zerknitternden Ballon zusammen. Pilâtre hielt sich den Arm und gab Gauß einen schmerzhaft festen Klaps.

Er wisse es jetzt, sagte Gauß.

Na was denn?

Daß alle parallelen Linien einander berührten.

Fein, sagte Pilâtre.

Sein Herz raste. Er überlegte, ob er dem Mann erklären sollte, daß er nur ein geschwungenes Ruder am Korb anbringen mußte, um den Luftstrom umzulenken und den Ballon in eine bestimmte Richtung zu zwingen. Aber dann schwieg er. Er war nicht gefragt worden, und es war nicht höflich, den Leuten Ideen aufzudrängen. Es lag so nahe, daß es bald einem anderen einfallen würde.

Jetzt aber wollte dieser Mann ein dankbares Kind sehen. Mit Mühe brachte Gauß ein Lächeln auf sein Gesicht, breitete die Arme aus und verneigte sich wie eine Marionette. Pilâtre freute sich, lachte und strich ihm über den Kopf.

versucht sich
normaler / kindlicher
zu verhalten

Die
Höhle

Nach einem halben Jahr in Neuandalusien hatte Humboldt alles untersucht, was nicht Füße und Angst genug hatte, ihm davonzulaufen. Er hatte die Farbe des Himmels, die Temperatur der Blitze und die Schwere des nächtlichen Rauhreifs gemessen, er hatte Vogelkot gekostet, die Erschütterungen der Erde erforscht und war in die Höhle der Toten gestiegen.

Mit Bonpland bewohnte er ein weißes Holzhaus am Rand der erst kürzlich von einem Beben beschädigten Stadt. Noch immer rissen Stöße die Menschen nachts aus dem Schlaf, noch immer hörte man, wenn man sich hinlegte und den Atem anhielt, die Bewegungen tief drunten. Humboldt grub Löcher, ließ Thermometer an langen Fäden in Brunnen hinab und legte Erbsen auf Trommelfelle. Das Beben werde gewiß wiederkommen, sagte er fröhlich. Die ganze Stadt liege bald in Trümmern.

Abends aßen sie beim Gouverneur, danach wurde gebadet. Stühle wurden ins Flußwasser gestellt, in leichter Kleidung setzte man sich in die Strömung. Hin und wieder schwammen kleine Krokodile vorbei. Einmal biß ein Fisch dem Neffen des Vizekönigs drei Zehen ab. Der Mann, er hieß Don Oriendo Casaules und hatte einen gewaltigen Schnurrbart, zuckte und starrte ein paar Sekunden reglos vor sich hin, bevor er mehr ungläubig als erschrocken seinen nun unvollständigen Fuß aus dem rot verdunkelten Wasser zog. Er sah mit suchendem Ausdruck um sich, dann sank er zur Seite und wurde von Humboldt aufgefangen. Mit dem nächsten Schiff kehrte er zurück nach Spanien.

Häufig kamen Frauen zu Besuch: Humboldt zählte die Läuse in ihren geflochtenen Haaren. Sie kamen in Gruppen, flüsterten miteinander und kicherten über den kleinen Mann in seiner Uniform mit der im linken Auge festgeklemmten Lupe. Bonpland litt unter ihrer Schönheit. Er fragte, wozu eine Statistik über Läuse gut sei.

Man wolle wissen, sagte Humboldt, weil man wissen wolle. Noch habe niemand das Vorkommen dieser bemerkenswert widerstandsfähigen Tiere auf den Köpfen der Bewohner der Äquinoktialgegenden untersucht.

Nicht weit von ihrem Haus wurden Menschen versteigert. Muskulöse Männer und Frauen, Ketten um die Fußgelenke, sahen mit leeren Blicken die Landbesitzer an, welche in ihren Mündern stocherten, ihnen in die Ohren sahen und sich auf die Knie niederließen, um ihre After zu betasten. Sie befühlten ihre Fußsohlen, zogen an ihren Nasen, prüften ihre Haare und befingerten ihr Geschlecht. Meist gingen sie danach, ohne zu kaufen, es war ein schrumpfender Wirtschaftszweig. Humboldt erstand drei Männer und ließ ihnen die Ketten abnehmen. Sie begriffen nicht. Sie seien jetzt frei, ließ Humboldt dolmetschen, sie könnten gehen. Sie stierten ihn an. Frei! Einer fragte, wohin sie sollten. Wohin ihr wollt, antwortete Humboldt. Er gab ihnen Geld. Zögernd untersuchten sie die Münzen mit den Zähnen. Einer setzte sich auf den Boden, schloß die Augen und rührte sich nicht mehr, als gäbe es nichts auf der Welt, das ihn interessieren könnte. Humboldt und Bonpland entfernten sich unter den spöttischen Blicken der Umstehenden. Ein paarmal drehten sie sich um, aber keiner der Freigelassenen sah ihnen nach. Am Abend begann es zu regnen, in der Nacht erschütterte ein neues Beben die Stadt. Am nächsten Morgen waren die drei verschwunden. Niemand wußte, wohin, und sie tauchten nie mehr auf. Bei der nächsten Versteigerung blieben Humboldt und Bonpland zu Hause, arbeiteten bei geschlossenen Läden und gingen erst hinaus, als es vorbei war.

Die Reise zur Chaymas-Mission führte durch dichten Wald. Bei jedem Schritt sahen sie unbekannte Pflanzen. Der Boden schien nicht genug Platz zu haben für so viel Bewuchs: Baumstämme preßten sich aneinander, Pflanzen überdeckten andere Pflanzen, Lianen strichen über ihre Schultern und Köpfe. Die Mönche der Mission begrüßten sie freundlich, obgleich sie nicht verstanden, was die beiden von ihnen wollten. Der Abt schüttelte den Kopf. Dahinter stecke doch anderes! Niemand reise um die halbe Welt, um Land zu vermessen, das ihm nicht gehöre.

In der Mission lebten getaufte Indianer in Selbstverwaltung. Es gab einen indianischen Kommandanten, einen Polizeichef und sogar eine Miliz, und solange sie in allem gehorchten, ließ man sie leben, als wären sie frei. Sie waren nackt, trugen nur einzelne Kleidungsstücke, die sie sich irgendwo verschafft hatten: einen Hut, einen Strumpf, einen Gürtel, eine auf der Schulter festgesteckte Epaulette. Humboldt brauchte eine Weile, bis er so tun konnte, als hätte er sich daran gewöhnt. Es mißfiel ihm zu sehen, an wie vielen Stellen Frauen behaart waren; das schien ihm unvereinbar mit ihrer natürlichen Würde. Doch als er eine Bemerkung darüber zu Bonpland machte, sah ihn der so belustigt an, daß er rot wurde und zu stottern anfing.

Unweit der Mission, in der Höhle der Nachtvögel, lebten die Toten. Der alten Legenden wegen weigerten sich die Eingeborenen, sie dorthin zu begleiten. Erst nach langem Zureden kamen zwei Mönche und ein Indianer mit. Es war eine der größten Höhlen des Kontinents, ein sechzig mal neunzig Fuß großes Loch, durch das so viel Licht einfiel, daß man noch im Berginneren hundertfünfzig Fuß weit auf Gras und unter Baumwipfeln ging. Dann erst mußten sie Fackeln anzünden. Hier begann auch das Geschrei.

In der Dunkelheit lebten Vögel. Tausende Nester hingen wie Beutel an der Höhlendecke, der Lärm war ohrenbetäubend. Wie sie sich orientierten, wußte niemand. Bonpland gab drei Schüsse ab, deren Hall vom Schreien übertönt wurde, und schon sammelte er zwei noch zukkende Körper ein. Humboldt schlug Gesteinsproben aus dem Fels, maß Temperatur, Luftdruck und Feuchtigkeit und kratzte Moos von der Wand. Ein Mönch schrie auf, als er mit seiner Sandale eine riesige Nacktschnecke zerquetschte. Sie mußten durch einen Bach waten, die Vögel flatterten um ihre Köpfe, Humboldt preßte die Hände auf seine Ohren, die Mönche schlugen das Kreuz.

Hier, sagte der Führer, beginne das Totenreich. Er gehe nicht weiter.

Humboldt bot eine Verdoppelung des Lohnes an.

Der Führer lehnte ab. Dieser Platz sei nicht gut! Und

überhaupt, was habe man hier zu suchen, der Mensch gehöre ans Licht.

Schön gesagt, brüllte Bonpland.

Licht, rief Humboldt, das sei nicht Helligkeit, sondern Wissen! *mutig*

Er ging weiter, Bonpland und die Mönche folgten. Der Gang verzweigte sich, ohne Führer wußten sie nicht, wohin. Humboldt schlug vor, sich zu trennen. Bonpland und die Mönche schüttelten die Köpfe.

Dann eben links, sagte Humboldt.

Wieso links, fragte Bonpland.

Also rechts, sagte Humboldt.

Aber warum rechts?

Zum Teufel, rief Humboldt, jetzt werde es ihm zu blöd. Und er ging, den anderen voraus, nach links. Das Vogelgeschrei hallte hier unten noch lauter. Nach einer Weile erkannte man darin hohe, klickende Laute, sehr schnell hintereinander ausgestoßen. Humboldt kniete sich hin und untersuchte die verkümmerten Pflanzen auf dem Boden. Aufgedunsene Gewächse ohne Farbe, fast formlos. Interessant, brüllte er in Bonplands Ohr, genau darüber habe er in Freiberg eine Arbeit verfaßt!

Als die beiden aufsahen, bemerkten sie, daß die Mönche nicht mehr da waren.

Abergläubische Tölpel, rief Humboldt. Weiter!

Es ging steil bergab. Um sie knatterten Flügelschläge, doch nie streifte sie eines der Tiere. Sie tasteten sich an der Wand entlang zu einem Felsdom. Die Fackeln, zu schwach, um das Gewölbe auszuleuchten, warfen ihre Schatten übergroß an die Wände. Humboldt sah auf das Thermometer: Es werde immer wärmer, er bezweifle, daß

Professor Werner daran Freude hätte! Dann sah er die Gestalt seiner Mutter neben sich. Er blinzelte, doch sie blieb länger sichtbar, als es sich für eine Sinnestäuschung gehörte. Den Umhang unter dem Hals festgeknotet, den Kopf schief gelegt, geistesabwesend lächelnd, Kinn und Nase so dünn wie an ihrem letzten Tag, in den Händen einen verbogenen Regenschirm. Er schloß die Augen und zählte langsam bis zehn.

Wie bitte, fragte Bonpland.

Nichts, sagte Humboldt und hämmerte konzentriert einen Splitter aus dem Stein.

Dort hinten gehe es weiter, sagte Bonpland.

Es sei genug, sagte Humboldt.

Bonpland gab zu bedenken, daß es tiefer im Berg wohl noch unbekannte Pflanzen gebe.

Besser zurück, sagte Humboldt. Genug sei genug.

Sie folgten einem Bach in Richtung Tageslicht. Allmählich wurden die Vögel weniger, das Geschrei leiser, bald konnten sie die Fackeln löschen.

Vor der Höhle drehte der indianische Führer ihre beiden Vögel über einem Feuer, um das Fett auszulassen. Die Federn, Schnäbel und Krallen verbrannten schon, Blut tropfte in die Flammen, Talgmasse zischte, bitterer Rauch hing über der Lichtung. Das wertvollste Fett, erklärte er. Geruchlos und länger als ein Jahr frisch!

Nun bräuchten sie zwei neue, sagte Bonpland wütend.

Humboldt bat Bonpland um seine Schnapsflasche, nahm einen großen Schluck und machte sich mit einem der Mönche auf den Rückweg zur Mission, während Bonpland zurückging, um zwei andere Vögel zu schießen. Nach einigen hundert Schritten blieb Humboldt stehen, legte den Kopf in den Nacken und sah zu den Wipfeln auf, die hoch über ihm den Himmel trugen.

Schall!

Schall, wiederholte der Mönch.

Wenn nicht der Geruchssinn, sagte Humboldt, dann Schall. Dieses Klicken, zurückgeworfen von den Wänden. Offenbar orientierten sich die Tiere so. *Fledermäuse*

Im Weitergehen machte er Notizen. Ein System, das der Mensch nutzen könne, in mondloser Nacht oder unter Wasser. Und das Fett: seiner Geruchlosigkeit wegen vortrefflich geeignet zur Kerzenproduktion. Schwungvoll öffnete er die Tür seiner Klosterzelle, in der ihn eine nackte Frau erwartete. Zunächst glaubte er, sie sei wegen der Läuse da oder habe eine Botschaft. Dann begriff er, daß es diesmal nicht so war und sie genau das wollte, wovon er meinte, sie wolle es, und daß es keinen Ausweg gab.

Offenbar hatte sie der Gouverneur geschickt, es entsprach wohl seiner Vorstellung von einem derben Scherz unter Männern. Eine Nacht und einen Tag hatte sie allein im Zimmer gewartet, hatte vor Langeweile den Sextanten auseinandergenommen, die gesammelten Pflanzen durcheinandergebracht, von dem für Präparate vorgesehenen Spiritus getrunken und ihren Rausch ausgeschlafen. Nach dem Aufwachen hatte sie das Porträt eines lustigen Zwerges mit gespitztem Mund, in dem sie natürlich nicht Friedrich den Großen erkannte, auf nicht unbegabte Weise bunt angemalt. Jetzt, da Humboldt endlich hier war, wollte sie es schnell hinter sich bringen.

Noch während er fragte, wo sie herkomme, was sie

wünsche und ob er etwas für sie tun könne, öffnete sie geschickt seine Hose. Sie war klein und rundlich und konnte kaum älter als fünfzehn sein. Er wich zurück, sie drängte nach, er stieß an die Wand, und als er sie scharf zurechtweisen wollte, hatte er sein Spanisch vergessen.

Sie heiße Inés, sagte sie, er solle ihr vertrauen.

Als sie ihm das Hemd hochzog, riß ein Knopf ab und kullerte über den Fußboden. Humboldt folgte ihm mit den Augen, bis er an die Wand stieß und umfiel. Sie legte die Arme um seinen Hals und zerrte ihn, während er murmelte, daß sie loslassen solle, er sei Beamter der preußischen Krone, in die Mitte des Zimmers.

Herrje, sagte sie, solches Herzklopfen.

Sie zog ihn mit sich auf den Teppich, und aus irgendeinem Grund ließ er zu, daß sie ihn auf den Rücken rollte und ihre Hände an ihm hinabwanderten, bis sie stutzte und lachend feststellte, da tue sich ja nicht viel. Er blickte auf ihren gebeugten Rücken, die Zimmerdecke, die im Wind zitternden Palmenblätter vor dem Fenster.

Gleich, sagte sie. Er solle Vertrauen haben!

Die Blätter waren kurz und spitz, diesen Baum hatte er noch nie untersucht. Er wollte sich aufrichten, aber sie legte die Hand auf sein Gesicht und drückte ihn nach unten, und er fragte sich, wieso sie nicht begriff, daß er in der Hölle war. Später hätte er nicht sagen können, wie lange es dauerte, bis sie abließ, ihre Haare zurückstrich und ihn traurig ansah. Er schloß die Augen. Sie stand auf.

Das mache doch nichts, sagte sie leise, das sei ihre Schuld.

Sein Kopf schmerzte, er hatte rasenden Durst. Erst

als er hörte, wie die Tür hinter ihr zufiel, öffnete er die Augen.

Bonpland fand ihn am Schreibtisch, zwischen den Chronometern, dem Hygrometer, dem Thermometer und dem wieder zusammengebauten Sextanten. Mit ins Auge geklemmter Lupe betrachtete er Palmenblätter. Ein interessanter Aufbau, bemerkenswert! Allmählich sei es Zeit zum Aufbruch.

So plötzlich?

Nach alten Berichten gebe es einen Kanal zwischen den Strömen Orinoko und Amazonas. Europäische Geographen hielten das für Legende. Die herrschende Schule behaupte, daß nur Gebirge als Wasserscheiden dienen und keine Flußsysteme im Inland verbunden sein könnten.

Darüber habe er seltsamerweise nie nachgedacht, sagte Bonpland.

Es sei ein Irrtum, sagte Humboldt. Er werde den Kanal finden und das Rätsel lösen.

Aha, sagte Bonpland. Ein Kanal.

Ihm gefalle diese Einstellung nicht, sagte Humboldt. Immer Klagen, immer Einwürfe. Sei etwas Enthusiasmus zuviel verlangt?

Bonpland fragte, was denn geschehen sei.

In Kürze erwarte man eine Sonnenfinsternis! Das ermögliche die exakte astronomische Ortsbestimmung der Küstenstadt. Dann könne man ein Netz von Meßpunkten bis zu den Enden des Kanals spannen.

Aber der sei doch tief im Urwald!

Ein großes Wort, sagte Humboldt. Das dürfe einen nicht abschrecken. Urwald sei auch nur Wald. Die Natur spreche überall in derselben Sprache.

Er schrieb an seinen Bruder. Herrlich sei die Reise, gewaltig die Fülle der Entdeckungen. Täglich fänden sich neue Pflanzen, mehr, als man zählen könne, die Beobachtung der Beben lege eine neue Theorie der Erdkruste nahe. Ungemein erweitert seien auch die Kenntnisse über die Natur der Kopflaus. Immer der Deine, setz es in die Zeitung!

Er prüfte, ob seine Hand auch ja nicht zitterte. Dann schrieb er an Immanuel Kant. Ihm dränge sich das Konzept einer neuen Wissenschaft der physischen Geographie auf. In unterschiedlichen Höhen, doch bei ähnlichen Temperaturen wüchsen auf dem gesamten Planeten ähnliche Pflanzen, so daß sich Klimazonen nicht bloß in die Breite, sondern auch in die Höhe erstreckten: An einem Punkt könne die Erdoberfläche alle Stadien vom Tropischen bis ins Arktische durchlaufen. Verbinde man diese Zonen zu Linien, so erhalte man eine Karte der großen klimatischen Strömungen. Dankbar für alle Hinweise, wie auch in bester Hoffnung, daß der Professor sich wohlbefinde, verbleibe er … Er schloß die Augen, atmete tief ein und unterschrieb mit dem ausladendsten Namenszug, dessen er fähig war.

Am Tag vor der Verdunkelung des Himmels geschah etwas Unangenehmes. Als sie am Strand Druckmessungen anstellten, sprang ein Zambo, halb Schwarzer, halb Indianer, mit einer Holzkeule aus dem Gebüsch. Er knurrte, duckte sich, starrte. Dann griff er an. Einen unseligen Unfall, nannte es Humboldt, als er einige Tage später an Bord des Schiffes nach Caracas, bei starkem Seegang und im flackernden Licht einer Kerze, gegen drei Uhr früh darüber schrieb. Er sei dem Schlag nach links ausgewichen, Bonpland zu seiner Rechten habe weniger Glück gehabt. Doch als Bonpland reglos auf dem Boden liegengeblieben sei, habe der Zambo die Gelegenheit verstreichen lassen; statt wieder zuzuschlagen, sei er zu Bonplands weggeflogenem Hut gelaufen, habe ihn sich aufgesetzt und sei mit großen Schritten davongegangen.

Wenigstens war den Instrumenten nichts passiert, und auch Bonpland kam nach zwanzig Stunden wieder zu sich: das Gesicht geschwollen, ein Zahn abgebrochen, die Form der Nase leicht verändert, eingetrocknetes Blut um Mund und Kinn. Humboldt, der abends, nachts und in den langen Stunden des Morgens an seinem Bett gesessen hatte, reichte ihm Wasser. Bonpland wusch sich, spuckte und sah mißtrauisch in den Spiegel.

Die Sonnenfinsternis, sagte Humboldt. Ob es wohl gehen werde?

Bonpland nickte.

Sicher?

Bonpland spuckte aus und lispelte, er sei ganz sicher.

Es kämen große Tage, sagte Humboldt. Vom Orinoko zum Amazonas. Ins Innerste des Landes. Er solle ihm die Hand geben!

Mühsam, wie gegen einen Widerstand, hob Bonpland den Arm.

Zur angekündigten Nachmittagsstunde verlosch die Sonne. Das Licht wurde fahl, ein Schwarm Vögel flatterte schreiend empor und wehte im Wind davon, die Gegenstände saugten die Helligkeit auf, ein Schatten flog heran, der Sonnenball wurde zu einer dunklen Scheibe. Bonpland, den Kopf verbunden, hielt den Projektionsschirm des künstlichen Horizonts. Humboldt richtete den Sextanten darauf, mit dem anderen Auge schielte er auf das Chronometer. Die Zeit stockte.

Und kam wieder in Gang. Das Licht kehrte zurück: Der Sonnenball strahlte auf, der Schatten löste sich von Hügeln, Erde, Horizont. Vögel schrien, irgendwo feuerte jemand einen Schuß ab. Bonpland ließ den Schirm sinken.

Humboldt fragte, wie es gewesen sei.

Bonpland sah ihn ungläubig an.

Er habe es nicht gesehen, sagte Humboldt. Nur die Projektion. Er habe das Gestirn im Sextanten fixieren und auch noch die Uhr überwachen müssen. Zum Aufblicken sei keine Zeit gewesen.

Es werde kein zweites Mal geben, sagte Bonpland heiser. Ob er wirklich nicht hinaufgesehen habe?

Der Ort sei jetzt für immer auf den Weltkarten festgesteckt. Nur wenige Augenblicke erlaubten es einem, die Gangfehler der Uhren mit Hilfe des Himmels zu korrigieren. Manche nähmen ihre Arbeit eben ernster als andere!

Das möge ja sein, aber … Bonpland seufzte.

Ja? Humboldt blätterte im Ephemeridenkatalog, zückte den Bleistift und begann zu rechnen. Aber was?

Müsse man immer so deutsch sein?

↳H. muss immer alles wissenschaftl
  messen

- Sonnenfisternis

Die
Zahlen

An dem Tag, der alles änderte, tat ein Backenzahn so weh, daß er glaubte, wahnsinnig zu werden. Nachts hatte er auf dem Rücken gelegen und dem Schnarchen der Zimmerwirtin nebenan zugehört. Gegen halb sieben, als er müde ins Morgenlicht blinzelte, fand er die Lösung zu einem der ältesten Probleme der Welt.

Er taumelte durch den Raum wie ein Betrunkener. Es mußte sofort aufgeschrieben werden, er durfte es nicht vergessen. Die Schubladen wollten sich nicht öffnen lassen, plötzlich hatte sich das Papier vor ihm versteckt, die Feder brach ab und machte Flecken, und dann kam ihm noch der volle Nachttopf in den Weg. Doch nach einer halben Stunde des Kritzelns stand alles auf einigen zerknüllten Blättern, den Rändern eines Griechischlehrbuchs und der Tischplatte. Er legte die Feder weg. Er atmete schwer. Er bemerkte, daß er nackt war, wunderte sich über den Dreck auf dem Boden, den Gestank. Er fror. Die Zahnschmerzen waren kaum zu ertragen.

Er las. Durchdachte es Zeile für Zeile, folgte der Beweisführung, suchte nach Fehlern und fand keine. Er strich über das letzte Blatt und sah sein schiefes, verwischtes Siebzehneck an. Über zweitausend Jahre lang hatte man mit Lineal und Zirkel regelmäßige Drei- und Fünfecke konstruiert. Das Quadrat zu konstruieren oder

81

von einem Vieleck die Ecken zu verdoppeln, war kinderleicht. Und wenn man ein Dreieck und ein Fünfeck kombinierte, bekam man ein Fünfzehneck. Mehr war nicht möglich gewesen.

Und jetzt: siebzehn. Und er ahnte eine Methode, mit der man würde weitergehen können. Aber die mußte er noch finden.

Er ging zum Barbier. Dieser band ihm die Hände fest, versprach, es werde gewiß nicht schlimm sein, und schob ihm mit schneller Bewegung die Zange in den Mund. Schon die Berührung, ein strahlendes Aufleuchten des Schmerzes, ließ ihn fast ohnmächtig werden. Er versuchte noch seine Gedanken zu sammeln, aber dann faßte die Zange zu, etwas klickte in seinem Kopf, und erst der warme Geschmack des Blutes und das Pochen in seinen Ohren brachten ihn wieder in das Zimmer und zu dem Mann mit der Schürze zurück, der sagte, schlimm sei das ja nicht gewesen, oder?

Beim Heimgehen mußte er sich an Hauswände lehnen, seine Knie waren weich, seine Füße gehorchten ihm nicht, ihm war schwindlig. Schon in ein paar Jahren würde es Ärzte für das Gebiß geben, dann würde man diese Schmerzen heilen können und bräuchte nicht jeden entzündeten Zahn herauszureißen. Bald würde die Welt nicht mehr voll Zahnloser sein. Auch würde nicht mehr jedermann Pockennarben haben, und keiner würde mehr seine Haare verlieren. Es wunderte ihn, daß außer ihm niemand an diese Dinge dachte. Für die Leute war alles so, wie es gerade war, selbstverständlich. Mit glasigen Augen machte er sich auf den Weg zu Zimmermanns Wohnung.

Er trat ein, ohne zu klopfen, und legte ihm die Blätter auf den Eßtisch.

Oh, sagte der Professor mitleidig, die Zähne, schlimm? Er selbst habe ja Glück gehabt, ihm fehlten bloß fünf, Professor Lichtenberg habe überhaupt nur mehr zwei, und Kästner sei schon lange zahnlos. Mit spitzen Fingern, wegen eines Blutflecks, nahm er das erste Blatt. Er runzelte die Brauen. Seine Lippen bewegten sich. Es dauerte so lange, daß Gauß es kaum mehr glauben mochte. Niemand konnte so langsam denken!

Das sei ein großer Moment, sagte Zimmermann schließlich.

Gauß bat um ein Glas Wasser.

Ihm sei nach Beten zumute. Das müsse gedruckt werden, am besten unter dem Namen eines Professors. Es sei nicht üblich, daß Studenten schon publizierten.

Gauß wollte antworten, aber als Zimmermann ihm das Wasserglas brachte, konnte er weder reden noch trinken. Er entschuldigte sich mit einer Geste, wankte nach Hause, legte sich ins Bett und dachte an seine Mutter drüben in Braunschweig. Es war ein Fehler gewesen, nach Göttingen zu gehen. Hier war die bessere Universität, aber seine Mutter fehlte ihm, wenn er krank war, noch mehr als sonst. Gegen Mitternacht, als seine Wange noch dicker geworden war und jede Bewegung an jeder Stelle seines Körpers weh tat, wurde ihm klar, daß der Barbier den falschen Zahn gezogen hatte.

Zum Glück waren die Straßen frühmorgens noch leer. So sah niemand, wie er immer wieder stehenblieb, den Kopf gegen Hausmauern lehnte und schluchzte. Er hätte seine Seele dafür gegeben, in hundert Jahren zu leben, wenn es Mittel gegen den Schmerz geben würde und Ärzte, die diesen Namen verdienten. Dabei war es gar nicht schwer: Man brauchte bloß die Nerven am richtigen Ort zu betäuben, am besten mit kleinen Dosen von Gift. Das Curare mußte besser erforscht werden! Es gab eine Flasche davon im chemischen Institut, er würde sich das einmal ansehen. Doch die Gedanken entglitten ihm, und er konnte nur mehr seinem eigenen Stöhnen zuhören.

Das komme vor, sagte der Barbier fröhlich. Schmerz strahle weit aus, aber die Natur sei klug, und der Mensch habe Zähne in Mengen. In dem Moment, als er die Zange hob, wurde es um Gauß dunkel.

Als hätte der Schmerz das Ereignis aus seinem Gedächtnis oder aus der Zeit gelöscht, fand er sich Stunden oder auch Tage später, woher sollte er es wissen, in seinem zerwühlten Bett wieder, eine halbleere Flasche Schnaps auf dem Nachttisch und zu seinen Füßen das *Intelligenzblatt der Allgemeinen Literaturzeitung*, in dem Hofrat Zimmermann die neueste Methode zur Konstruktion des regelmäßigen Siebzehnecks vorstellte. Neben dem Bett saß Bartels, der gekommen war, um zu gratulieren.

Gauß befühlte seine Wange. Ach, Bartels. Der kannte das ja: Er kam selbst aus der Armut, hatte als Wunderkind gegolten und sich zu Großem erwählt geglaubt. Dann hatte er ihn getroffen, Gauß. Er wußte inzwischen, daß Bartels die ersten zwei Nächte nach ihrer Begegnung wachgelegen und erwogen hatte, wieder ins Dorf zurückzugehen, Kühe zu melken und Ställe auszumisten. In der dritten Nacht hatte er begriffen, daß es nur einen Weg gab, seine Seele zu retten: Er mußte Gauß mögen. Er mußte ihm helfen, wo immer es ging. Von da an hatte er alle Kraft in die gemeinsame Arbeit gesteckt, hatte mit Zimmermann gesprochen, Briefe an den Herzog geschrieben und eines schweren Abends Gauß' Vater unter Drohungen, an die sich keiner von ihnen erinnern wollte, dazu gebracht, dem Sohn das Gymnasium zu erlauben. Letzten Sommer dann hatte er Gauß zu dessen Eltern nach Braunschweig begleitet. Plötzlich hatte die Mutter ihn zur Seite genommen und mit vor Sorge und Schüchternheit ganz kleinem Gesicht eine Frage gestellt: Ihr Sohn da auf der Universität, unter all den Gelehrten, ob das denn Zukunft habe? Bartels hatte nicht verstanden. Sie meine, ob das denn etwas werden könne, mit Carl als Forscher. Sie frage im Vertrauen und verspreche, nichts weiterzusagen. Als Mutter mache man sich eben immer Sorgen. Bartels hatte eine Weile geschwiegen, bevor er mit einer Verachtung, für die er sich später schämte, gefragt hatte, ob sie denn nicht wisse, daß ihr Sohn der größte Wissenschaftler der Welt sei. Sie hatte sehr geweint, es war furchtbar peinlich gewesen. Gauß hatte es nie ganz geschafft, Bartels zu verzeihen.

Er habe sich jetzt entschieden, sagte Gauß.

Wofür? Bartels sah zerstreut auf.

Gauß seufzte ungeduldig. Für die Mathematik. Bisher habe er sich ja auf die klassische Philologie verlegen wollen, und noch immer gefalle ihm der Gedanke, einen Vergil-Kommentar zu schreiben, besonders über Aeneas' Abstieg in die Unterwelt. Seiner Ansicht nach habe keiner dieses Kapitel richtig erfaßt. Aber dafür sei ja noch Zeit, er sei schließlich erst neunzehn. Zunächst einmal habe er eingesehen, daß er in der Mathematik mehr leisten könne. Wenn man schon auf der Welt sein müsse, gefragt habe einen ja keiner, könne man auch versuchen, etwas zustande zu bringen. Zum Beispiel die Lösung der Frage, was eine Zahl sei. Die Grundlegung der Arithmetik.

Ein Lebenswerk, sagte Bartels.

Gauß nickte. Mit etwas Glück werde er in fünf Jahren fertig sein.

Doch bald wurde ihm klar, daß es schneller gehen würde. Nachdem er einmal begonnen hatte, drangen die Ideen mit ungekannter Wucht an. Er schlief wenig, besuchte die Universität nicht mehr, aß nur das Nötigste und fuhr selten zu seiner Mutter. Wenn er halblaut redend durch die Straßen ging, fühlte er sich wacher denn je. Ohne hinzusehen, wich er den Leuten aus, nie stolperte er, einmal sprang er grundlos zur Seite und war nicht einmal überrascht, als in derselben Sekunde neben ihm ein Dachziegel zerschellte. Die Zahlen entführten einen nicht aus der Wirklichkeit, sie brachten sie näher heran, machten sie klarer und deutlich wie nie.

Die Zahlen begleiteten ihn jetzt immer. Er vergaß sie nicht einmal, wenn er die Huren besuchte. Es gab nicht viele in Göttingen, sie kannten ihn alle, grüßten ihn mit Namen und gaben ihm manchmal Rabatt, weil er jung war, gut aussah und Manieren hatte. Die ihm am besten gefiel, hieß Nina und stammte aus einer fernen sibirischen Stadt. Sie wohnte im alten Accouchierhaus, hatte dunkle Haare, tiefe Grübchen auf den Wangen und breite, nach Erde duftende Schultern; in den Augenblicken, wenn er sie umfaßte, den Blick zur Decke wandte und ihr Schaukeln auf sich spürte, versprach er ihr, sie zu heiraten und ihre Sprache zu lernen. Sie lachte über ihn, und wenn er schwor, daß er es ernst meine, antwortete sie nur, er sei eben noch sehr jung.

Seine Doktoratsprüfung fand unter Aufsicht von Professor Pfaff statt. Auf sein gekritzeltes Ansuchen hin erließ man ihm das mündliche Examen, es wäre auch zu lächerlich gewesen. Als er seine Urkunde abholte, mußte er auf dem Gang warten. Er aß ein Stück trockenen Kuchen und las in den *Göttinger Gelehrten Anzeigen* den Bericht eines preußischen Diplomaten über dessen Bruders Aufenthalt in Neuandalusien. Ein weißes Haus am Rand der Stadt, abends kühlte man sich im Fluß, Frauen kamen häufig zu Besuch, damit man ihre Läuse zählte. In unbestimmter Erregung blätterte er um. Nackte Indianer in der Kapuzinermission, in Höhlen lebende Vögel, die mit ihren Stimmen sahen wie andere Wesen mit dem Augenlicht. Die große Sonnenfinsternis, dann der Aufbruch zum Orinoko. Der Brief des Mannes war eineinhalb Jahre unterwegs gewesen, nur Gott mochte wissen, ob er noch lebte. Gauß senkte die Zeitung, Zimmermann und Pfaff standen vor ihm. Sie hatten nicht zu stören gewagt.

Dieser Mann, sagte er, beeindruckend! Aber unsinnig auch, als wäre die Wahrheit irgendwo und nicht hier. Oder als könnte man vor sich selbst davonlaufen.

Pfaff reichte ihm zögernd die Urkunde: Bestanden, *summa cum laude.* Natürlich. Man höre, sagte Zimmermann, ein großes Werk sei in Arbeit. Er freue sich, daß Gauß nun doch etwas gefunden habe, das sein Interesse fesseln und seine Melancholie vertreiben könne.

Das habe er in der Tat, sagte Gauß, und wenn es vollendet sei, werde er gehen.

Die beiden Professoren wechselten einen Blick. Aus dem Kurfürstentum Hannover? Das wolle man doch nicht hoffen.

Nein, sagte Gauß, keine Sorge. Sehr weit, aber doch nicht aus dem Kurfürstentum Hannover.

Die Arbeit ging schnell voran. Das quadratische Reziprozitätsgesetz war abgeleitet, das Rätsel der Primzahlenfrequenz seiner Auflösung näher. Die ersten drei Sektionen hatte er beendet, er war schon beim Hauptteil. Aber immer wieder legte er die Feder weg, stützte den Kopf in die Hände und fragte sich, ob das, was er tat, überhaupt erlaubt war. Drang er nicht zu tief ein? Auf dem Grund der Physik waren Regeln, auf dem Grund der Regeln Gesetze, auf deren Grund Zahlen; wenn man diese scharf ins Auge faßte, erkannte man Verwandtschaften zwischen ihnen, Abstoßungen oder Anziehung. Einiges an ihrem Gefüge schien unvollständig, seltsam flüchtig entworfen, und nicht nur einmal glaubte er, notdürftig kaschierten Fehlern zu begegnen – als hätte Gott sich Nachlässigkeiten erlaubt und gehofft, keiner würde sie bemerken.

Dann kam der Tag, an dem er kein Geld mehr hatte. Da er nicht mehr studierte, war sein Stipendium abgelaufen. Dem Herzog hatte es nie gefallen, daß er nach Göttingen gegangen war, an eine Verlängerung war nicht zu denken.

Da gebe es Abhilfe, sagte Zimmermann. Ein Gelegenheitsauftrag: Man brauche einen tüchtigen jungen Mann, der bei der Landvermessung helfe.

Gauß schüttelte den Kopf.

Es dauere nicht lange, sagte Zimmermann. Und frische Luft habe noch keinem geschadet.

So fand er sich unversehens durch die verregnete Landschaft stolpern. Der Himmel war niedrig und dunkel, die Erde lehmig. Er kletterte über eine Hecke und stand keuchend, verschwitzt und bestreut mit Kiefernnadeln vor zwei Mädchen. Gefragt, was er hier tue, erklärte er nervös die Technik der Triangulation: Wenn man eine Seite und zwei Winkel eines Dreiecks kenne, könne man die anderen Seiten und den unbekannten Winkel bestimmen. Man wähle also ein Dreieck irgendwo hier draußen auf Gottes Erde, messe die Seite, zu der man am leichtesten Zugang habe, und bestimme mit diesem Gerät die Winkel zum dritten Punkt. Er hob den Theodolit und drehte ihn, so und so, und sehen Sie, so, mit ungeschickten Fingern hin und her, als wäre es das erste Mal. Dann füge man eine Serie solcher Dreiecke aneinander. Ein preußischer Forscher tue genau das in diesem Moment unter den Fabelwesen der Neuen Welt.

Aber eine Landschaft, erwiderte die größere der beiden, sei doch keine Fläche?

Er starrte sie an. Die Pause hatte gefehlt. Als hätte sie nicht nachdenken müssen. Allerdings nicht, sagte er lächelnd.

Ein Dreieck, sagte sie, habe nur auf einer Fläche hundertachtzig Grad Winkelsumme, auf einer Kugel aber nicht. Damit stehe und falle doch alles.

Er musterte sie, als sähe er sie erst jetzt. Mit hochgezogenen Brauen erwiderte sie seinen Blick. Ja, sagte er. So. Um das auszugleichen, müsse man die Dreiecke gewissermaßen nach der Messung zu unendlich kleiner Größe schrumpfen lassen. Grundsätzlich eine einfache Differentialoperation. Allerdings in dieser Form … Er setzte sich auf den Boden und holte seinen Block hervor. In dieser Form, murmelte er, während er zu notieren begann, habe das noch keiner durchgeführt. Als er aufsah, war er allein.

Ein paar Wochen zog er noch mit den geodätischen Gerätschaften durchs Gelände, rammte Pfähle in den Boden, vermaß ihre Entfernung. Einmal kollerte er eine Böschung hinunter und verrenkte sich die Schulter, mehrmals fiel er in Brennesseln, und eines Nachmittags, der Winter näherte sich schon, bewarf ihn eine Horde Kinder mit schmutzigen Schneebällen. Als aus dem Wald ein Schäferhund sprang, ihn zu Boden stieß, fast zärtlich in seine Wade biß und wie ein Spuk wieder verschwand, beschloß er, mit dieser Arbeit aufzuhören. Für solche Gefahren war er nicht geschaffen.

Doch Johanna sah er jetzt öfter. Es schien, als wäre sie schon immer in seiner Nähe und nur durch Tarnung oder eine Schwäche seiner Aufmerksamkeit vor ihm verborgen gewesen. Sie ging vor ihm auf der Straße, und ihm war, als verlangsamte allein sein Wunsch, daß sie zögern möge, um ein weniges ihren Schritt. Oder sie saß in der Kirche, drei Reihen hinter ihm, mit müdem, doch konzentriertem Ausdruck, während der Pastor ihnen allen die ewige Verdammnis in Aussicht stellte für den Fall, daß sie Christi Leiden nicht zu ihrem, seinen Kummer nicht zu dem eigenen, sein Blut nicht zu ihrer aller Blut machten; Gauß hatte längst aufgegeben, sich zu fragen, was das heißen sollte, und wußte schon, mit welch ironischem Ausdruck sie ihn, wenn er sich jetzt umdrehte, ansehen würde.

Einmal gingen sie mit ihrer dummen und ständig kichernden Freundin Minna vor der Stadt spazieren. Sie unterhielten sich über neue Bücher, die er nicht kannte, die Häufigkeit des Regens, die Zukunft des Direktoriums in Paris. Oft antwortete Johanna, bevor er zu Ende gesprochen hatte. Er dachte daran, sie zu umfassen und zu Boden zu ziehen, und wußte genau, daß sie seine Gedanken kannte. Mußte all diese Verstellung wirklich sein? Aber natürlich war sie nötig, und als er aus Versehen ihre Hand berührte, machte er eine tiefe Verbeugung, wie es die Adligen taten, und sie einen Knicks. Auf dem Rückweg fragte er sich, ob je ein Tag kommen würde, an dem Menschen miteinander umgehen könnten, ohne zu lügen. Aber bevor ihm darauf etwas einfiel, begriff er, wie jede Zahl sich als Summe dreier Dreieckszahlen darstellen ließ. Mit zitternden Händen tastete er nach seinem Block, aber er hatte ihn daheim vergessen und mußte die Formel bis zur nächsten Gastwirtschaft, wo er dem Kellner einen Griffel aus der Hand riß und sie auf ein Stück Tischdecke schmierte, leise vor sich hin murmeln. →muss es dann immer aufschreiben

Von da an verließ er die Wohnung nicht mehr. Die Tage wurden zu Abenden, die Abende zu Nächten, die sich in den frühen Stunden mit blassem Licht vollsogen, bis wieder ein Tag begann, als wäre das selbstverständlich. Aber das war es nicht, sterben ließ sich schnell, er mußte sich beeilen. Manchmal kam Bartels und brachte Essen. Manchmal kam seine Mutter. Sie strich ihm über den Kopf, sah ihn mit vor Liebe verschwommenem Blick an und wurde rot vor Freude, wenn er sie auf die Wange küßte. Dann tauchte Zimmermann auf, fragte, ob er Hilfe bei der Arbeit brauche, begegnete seinem Blick und ging verlegen brummend seiner Wege. Briefe von Kästner,

Lichtenberg, Büttner und dem Sekretär des Herzogs trafen ein, er las keinen davon. Zweimal hatte er Durchfall, dreimal Zahnweh und eines Nachts so heftige Koliken, daß er meinte, nun sei es soweit, Gott gestatte es nicht, das Ende sei hier. In einer anderen Nacht kamen ihm plötzlich die Wissenschaft, seine Arbeit, sein gesamtes Leben fremd und überflüssig vor, weil er keinen Freund hatte und außer seiner Mutter niemanden, dem er etwas bedeutete. Aber auch das ging, wie alles, vorüber.

Und eines regnerischen Tages war er fertig. Er legte die Feder weg, schneuzte sich umständlich und rieb sich die Stirn. Schon rückten ihm die Erinnerungen an die letzten Monate, all die Kämpfe, Entscheidungen und Überlegungen, in die Ferne. Das alles hatte jemand erlebt, der er seit wenigen Momenten nicht mehr war. Vor ihm lag das Manuskript, das der andere zurückgelassen hatte, Hunderte eng beschriebener Seiten. Er blätterte darin und fragte sich, wie er das hatte leisten können. Er konnte sich an keine Inspiration, keine Erleuchtungen erinnern. Nur an Arbeit.

Für die Kosten des Drucks mußte er sich Geld von Bartels ausleihen, der selbst fast nichts besaß. Dann gab es Schwierigkeiten, als er die gesetzten Blätter noch einmal Korrektur lesen wollte; der Dummkopf von Buchhändler begriff einfach nicht, daß keiner sonst dazu in der Lage war. Zimmermann schrieb an den Herzog, der rückte noch etwas Geld heraus, und die *Disquisitiones Arithmeticae* konnten erscheinen. Er war Anfang Zwanzig, und sein Lebenswerk war getan. Er wußte: Wie lange er auch noch da sein würde, er könnte nichts Vergleichbares mehr zustande bringen.

92

In einem Brief hielt er um Johannas Hand an und wurde abgewiesen. Es habe nichts mit ihm zu tun, schrieb sie, bloß bezweifle sie, daß die Existenz an seiner Seite einem zuträglich sein könne. Sie habe den Verdacht, daß er Leben und Kraft aus den Menschen seiner Umgebung ziehe wie die Erde von der Sonne und das Meer aus den Flüssen, daß man in seiner Nähe zur Blässe und Halbwirklichkeit eines Gespensterdaseins verurteilt sei.

Er nickte. Er hatte genau diese Entscheidung, wenn auch keine so gute Begründung erwartet. Jetzt fehlte nur mehr eines.

Die Reise war fürchterlich. Seine Mutter weinte beim Abschied, als wollte er nach China, und dann, obwohl er sich fest vorgenommen hatte, es nicht zu tun, weinte auch er. Die Kutsche setzte sich in Bewegung, und zu Beginn war sie voll übelriechender Leute, eine Frau aß rohe Eier mitsamt der Schale, ein Mann machte, ohne Atem zu holen, Witze, die gotteslästerlich und trotzdem nicht komisch waren. Gauß versuchte, das alles zu übersehen, indem er in der neuesten Ausgabe der *Monatlichen Korrespondenz zur Beförderung von Erd- und Himmelskunde* las. Im Teleskop des Astronomen Piazzi war für ein paar Nächte ein Geisterplanet aufgetaucht und, bevor man seine Bahn hatte bestimmen können, wieder verschwunden. Vielleicht ein Irrtum, vielleicht aber auch ein Wandelstern zwischen den inneren und äußeren Planeten. Doch schon bald mußte Gauß die Zeitschrift weglegen, weil die Sonne unterging, die Kutsche zu sehr schwankte und ihm die eierfressende Frau über die Schulter lugte. Er schloß die Augen. Eine Weile sah er marschierende

Soldaten, dann ein von Magnetlinien durchzogenes Firmament, dann Johanna, dann wachte er auf. Es regnete aus trübem Morgenhimmel, aber die Nacht war noch nicht vorbei. Daß weitere Tage und weitere Nächte kommen würden, jeweils elf und zweiundzwanzig insgesamt, war kaum vorstellbar. Wie schrecklich das Reisen war!

Als er in Königsberg ankam, war er vor Müdigkeit, Rückenschmerz und Langeweile fast besinnungslos. Für einen Gasthof hatte er kein Geld, also ging er gleich zur Universität und ließ sich von einem dumpf blickenden Pedell den Weg beschreiben. Wie alle hier sprach der Mann einen wunderlichen Dialekt, die Straßen sahen fremd aus, die Geschäfte hatten unverständliche Schilder, und das Essen aus den Schenken roch nicht wie Essen. Noch nie war er so weit von daheim gewesen.

Endlich hatte er die Adresse gefunden. Er klopfte, nach langem Warten öffnete ihm ein durch und durch staubiger alter Mann und sagte, noch bevor Gauß sich vorstellen konnte, der gnädige Herr empfange nicht.

Gauß versuchte zu erklären, wer er war und woher er kam.

Der gnädige Herr, wiederholte der Diener, empfange nicht. Er selbst arbeite schon länger hier, als es irgend jemand für möglich halte, und er habe sich noch nie einer Anordnung widersetzt.

Gauß holte Empfehlungsbriefe von Zimmermann, Kästner, Lichtenberg und Pfaff hervor. Er bestehe darauf, daß diese Schreiben vorgelegt würden!

Der Diener antwortete nicht. Er hielt die Papiere verkehrt herum, ohne einen Blick darauf zu werfen.

Er bestehe darauf, wiederholte Gauß. Er könne sich

gut vorstellen, daß viele Besucher kämen und daß man sich zu schützen habe. Aber, und das müsse er in aller Klarheit sagen, er sei nicht irgendwer. *→ weiß, dass er was besonderes ist*

Der Diener überlegte. Seine Lippen bewegten sich stumm, er schien nicht weiterzuwissen. Ach je, murmelte er dann, ging hinein und ließ die Tür offen.

Gauß folgte ihm zögernd durch einen kurzen und dunklen Flur in ein kleines Zimmer. Er brauchte einen Moment, bis seine Augen sich an das Halbdunkel gewöhnt hatten und er ein verhängtes Fenster, einen Tisch, einen Sessel und darin einen in Wolldecken gewickelten, reglosen Zwerg sehen konnte: wulstige Lippen, vorspringende Stirn, eine scharfe, dünne Nase. Die halbgeöffneten Augen wandten sich ihm nicht zu. Die Luft war so stickig, daß man kaum atmen konnte. Mit heiserer Stimme fragte er, ob das der Professor sei.

Wer sonst, sagte der Diener.

Er trat auf den Sessel zu und holte mit unsicheren Händen ein Exemplar der *Disquisitiones* hervor, auf dessen erste Seite er etwas von Verehrung und Dank geschrieben hatte. Er hielt dem Männchen das Buch hin, es regte keine Hand. Flüsternd bat ihn der Diener, das Buch auf den Tisch zu legen.

Mit gedämpfter Stimme erklärte er sein Anliegen. Er habe Ideen, die er noch keinem habe mitteilen können. Ihm scheine nämlich, daß der euklidische Raum eben nicht, wie es die Kritik der reinen Vernunft behaupte, die Form unserer Anschauung selbst und deshalb aller möglichen Erfahrung vorgeschrieben sei, sondern vielmehr eine Fiktion, ein schöner Traum. Die Wahrheit sei sehr unheimlich: Der Satz, daß zwei gegebene Parallelen einander niemals berührten, sei nie beweisbar gewesen, nicht durch Euklid, nicht durch jemand anderen. Aber er sei keineswegs, wie man immer gemeint habe, offensichtlich! Er, Gauß, vermute nun, daß der Satz nicht stimme. Vielleicht gebe es gar keine Parallelen. Vielleicht lasse der Raum auch zu, daß man, habe man eine Linie und einen Punkt neben ihr, unendlich viele verschiedene Parallelen durch diesen einen Punkt ziehen könne. Nur eines sei sicher: Der Raum sei faltig, gekrümmt und sehr seltsam.

Es tat gut, all das zum ersten Mal auszusprechen. Schon kamen die Worte schneller, die Sätze bildeten sich von selbst. Dies sei kein Gedankenspiel! Er behaupte etwa … Er ging auf das Fenster zu, aber ein erschrockenes Quieken des Männchens ließ ihn stehenbleiben. Er behaupte etwa, daß ein Dreieck von genügender Größe, aufgespannt zwischen drei Sternen dort draußen, bei genauer Messung eine andere Winkelsumme habe als die erwarteten hundertachtzig Grad, sich also als sphärischer Körper erweisen werde. Als er gestikulierend aufsah, bemerkte er die Spinnweben an der Decke, mehrere Schichten davon, filzig ineinandergewoben. Eines Tages würden solche Messungen durchführbar sein! Doch sei das noch lange hin, einstweilen benötige er die Meinung des einzigen, der ihn nicht für verrückt halten könne, der ihn verstehen müsse. Die Meinung des Mannes, welcher die Welt mehr über Raum und Zeit gelehrt habe als irgendein anderer. Er ging in die Hocke, so daß sein Gesicht auf gleicher Höhe mit dem des Männchens war. Er wartete. Die kleinen Augen richteten sich auf ihn.

Wurst, sagte Kant.

Bitte?

Der Lampe soll Wurst kaufen, sagte Kant. Wurst und Sterne. Soll er auch kaufen.

Gauß stand auf.

Ganz hat mich die Zivilität nicht verlassen, sagte Kant. Meine Herren! Ein Tropfen Speichel rann über sein Kinn.

Der gnädige Herr sei müde, sagte der Diener.

Gauß nickte. Der Diener berührte mit dem Handrücken Kants Wange. Das Männchen lächelte schwach. Sie gingen hinaus, der Diener verabschiedete sich mit einer wortlosen Verbeugung. Gauß hätte ihm gern etwas Geld gegeben, aber er hatte selbst nichts mehr. Von weitem hörte er den Gesang dunkler Männerstimmen. Der Gefängnischor, sagte der Diener. Der habe den gnädigen Herrn immer sehr gestört.

In der Kutsche, eingeklemmt zwischen einem Pastor und einem dicken Leutnant, der verzweifelt versuchte, Mitreisende in ein Gespräch zu ziehen, las er zum dritten Mal den Artikel über den rätselhaften Planeten. Natürlich konnte man seine Bahn berechnen! Man mußte bloß beim Näherungsverfahren von einer Ellipse statt einem Kreis ausgehen und sich dann etwas geschickter anstellen, als die Strohköpfe es getan hatten. Ein paar Tage Arbeit, dann konnte man voraussagen, wann und wo er wieder auftauchen würde. Als der Leutnant ihn nach seiner Meinung zum spanisch-französischen Bündnis fragte, wußte er nichts zu antworten.

Ob er denn nicht meine, fragte der Leutnant, das werde Österreichs Ende sein?

Er zuckte die Schultern.

Und dieser Bonaparte!

Bitte wer, fragte er.

Zurück in Braunschweig schrieb er Johanna einen zweiten Antrag. Dann holte er das Fläschchen Curare aus dem Giftschrank des chemischen Instituts. Irgendein Forscher hatte es kürzlich mit einer Sammlung von Gewächsen, Steinen und vollgeschriebenen Papieren über den Ozean gesandt, ein Chemiker hatte es aus Berlin hergebracht, und seither stand es da, und keiner wußte, was man damit anfangen sollte. Angeblich wirkte bereits eine winzige Dosis tödlich. Seiner Mutter würde man sagen, daß es ein Herzanfall gewesen sei, durch nichts angekündigt, nicht zu verhindern, Gottes Wille. Er rief einen Boten von der Straße, versiegelte den Brief und bezahlte mit seinem letzten Geld. Dann starrte er aus dem Fenster und wartete.

Er entkorkte die Flasche. Die Flüssigkeit roch nach nichts. Ob er zögern würde? Wahrscheinlich. So etwas wußte man nicht, bevor man es wirklich versuchte. Doch es überraschte ihn, daß er so wenig Angst hatte. Der Bote würde die Ablehnung bringen, und dann wäre sein Tod ein neuer Schachzug im Spiel, etwas, womit der Himmel nicht gerechnet hatte. Man hatte ihn in die Welt geschickt, mit einem Verstand, der fast alles Menschliche unmöglich machte, in eine Zeit, da jede Unternehmung noch schwer, anstrengend und schmutzig war. Man hatte sich über ihn lustig machen wollen.

Die andere Möglichkeit, jetzt, da das Werk geschrieben war? Jahre in Mittelmäßigkeit, Broterwerb auf entwürdigende Art, Kompromisse, Furcht und Ärger, neue Kompromisse, Schmerzen an Leib und Seele, sowie das langsame Verkümmern aller Fähigkeiten bis hin zur Schwäche des Alters. Nein! *→ will sein Leben nicht so zuende leben*

Mit erstaunlicher Klarheit nahm er wahr, wie stark er zitterte. Er hörte das Rauschen in seinen Ohren, sah das Zucken seiner Hände, lauschte den kurzen Stößen seines Atems. Fast amüsierte es ihn.

Es klopfte. Eine Stimme, der seinen entfernt ähnlich, rief: Herein!

Der Bote kam, drückte ihm einen Zettel in die Hand und wartete mit frecher Miene auf Trinkgeld. Auf dem Boden der untersten Schublade fand er noch eine Münze. Der Bote warf sie in die Luft, machte eine halbe Drehung und fing sie hinter seinem Rücken auf. Sekunden später sah er ihn unten über die Gasse laufen.

Er dachte ans Jüngste Gericht. Er glaubte nicht, daß so etwas veranstaltet werden würde. Angeklagte konnten sich verteidigen, manche Gegenfragen würden Gott nicht angenehm sein. Insekten, Dreck, Schmerz. Das Unzureichende in allem. Selbst bei Raum und Zeit war geschlampt worden. Falls man ihn vor Gericht stellte, gedachte er, ein paar Dinge zur Sprache zu bringen.

Mit tauben Händen öffnete er Johannas Brief, legte ihn beiseite und griff nach dem Fläschchen. Plötzlich hatte er das Gefühl, daß er etwas übersehen hatte. Er dachte nach. Etwas Unerwartetes war geschehen. Er schloß die Flasche, überlegte schärfer, kam noch immer nicht darauf. Dann erst wurde ihm klar, daß er eine Zusage gelesen hatte. *→ dachte bekommt Ablehnung*

Der
Fluß

Die Tage in Caracas waren schnell vergangen. Die Besteigung des Silla mußten sie ohne Führer unternehmen, weil sich herausstellte, daß kein Eingeborener je auf dem Doppelberg gewesen war. Bald hörte Bonplands Nase nicht mehr auf zu bluten, und ihr teuerstes Barometer fiel hinunter und zerbrach. Nahe der Spitze fanden sie versteinerte Muscheln. Seltsam, sagte Humboldt, so hoch könne das Wasser nie gestanden haben, das deute nun doch auf eine Auffaltung hin, auf Kräfte aus dem Erdinneren.

Auf dem Gipfel wurden sie von einem Schwarm pelziger Bienen belästigt. Bonpland warf sich flach auf den Boden, Humboldt blieb aufrecht stehen, den Sextanten in Händen, das Okular vor dem mit Insekten bedeckten Gesicht. Sie liefen über seine Stirn, seine Nase, sein Kinn, sie gerieten in seinen Kragen. Der Gouverneur hatte ihn gewarnt: Das Wichtigste sei, sich nicht zu rühren. Nicht zu atmen. Abzuwarten.

Bonpland fragte, ob er den Kopf wieder heben könne.

Besser nicht, sagte Humboldt, ohne die Lippen zu bewegen. Nach einer Viertelstunde lösten die Tiere sich von ihm und schwirrten, eine dunkle Wolke, in die Abendsonne. Humboldt gab zu, daß ihm das Stillstehen nicht

leichtgefallen sei. Ein- oder zweimal sei er nahe am Los-
schreien gewesen. Er setzte sich hin und massierte seine
Stirn. Seine Nerven seien nicht mehr wie früher.

Zu ihrem Abschied wurde im Theater von Caracas ein
Konzert unter freiem Himmel gegeben. Glucks Akkorde
stiegen in die Dunkelheit, die Nacht war groß und voller
Sterne, Bonpland hatte Tränen in den Augen. Er wisse
nicht recht, flüsterte Humboldt, ihm habe Musik nie viel
gesagt.

Mit Maultieren brachen sie in Richtung des Orinoko
auf. Um die Hauptstadt breiteten sich Ebenen aus, Tausende Meilen weit, ohne Baum, Strauch oder Hügel. So
hell war es, daß es ihnen schien, als gingen sie auf einem
gleißenden Spiegel, ihre Schatten unter und den leeren
Himmel über sich, oder als wären sie Reflexionen zweier
Wesen aus einer anderen Welt. Irgendwann fragte Bonpland, ob sie noch am Leben seien.

Wisse er auch nicht, sagte Humboldt, aber so oder so,
was könne man tun als weitergehen?

Als sie zum ersten Mal wieder Bäume, Sümpfe und
Gras sahen, wußten sie nicht mehr, wie lange ihr Aufbruch her war. Es fiel Humboldt schwer, seine zwei
Chronometer abzulesen, er war nicht mehr an die Zeit
gewöhnt. Hütten tauchten auf, Menschen kamen ihnen
entgegen, und erst als sie mehrfach nach dem Datum gefragt hatten, konnten sie glauben, daß sie nur zwei Wochen unterwegs gewesen waren.

In Calabozo trafen sie einen alten Mann, der noch nie
das Dorf verlassen hatte. Trotzdem besaß er ein Labora-
torium: Gläser und Flaschen, metallene Meßgeräte für
Erdbeben, Feuchtigkeit in der Luft und Magnetismus.

Auch eine primitive Maschine, deren Zeiger ausschlugen, wenn man in ihrer Nähe log oder dummes Zeug redete. Und einen Apparat, welcher klickend und summend, zwischen Dutzenden gegeneinander rotierenden Rädchen, helle Funken erzeugte. Diese rätselhafte Kraft habe er entdeckt, rief der Alte. Das mache ihn zum großen Forscher!

Zweifellos, antwortete Humboldt, aber –

Bonpland stieß ihn in die Seite. Der Alte drehte die Kurbel fester, die Funken knisterten immer lauter, die Spannung war so stark, daß sich ihre Haare aufstellten.

Beeindruckend, sagte Humboldt, aber das Phänomen nenne sich Galvanismus und sei in der ganzen Welt bekannt. Er selbst habe etwas dabei, was gleiche Wirkungen erzeuge, wenn auch viel stärker. Er zeigte die Leydener Flasche und wie man sie mit einem Fell rieb, um haarfein verästelte Blitze entstehen zu lassen.

Der Alte kratzte sich schweigend am Kinn.

Humboldt klopfte ihm auf die Schulter und wünschte viel Glück weiterhin. Bonpland wollte dem Alten Geld zustecken, aber der nahm nichts an.

Das habe er ja nicht wissen können, sagte er. Man sei so weit weg von allem.

Natürlich, sagte Bonpland.

Der Alte schneuzte sich und wiederholte, das habe er nicht wissen können. Bis sie außer Sichtweite waren, sahen sie ihn vornüber gebeugt vor seinem Haus stehen und ihnen nachblicken.

Sie kamen an einen Teich. Bonpland zog sich aus, stieg hinein, zögerte, stöhnte und sank der Länge nach um. Im Wasser lebten elektrische Aale.

Drei Tage später schrieb Humboldt mit tauber Hand die Ergebnisse ihrer Untersuchung nieder. Die Tiere konnten Schläge auch ohne Berührung verteilen. Der Schlag erzeugte keine Funken, keine Anzeige auf dem Elektrometer, auch keine Abweichung der Magnetnadel, kurz, er war an nichts zu erkennen als am Schmerz, den er zufügte. Faßte man den Aal mit beiden Händen oder hielt ihn in der einen Hand und in der anderen ein Stück Metall, so verstärkte sich die Wirkung. Ebenso, wenn zwei Menschen einander an den Händen faßten und nur einer von ihnen das Tier berührte. In diesem Fall fühlten beide den Schlag im gleichen Moment, mit gleicher Stärke. Nur die Vorderseite des Aals war gefährlich, die Aale selbst waren gegen die eigenen Entladungen immun. Und er war ungeheuerlich, der Schmerz; so stark, daß man nicht begriff, was mit einem vorging. Er kleidete sich ganz in Taubheit, Verwirrung und Schwindel, wurde einem erst mit Verzögerung bewußt und in der Erinnerung immer stärker; er kam einem vor wie etwas, das mehr der Außenwelt als dem eigenen Körper angehörte.

Zufrieden reisten sie weiter. Was für ein Glücksfall, sagte Humboldt immer wieder, welch ein Geschenk! Bonpland hinkte, seine Hände waren gefühllos. Noch Tage danach tanzten Funken durch Humboldts Blickfeld, wenn er die Augen schloß. Lange blieben seine Knie so steif wie die eines alten Mannes.

Im hohen Gras fanden sie ein ohnmächtiges Mädchen, wohl dreizehn Jahre alt, in zerrissener Kleidung. Bonpland träufelte ihr Medizin in den Mund, sie spuckte, hustete und begann zu schreien. Während er beruhigend auf sie einredete, ging Humboldt ungeduldig auf und ab. Starr vor Schreck blickte sie zwischen ihnen hin und her. Bonpland strich ihr über den Kopf, sie fing an zu schluchzen. Jemand müsse ihr Furchtbares angetan haben!

Was denn, fragte Humboldt.

Bonpland warf ihm einen langen Blick zu.

Wie auch immer, sagte Humboldt, sie müßten weiter.

Bonpland gab ihr Wasser, sie trank hastig. Essen wollte sie nicht. Er half ihr auf die Füße. Ohne ein Zeichen der Dankbarkeit riß sie sich los und rannte davon.

Vermutlich die Hitze, sagte Humboldt. Kinder verliefen sich und würden ohnmächtig. → nicht mitfühlend

Bonpland sah ihn eine Weile an. Ja, sagte er dann. Vermutlich.

In der Stadt San Fernando verkauften sie ihre Maultiere und erstanden ein breites Segelboot mit einem Holzverschlag, Lebensmittel für einen Monat und zuverlässige Gewehre. Humboldt erkundigte sich nach Leuten, die Erfahrung mit dem Fluß hatten. Man wies ihn zu vier vor einer Schenke sitzenden Männern. Einer trug einen Zylinder, einem klemmte ein Schilfrohr im Mundwinkel, einer war behängt mit Unmengen von Messingschmuck, der vierte war bleich und arrogant und sprach kein einziges Wort.

Humboldt fragte, ob sie den Kanal zwischen Orinoko und Amazonas kennen würden.

Natürlich, sagte der mit dem Zylinder.

Er habe ihn schon befahren, sagte der mit dem Schmuck.

Er auch, sagte der mit dem Zylinder. Aber es gebe ihn nicht. Alles ein Gerücht.

Humboldt schwieg verwirrt. Wie auch immer, sagte er dann, er wolle diesen Kanal vermessen, er brauche erfahrene Ruderer.

Der mit dem Zylinder fragte, was zu gewinnen sei.

Geld und Wissen.

Der dritte nahm mit zwei Fingern das Schilfrohr aus dem Mund. Geld, sagte er dann, sei besser als Wissen.

Viel besser, sagte der mit dem Zylinder. Übrigens sei das Leben teuflisch kurz, warum es aufs Spiel setzen?

Weil es kurz sei, sagte Bonpland.

Die vier sahen einander an, dann Humboldt. Sie hießen, sagte der mit dem Zylinder, Carlos, Gabriel, Mario und Julio, und sie seien gut, aber billig seien sie nicht.

In Ordnung, sagte Humboldt.

Auf dem Weg zur Herberge folgte ihm ein struppiger Schäferhund. Humboldt blieb stehen, der Hund kam heran und drückte die Nase gegen seinen Schuh. Als Humboldt ihn hinter den Ohren kraulte, rülpste er, dann winselte er glücklich, wich zurück und knurrte Bonpland an.

Der gefalle ihm, sagte Humboldt. Offenbar habe er keinen Herrn. Den nehme er mit.

Das Boot sei zu klein, sagte Bonpland. Der Hund sei bissig und rieche nicht gut.

Man werde sich schon verstehen, sagte Humboldt und ließ den Hund in seinem Herbergszimmer schlafen. Als die beiden am nächsten Morgen zum Boot kamen, waren sie schon aneinander gewöhnt, als hätten sie immer zusammengelebt.

Von Hunden sei nie die Rede gewesen, sagte Julio.

Weiter südlich, sagte Mario und schob seinen Zylinder

zurecht, wo die Leute wahnsinnig seien und rückwärts sprächen, gebe es Zwerghunde mit Flügeln. Das habe er selbst gesehen.

Er auch, sagte Julio. Aber jetzt seien sie ausgerottet. Gefressen von den sprechenden Fischen.

Seufzend bestimmte Humboldt mit Sextant und Chronometer die Position der Stadt, wieder einmal waren die Karten ungenau gewesen. Dann legten sie ab.

Bald schon hatten sie die letzten Spuren der Besiedlung hinter sich. Überall sahen sie Krokodile: Die Tiere schwammen im Wasser wie Baumstämme, dösten am Ufer und rissen die Mäuler auf, über ihre Rücken trippelten kleine Reiher. Der Hund sprang ins Wasser, sofort schwamm ein Krokodil auf ihn zu, und als Bonpland ihn wieder ins Boot zog, blutete seine Pfote von den Bissen eines Piranhas. Lianen berührten die Wasserfläche, Stämme neigten sich über den Fluß.

Sie vertäuten das Boot, und während Bonpland Pflanzen sammelte, machte Humboldt einen Spaziergang. Er stieg über Wurzeln, zwängte sich zwischen Stämmen hindurch, strich die Fäden eines Spinnennetzes aus seinem Gesicht. Er löste Blüten von Sträuchern, brach einem besonders schönen Falter mit geschicktem Griff den Rücken und legte ihn liebevoll in seine Botanisiertrommel. Dann erst bemerkte er, daß er vor einem Jaguar stand.

Das Tier hob den Kopf und sah ihn an. Humboldt machte einen Schritt zur Seite. Ohne sich zu bewegen, zog das Tier eine Lefze hinauf. Humboldt wurde starr. Nach sehr langer Zeit legte es den Kopf auf die Vorderpfoten. Humboldt machte einen Schritt zurück. Und noch einen. Der Jaguar sah ihn aufmerksam, ohne den

Kopf zu heben, an. Sein Schwanz schlug nach einer Fliege. Humboldt drehte sich um. Er horchte, aber er hörte
nichts hinter sich. Mit angehaltenem Atem, die Arme an
den Körper gepreßt, den Kopf auf die Brust gesenkt und
den Blick auf die Füße geheftet, ging er los. Langsam,
Schritt für Schritt, dann allmählich schneller. Er durfte
nicht stolpern, er durfte nicht zurückblicken. Und dann,
er konnte nicht anders, begann er zu laufen. Äste hie-
ben ihm ins Gesicht, ein Insekt prallte gegen seine Stirn,
er strauchelte, hielt sich an einer Liane fest, ein Ärmel
blieb hängen und zerriß, er schlug Zweige aus dem Weg.
Schwitzend und außer Atem erreichte er das Boot.

Sofort ablegen, keuchte er.

Bonpland griff nach dem Gewehr, die Ruderer erhoben sich.

Nein, sagte Humboldt, ablegen!

Das seien gute Waffen, sagte Bonpland. Man könnte
das Vieh erlegen und hätte eine schöne Trophäe.

Humboldt schüttelte den Kopf.

Aber warum nicht?

Der Jaguar habe ihn gehen lassen.

Bonpland murmelte etwas von Aberglauben und machte die Leinen los. Die Ruderer grinsten. In der Mitte des
Stromes kam Humboldt die eigene Furcht schon nicht
mehr verständlich vor. Er entschied, die Ereignisse im
Tagebuch so zu beschreiben, wie sie sich hätten abspielen
sollen: Er würde behaupten, sie wären zurück ins Unterholz gegangen, die Gewehre im Anschlag, doch ohne das
Tier zu finden.

Noch bevor er fertiggeschrieben hatte, begann ein
Wolkenbruch. Das Boot füllte sich mit Wasser, hastig

steuerten sie an Land. Dort erwartete sie, nackt, bärtig und vor Schmutz kaum erkennbar, ein Mann. Dies sei seine Pflanzung, gegen Entgelt könnten sie übernachten.

Humboldt bezahlte und fragte, wo das Haus sei.

Er habe keines, sagte der Mann. Er sei Don Ignacio, kastilischer Adeliger, und die ganze Welt sei sein Haus. Dies seien übrigens seine Gattin und Tochter.

Humboldt verbeugte sich vor den zwei nackten Frauen und wußte nicht, wo er hinsehen sollte. Die Ruderer befestigten Stoffplanen an den Bäumen und kauerten sich darunter.

Don Ignacio fragte, ob sie noch etwas bräuchten.

Im Moment nicht, sagte Humboldt erschöpft.

Keiner seiner Gäste, sagte Don Ignacio, werde je Mangel leiden. Würdevoll drehte er sich um und ging davon. Der Regen perlte über seinen Kopf und seine Schultern. Es roch nach Blüten, feuchter Erde und Dung.

Manchmal, sagte Bonpland nachdenklich, komme es ihm schier rätselhaft vor, daß er hier sei. Unendlich weit von daheim, von niemandem losgeschickt, bloß eines Preußen wegen, den er im Treppenhaus getroffen habe.

Humboldt fand lange keinen Schlaf. Die Ruderer hörten nicht auf, einander wirre Geschichten zuzuflüstern, die sich in seinem Bewußtsein festsetzten. Und jedesmal, wenn er es doch schaffte, die fliegenden Häuser, bedrohlichen Schlangenfrauen und Kämpfe um Leben und Tod beiseite zu schieben, sah er die Augen des Jaguars. Aufmerksam, klug und ohne Gnade. Dann kam er zu sich und hörte wieder den Regen, die Männer und das ängstliche Knurren des Hundes. Irgendwann kam Bonpland, wickelte sich in seine Decke und schlief sofort ein. Humboldt hatte ihn nicht weggehen hören.

Am nächsten Morgen, die Sonne stand hoch am Himmel, und es schien nie geregnet zu haben, verabschiedete Don Ignacio sie mit der Geste eines Schloßbesitzers. Sie seien hier immer willkommen! Seine Frau machte einen höfischen Knicks, seine Tochter strich Bonpland über den Arm. Der legte ihr die Hand auf die Schulter und zupfte eine Haarsträhne aus ihrem Gesicht.

Der Wind war heiß, als käme er aus einem Ofen. Der Uferbewuchs wurde dichter. Unter den Bäumen lagen weiße Schildkröteneier, Eidechsen klammerten sich wie hölzerne Verzierungen an den Bootsrumpf. Immer wieder strichen Spiegelungen von Vögeln übers Wasser, selbst wenn der Himmel leer war.

Ein wundersames optisches Phänomen, sagte Humboldt.

Das habe nichts mit Optik zu tun, sagte Mario. Vögel stürben unablässig, in jedem Moment, eigentlich täten sie wenig anderes. Ihre Geister lebten in den Spiegelungen fort. Irgendwo müßten sie ja hin, im Himmel wolle man sie nicht.

Und die Insekten, fragte Bonpland.

Die stürben gar nicht. Das eben sei das Problem.

Tatsächlich kamen immer mehr Moskitos. Sie kamen aus den Bäumen, der Luft und dem Wasser. Von allen Seiten kamen sie, füllten sirrend die Luft, stachen, saugten, und für jeden, den man erschlug, gab es Hunderte mehr. Ihre Gesichter bluteten ständig. Selbst dicke Tücher, über den Kopf geworfen, brachten keine Erleichterung, die Tiere stachen einfach durch den Stoff.

Der Fluß, sagte Julio, dulde keine Menschen. Bevor Aguirre sich hierhin aufgemacht habe, sei er bei Verstand gewesen. Erst hier sei es ihm eingefallen, sich zum Imperator zu erklären.

Ein verrückter Mörder, sagte Bonpland, der erste Erforscher des Orinoko! Das ergebe Sinn.

Dieser traurige Mann habe gar nichts erforscht, sagte Humboldt. Ebensowenig erforsche ein Vogel die Luft oder ein Fisch das Wasser.

Oder ein Deutscher den Humor, sagte Bonpland.

Humboldt sah ihn mit gerunzelten Brauen an.

Nur ein Witz, sagte Bonpland.

Aber ein ungerechter. Ein Preuße könne sehr wohl lachen. In Preußen werde viel gelacht. Man solle nur an die Romane von Wieland denken oder die vortrefflichen Komödien von Gryphius. Auch Herder wisse einen guten Scherz wohl zu setzen.

Daran zweifle er nicht, sagte Bonpland müde.

Dann sei es ja gut, sagte Humboldt und kraulte das von den Insektenstichen blutige Fell des Hundes.

Sie fuhren in den Orinoko ein. Der Strom war so breit, daß man glauben konnte, auf dem Meer zu treiben: Weit in der Ferne, wie eine Täuschung, zeichneten sich die Wälder des anderen Ufers ab. Hier gab es kaum noch Wasservögel. Der Himmel schien vor Hitze zu flimmern.

Nach einigen Stunden entdeckte Humboldt, daß sich Flöhe in die Haut seiner Zehen gegraben hatten. Sie mußten die Fahrt unterbrechen; Bonpland ordnete Pflanzen, Humboldt saß im Klappstuhl, die Füße in einer Essigwanne, und zeichnete Karten des Stromverlaufs.

Pulex penetrans, der gewöhnliche Sandfloh. Er werde ihn beschreiben, aber nicht einmal im Tagebuch werde er andeuten, daß er selbst befallen worden sei.

Daran sei doch nichts Schlimmes, sagte Bonpland.

Er habe, sagte Humboldt, viel über die Regeln des Ruhmes nachgedacht. Einen Mann, von dem bekannt sei, daß unter seinen Zehennägeln Flöhe gelebt hätten, nehme keiner mehr ernst. Ganz gleich, was er sonst geleistet habe.

Am Tag darauf passierte ein Mißgeschick. An einer besonders breiten Stelle, beide Ufer waren nicht zu sehen, drehte der Wind das Segel gegen die Fahrtrichtung, das Boot neigte sich, eine Welle schwappte herein, schon trieben Dutzende Blätter Papier im Fluß. Das Boot neigte sich stärker, so daß das Wasser bis zu ihren Knien stieg, der Hund jaulte, die Männer wollten von Bord. Humboldt sprang auf, löste blitzschnell den Gürtel mit dem Chronometer und rief mit Offiziersstimme, keiner solle sich rühren. Die Strömung ließ das Boot trudeln, das Segel flappte nutzlos hin und her, die grauen Rücken mehrerer Krokodile näherten sich.

Bonpland machte sich erbötig, zum Ufer zu schwimmen und Hilfe zu holen.

Es gebe keine Hilfe, sagte Humboldt, während er den Gürtel über den Kopf hielt. Falls es jemandem nicht aufgefallen sei, dies sei der Urwald. Man könne nur warten.

Und wirklich: Im letzten Moment griff der Wind ins Segel, und das Boot richtete sich langsam wieder auf.

Leerschöpfen, brüllte Humboldt.

Aufeinander schimpfend arbeiteten die Ruderer mit

Töpfen, Mützen und Trinkbechern. Nach kurzem lag .
das Boot wieder gerade. Papierblätter, getrocknete Pflanzen, Schreibfedern und Bücher schwammen im Fluß. In
der Ferne, als hätte er es eilig wegzukommen, trieb ein
Zylinder davon.

Manchmal bezweifle er, sagte Bonpland, ob er je heimkommen werde.

Das sei nur realistisch, antwortete Humboldt und
überprüfte, ob die Uhren beschädigt waren.

Sie kamen zu den berüchtigten Katarakten. Der Fluß
war voller Felsen, das Wasser schäumte so stark, daß es
zu kochen schien. Es war unmöglich, mit dem beladenen
Boot weiterzufahren. Die Jesuiten der örtlichen Mission,
schwer bewaffnet, vierschrötig und Soldaten ähnlicher als
Priestern, empfingen sie mißtrauisch. Humboldt suchte
den Missionsleiter auf, einen dürren Mann mit fiebergel-
bem Gesicht, und zeigte seinen Paß.

Gut, sagte Pater Zea. Er rief einen Befehl aus dem
Fenster, kurz darauf brachten sechs Geistliche zwei Ein-
geborene herein. Diese verdienstvollen Männer, sagte Pater Zea, welche die Katarakte kennen würden wie keine
anderen, hätten sich freiwillig gemeldet, ein geeignetes
Boot durch die Stromschnellen zu bringen. Die Gäste
sollten warten, bis das Boot weiter unten bereitstehe,
dann könnten sie weiterfahren. Er machte eine Handbewegung, seine Leute führten die beiden Eingeborenen
hinaus und legten ihnen Fußfesseln an.

Er sei sehr dankbar, sagte Humboldt vorsichtig. Aber
billigen könne er das nicht.

Ach woher, rief Pater Zea, das habe nichts zu bedeuten und liege nur an der Unberechenbarkeit dieser Men-

schen. Sie meldeten sich freiwillig, und dann könne man sie plötzlich nicht mehr finden. Auch sähen sie sich alle so ähnlich!

Das Boot für ihre Weiterfahrt wurde herbeigetragen. Es war so schmal, daß sie hintereinander und auf den Kisten mit ihren Instrumenten würden sitzen müssen.

Lieber einen Monat in der Hölle, sagte Bonpland, als das!

Er werde beides bekommen, versprach Pater Zea. Die Hölle und das Boot.

Am Abend servierte man ihnen das erste gute Essen seit Wochen und sogar spanischen Wein. Durch das Fenster hörten sie die durcheinanderredenden Stimmen der Ruderer, die sich über den Verlauf einer Geschichte nicht einigen konnten.

Er habe den Eindruck, sagte Humboldt, hier werde ununterbrochen erzählt. Wozu dieses ständige Herleiern erfundener Lebensläufe, in denen noch nicht einmal eine Lehre stecke?

Man habe alles versucht, sagte Pater Zea. Erfundene Geschichten aufzuschreiben sei in allen Kolonien verboten. Aber die Leute seien hartnäckig, und auch die heilige Macht der Kirche kenne Grenzen. Es liege am Land. Er frage sich, ob der Baron noch dem berühmten La Condamine begegnet sei.

Humboldt schüttelte den Kopf.

Er schon, sagte Bonpland. Ein alter Mann, der sich im Palais Royal mit den Kellnern gestritten habe.

Genau der, sagte der Pater. Hier gebe es noch den einen oder anderen Greis, der sich an ihn erinnere. Auch eine Frau, die vom Pulver eines schlechten Medizinman-

nes altere, ohne sterben zu können, ein furchtbarer Anblick übrigens. Ihre Geschichten seien hörenswert. Ob er
es erzählen dürfe?

Humboldt seufzte.

Damals, sagte Pater Zea, habe die Akademie ihre drei
besten Vermesser geschickt, La Condamine, Bouguer
und Godin, um die Meridianlänge des Äquators festzustellen. Man habe, aus ästhetischen Gründen vor allem,
Newtons unschöne These widerlegen wollen, daß die
Erde sich durch Rotation abplatte. Pater Zea sah ein paar
Sekunden konzentriert auf den Tisch. Ein riesiges Insekt
landete auf seiner Stirn. Instinktiv streckte Bonpland die
Hand aus, stockte und zog sie wieder zurück.

Den Äquator messen, fuhr Pater Zea fort. Also eine
Linie ziehen, wo nie eine gewesen sei. Ob sie sich dort
draußen umgesehen hätten? Linien gebe es woanders.
Mit seinem knochigen Arm zeigte er auf das Fenster, das
Gestrüpp, die von Insekten umschwärmten Pflanzen.
Nicht hier!

Linien gebe es überall, sagte Humboldt. Sie seien eine
Abstraktion. Wo Raum an sich sei, seien Linien.

Raum an sich sei anderswo, sagte Pater Zea.

Raum sei überall!

Überall sei eine Erfindung. Und den Raum an sich
gebe es dort, wo Landvermesser ihn hintrügen. Pater Zea
schloß die Augen, hob sein Weinglas und stellte es wieder
ab, ohne daraus getrunken zu haben. Die drei Männer
hätten unvorstellbar genau gearbeitet. Trotzdem hätten
ihre Daten nie übereingestimmt. Zwei Bogenminuten
auf dem Gerät La Condamines seien drei auf dem Gerät
Bouguers gewesen, ein halbes Grad im Fernrohr Godins

eineinhalb im Fernrohr La Condamines. Um ihre Linie zu ziehen, seien sie auf astronomische Messungen angewiesen gewesen, solch nützliche, tragbare Uhren, der Pater streifte das Chronometer an Humboldts Gürtel mit einem spöttischen Blick, habe es noch nicht gegeben. Die Dinge seien noch nicht gewöhnt gewesen ans Gemessenwerden. Drei Steine und drei Blätter seien noch nicht gleich viele gewesen, fünfzehn Gramm Erbsen und fünfzehn Gramm Erde noch nicht gleich schwer. Dazu die Hitze, die Feuchtigkeit, die Moskitos, der unablässige Kampfeslärm der Tiere. Eine Wut ohne Grund und Ziel sei über die Männer gekommen. Der wohlerzogene La Condamine habe Bouguers Meßgeräte verstellt, der wiederum Godins Bleistifte zerbrochen. Täglich habe es Streit gegeben, bis Godin den Degen gezückt habe und davongestolpert sei in den Urwald. Das gleiche, ein paar Wochen später, zwischen Bouguer und La Condamine. Pater Zea faltete die Hände. Man müsse sich das vorstellen. Derart zivilisierte Herren mit Allongeperücken, Lorgnons und parfümierten Taschentüchern! La Condamine habe es am längsten ausgehalten. Acht Jahre im Wald, beschützt von nur einer Handvoll fieberkranker Soldaten. Er habe Schneisen geschlagen, die zugewachsen seien, sobald er sich abgewandt habe, Bäume gefällt, welche schon in der nächsten Nacht wieder in die Luft geragt hätten; und dennoch, halsstarrig, habe er nach und nach ein Zahlennetz über die widerstrebende Natur gezwungen. Er habe Dreiecke gezogen, deren Winkelsumme sich allmählich den hundertachtzig genähert, und Bögen trianguliert, deren Krümmung schließlich sogar dem Flirren der Luft widerstanden habe. Dann habe er einen

Brief der Akademie erhalten. Die Schlacht sei verloren, der Beweis in Newtons Sinn geführt, die Erde abgeplattet, die ganze Arbeit umsonst.

Bonpland nahm einen tiefen Schluck aus der Weinflasche. Er schien vergessen zu haben, daß Gläser dastanden und sich das nicht gehörte. Humboldt warf ihm einen strafenden Blick zu.

So sei, sagte Pater Zea, der geschlagene Mann eben heimgefahren. Vier Monate lang, einen noch immer namenlosen Fluß entlang, den er erst später Amazonas getauft habe. Unterwegs habe er Karten gemalt, den Bergen Namen gegeben, die Temperatur verzeichnet, die Arten der Fische, Insekten, Schlangen und Menschen erfaßt. Nicht weil es ihn interessiert habe, sondern um den Verstand zu bewahren. Niemals habe er danach in Paris über die Dinge geredet, an die der eine oder andere seiner Soldaten sich noch erinnert habe: die kehligen Laute und perfekt gezielten Giftpfeile aus dem Unterholz, die nächtlichen Lichterscheinungen, vor allem aber jene winzigen Verschiebungen in der Wirklichkeit, wenn die Welt für Momente einen Schritt ins Irreale gemacht habe. Dann hätten zwar die Bäume noch wie Bäume, die träge strudelnden Wasser wie Wasser ausgesehen, aber man habe es schaudernd als Mimikry von etwas Fremdem erkannt. In dieser Zeit habe La Condamine auch den Kanal gefunden, von dem der verrückte Aguirre berichtet habe. Die Verbindung der zwei größten Flüsse des Kontinents.

Er werde beweisen, daß sie existiere, sagte Humboldt. Alle großen Ströme seien verbunden. Die Natur sei ein Ganzes.

Ach ja? Pater Zea wiegte zweifelnd den Kopf. Jahre später, als La Condamine, längst Akademiemitglied und alt und berühmt, nur mehr selten schreiend erwacht sei und es angeblich sogar wieder fertiggebracht habe, an Gott zu glauben, habe er selbst den Kanal für einen Irrtum erklärt. Zwischen großen Flüssen, habe er gesagt, gebe es keine Verbindung im Inland. So etwas brächte den Kontinent in eine Unordnung, die seiner nicht würdig wäre. Pater Zea schwieg einen Moment, dann stand er auf und verbeugte sich. Träumen Sie gut, Baron. Und wachen Sie gut auf!

Am frühen Morgen rissen Schmerzensschreie sie aus dem Schlaf. Einer der im Hof angeketteten Männer wurde von zwei Priestern mit Lederriemen gepeitscht. Humboldt lief hinzu und fragte, was hier vorgehe.

Nichts, sagte der eine Priester. Wieso?

Eine ganz alte Angelegenheit, sagte der andere. Es habe nichts mit ihrer Weiterreise zu tun. Er gab dem Indianer einen Tritt, der brauchte einen Moment, bis er verstand und in schlechtem Spanisch bestätigte, daß es eine ganz alte Angelegenheit sei und nichts mit der Reise zu tun habe.

Humboldt zögerte. Bonpland, der dazugekommen war, sah ihn vorwurfsvoll an. Aber sie müßten doch weiter, sagte Humboldt leise. Was solle er denn machen?

Pater Zea rief sie zu sich und zeigte ihnen seinen kostbarsten Besitz. Einen zerzausten Papagei, der einige Sätze im Idiom eines ausgestorbenen Stammes sprach. Vor zwanzig Jahren habe es diese Leute noch gegeben, jetzt lebe kein einziger mehr, und niemand verstehe, was der Vogel zusammenrede.

Humboldt streckte die Hand aus, der Papagei pickte danach, blickte zu Boden, als müsse er nachdenken, schüttelte die Flügel und sagte etwas Unverständliches.

Bonpland erkundigte sich, weshalb der Stamm verschwunden sei.

Das passiere, sagte Pater Zea.

Wieso?

Pater Zea musterte ihn mit schmalen Augen. So sei es natürlich leicht. Man komme und bemitleide jeden, der traurig aussehe, und daheim könne man dann schlimme Geschichten erzählen. Aber wer plötzlich mit fünfzig Mann zehntausend Wilde regieren müsse, wer sich jede Nacht frage, was die Stimmen im Wald bedeuteten, und jeden Morgen verwundert sei, daß er noch lebe, beurteile es vielleicht anders.

Ein Mißverständnis, sagte Humboldt. Niemand habe etwas kritisieren wollen.

Vielleicht doch, sagte Bonpland. Einiges wolle er schon wissen. Er stockte und konnte nicht glauben, daß Humboldt ihn gerade getreten hatte. Der Vogel sah zwischen ihnen hin und her, sagte etwas und blickte sie erwartungsvoll an.

Richtig, antwortete Humboldt, der nicht unhöflich sein wollte.

Der Vogel schien zu überlegen und fügte einen langen Satz hinzu.

Humboldt streckte die Hand aus, der Vogel hackte danach und wandte sich beleidigt ab.

Während die beiden Indianer das Boot für sie durch die Katarakte lenkten, bestiegen Humboldt und Bonpland die Granitfelsen oberhalb der Mission. In der Höhe sollte es eine alte Grabhöhle geben. Man konnte kaum Tritt fassen, nur herausragende Feldspatkristalle boten Halt. Als sie oben waren, brachte Humboldt mit einer Konzentration, die bloß nachließ, wenn er wieder nach Moskitos schlagen mußte, ein Stück perfekter Prosa über den Anblick der Stromschnellen, der sich über dem Fluß türmenden Regenbogen und des feuchten Silberglanzes der Weite zu Papier. Dann balancierten sie über den Grat zum Nebengipfel und dem Eingang der Höhle.

Es mußten Hunderte Leichen sein, jede in ihrem eigenen Korb aus Palmblättern, die Knochenhände um die Knie gelegt, den Kopf auf den Brustkorb gedrückt. Die ältesten waren schon vollständig zu Skeletten geworden, andere in unterschiedlichen Stadien der Verwesung: pergamentene Hautfetzen, die Eingeweide zu Klumpen vertrocknet, die Augen schwarz und klein wie Obstkerne. Vielen hatte man das Fleisch von den Knochen gekratzt. Das Geräusch des Flusses drang nicht herauf; es war so still, daß sie ihren Atem hörten.

Friedlich sei es hier, sagte Bonpland, gar nicht wie in der anderen Höhle. Dort seien Tote gewesen, hier nur Körper. Hier fühle man sich sicher.

Humboldt zerrte mehrere Leichen aus ihren Körben, löste Schädel von Wirbelsäulen, brach Zähne aus Kinnladen und Ringe von Fingern. Eine Kinderleiche und zwei Erwachsene wickelte er in Tücher und schnürte sie so fest zusammen, daß man das Bündel zu zweit tragen konnte.

Bonpland fragte, ob das sein Ernst sei.

Er solle schon anfassen, sagte Humboldt ungeduldig, allein könne er sie nicht zu den Maultieren schaffen!

Erst spät kamen sie in der Mission an. Die Nacht war klar, die Sterne leuchteten besonders hell, Insektenschwärme verbreiteten rötliches Licht, es roch nach Vanille. Die Indianer wichen schweigend zurück. Alte Frauen glotzten aus den Fenstern, Kinder liefen davon. Ein Mann mit bemaltem Gesicht trat ihnen in den Weg und fragte, was in den Tüchern sei.

Verschiedenes, sagte Humboldt. Dies und das.

Gesteinsproben, sagte Bonpland. Pflanzen.

Der Mann verschränkte die Arme.

Knochen, sagte Humboldt.

Bonpland zuckte zusammen.

Knochen?

Von Krokodilen und Seekühen, sagte Bonpland.

Von Seekühen, wiederholte der Mann.

Humboldt fragte, ob er sie sehen wolle.

Besser nicht. Der Mann trat zögernd zur Seite. Lieber glaube er ihnen.

An den nächsten zwei Tagen hatten sie es nicht leicht. Sie fanden keine indianischen Führer, die ihnen die Umgebung zeigen wollten, und selbst die Jesuiten hatten es immer eilig, wenn Humboldt sie anredete. Diese Leute seien allesamt so abergläubisch, schrieb er an seinen Bruder, man merke, welch weiter Weg es noch sei zu Freiheit und Vernunft. Wenigstens sei es ihm gelungen, einige kleine Affen einzufangen, die noch kein Biologe beschrieben habe.

Am dritten Tag hatten die zwei Freiwilligen, nur leicht verletzt, das Boot unbeschädigt durch die Stromschnellen gebracht. Humboldt schenkte ihnen etwas Geld und ein paar Glasmurmeln, ließ die Instrumentenkisten, die

Käfige mit den Affen und die Leichen aufladen und versicherte Pater Zea beim Abschied seiner lebenslangen Dankbarkeit.

Er solle sich vorsehen, sagte der Pater. Sonst werde das kurz sein.

Die vier Ruderer traten hinzu, und es gab eine heftige Diskussion wegen der Ladung. Erst der Hund und dann das! Julio zeigte auf die Stoffbündel mit den Leichen.

Humboldt fragte, ob sie Angst hätten.

Natürlich, sagte Mario.

Aber wovor, fragte Bonpland. Daß die plötzlich aufwachten?

Genau davor, sagte Julio.

Zumindest, sagte Carlos, werde das teuer werden.

Der Fluß war hinter den Katarakten noch sehr schmal, immer wieder schleuderten Stromschnellen das Boot hin und her. Gischt durchtränkte die Luft, Felsen rasten gefährlich nahe vorbei. Die Moskitos waren gnadenlos: Es schien keinen Himmel mehr zu geben, nur noch Insekten. Bald hatten die Männer aufgegeben, nach ihnen zu schlagen. Sie hatten sich daran gewöhnt, ständig zu bluten.

In der nächsten Mission bekamen sie Ameisenpastete zu essen. Bonpland weigerte sich, davon zu nehmen, aber Humboldt kostete ein wenig. Dann entschuldigte er sich und verschwand eine Weile im Unterholz. Nicht uninteressant, sagte er, als er zurückkam. Immerhin eine Möglichkeit, künftige Nahrungsmittelprobleme zu lösen.

Hier sei doch alles menschenleer, sagte Bonpland. Das einzige, wovon es genug gebe, sei Essen!

Der Häuptling des Dorfes fragte, was in den Stoffballen sei. Er habe einen furchtbaren Verdacht.

Seekuhknochen, sagte Bonpland.

So rieche es nicht, sagte der Häuptling.

Na schön, rief Humboldt, er gebe es zu. Aber diese Toten seien so alt, daß man sie eigentlich nicht mehr Leichen nennen könne. Die ganze Welt bestehe schließlich aus toten Körpern! Jede Handvoll Erde sei einmal ein Mensch gewesen und vorher ein anderer Mensch, jede Unze Luft sei tausendfach von inzwischen Verstorbenen geatmet worden. Was hätten sie nur alle, wo sei das Problem?

Er habe ja nur gefragt, sagte der Häuptling schüchtern.

Gegen die Moskitoangriffe hatten die Dorfbewohner Lehmhütten mit verschließbaren Eingängen gebaut. Im Inneren zündete man ein Feuer an, das die Insekten hinaustrieb, dann kroch man hinein, dichtete den Eingang ab, löschte das Feuer und konnte einige Stunden in der heißen Luft sein, ohne gestochen zu werden. In einer dieser Hütten ordnete Bonpland so lange die gesammelten Pflanzen, bis er vom Qualm in Ohnmacht fiel. Nebenan schrieb Humboldt hustend und halbblind, den röchelnden Hund neben sich, an seinen Bruder. Als sie blinzelnd, mit stinkenden Kleidern und nach Luft schnappend herauskamen, lief ihnen ein Mann entgegen, der ihnen aus der Hand lesen wollte. Er war nackt, bunt bemalt und trug Federn auf dem Kopf. Humboldt wehrte ab, Bonpland interessierte es. Der Wahrsager faßte seine Finger, zog die Brauen hoch und sah ihm amüsiert in die Handfläche.

Ach, sagte er wie zu sich selbst. Ach, ach.

Ja?

Der Wahrsager wiegte den Kopf. Sicher sei ja gar nichts. Es könne so oder so kommen. Jeder sei seines Glückes Schmied. Wer kenne schon die Zukunft!

Nervös fragte Bonpland, was er da sehe.

Langes Leben. Der Wahrsager hob die Schultern. Kein Zweifel.

Und die Gesundheit?

Im allgemeinen gut.

Zum Teufel, rief Bonpland. Jetzt wolle er wissen, was dieser Blick bedeute.

Welcher Blick? Langes Leben und Gesundheit. Das stehe da, das habe er gesagt. Ob dem Herrn dieser Kontinent gefalle?

Warum?

Er werde sehr lange hiersein.

Bonpland lachte. Das bezweifle er. Ein langes Leben, und dann ausgerechnet hier? Gewiß nicht. Es sei denn, irgend jemand zwinge ihn.

Der Wahrsager seufzte und hielt, wie um ihm Mut zu machen, noch einen Moment seine Hand. Dann wandte er sich Humboldt zu.

Der schüttelte den Kopf.

Es koste fast nichts!

Nein, sagte Humboldt.

Mit einer schnellen Bewegung ergriff der Wahrsager Humboldts Hand. Der wollte sie wegziehen, aber der Wahrsager war stärker; Humboldt, zum Mitspielen gezwungen, lächelte säuerlich. Der Wahrsager runzelte die Stirn und zog die Hand näher zu sich heran. Er beugte sich vor und wieder zurück. Kniff die Augen zusammen. Blies die Backen auf.

Er solle es schon sagen, rief Humboldt. Er habe noch anderes zu tun. Wenn da Schlimmes stehe, sei es ihm auch egal, er glaube ohnehin kein Wort.

Da stehe nichts Schlimmes.

Sondern?

Nichts. Der Wahrsager ließ Humboldts Hand los. Es tue ihm leid, er wolle auch kein Geld. Er habe versagt.

Das begreife er nicht, sagte Humboldt.

Er auch nicht. Da sei nichts. Keine Vergangenheit, keine Gegenwart oder Zukunft. Da sei gewissermaßen keiner zu sehen. Der Wahrsager blickte aufmerksam in Humboldts Gesicht. Niemand!

Humboldt starrte in seine Hand.

Aber natürlich sei das Unsinn. Sicher sei es seine Schuld. Vielleicht verliere er die Gabe. Der Wahrsager zerdrückte eine Mücke auf seinem Bauch. Vielleicht habe er sie nie gehabt.

Am Abend ließen Humboldt und Bonpland den Schäferhund angebunden bei den Ruderern, um eine insektenfreie Nacht in den Qualmhütten zu verbringen. Erst in den frühen Morgenstunden nickte Humboldt schweißnaß, mit brennenden Augen und vom Rauch wirren Gedanken ein.

Ein Geräusch weckte ihn. Jemand war hereingekrochen und hatte sich neben ihn gelegt. Nicht schon wieder, murmelte er, entzündete mit unsicherer Hand den Kerzendocht und sah, daß es ein kleiner Junge war. Was willst denn du, fragte er, was ist denn, was soll das?

Das Kind musterte ihn mit schmalen Tieraugen.

Was denn, fragte Humboldt, was?

Der Junge wandte den Blick nicht von ihm. Er war völlig nackt. Trotz der Flamme vor seinem Gesicht zwinkerte er nicht.

Aber was denn, flüsterte Humboldt. Was, Kind?

Der Junge lachte.

Humboldts Hand zitterte so stark, daß er die Kerze fallen ließ. Im Dunkeln hörte er ihrer beider Atem. Er streckte die Hand aus, um den Jungen wegzuschieben, aber als er dessen feuchte Haut fühlte, zuckte er zurück, als hätte er einen Schlag bekommen. Geh weg, flüsterte er.

Der Junge rührte sich nicht.

Humboldt sprang auf die Füße, stieß mit dem Kopf an die Decke, trat zu. Der Junge schrie auf, seit der Sache mit den Sandflöhen trug Humboldt nachts Stiefel, und rollte sich zusammen. Er trat wieder zu und traf den Kopf, der Junge wimmerte leise und verstummte. Humboldt hörte sich keuchen. Schemenhaft sah er den reglosen Körper vor sich. Er packte ihn an den Schultern und zerrte ihn hinaus.

Die Nachtluft tat gut; nach dem Qualm in der Hütte kam sie ihm kühl und frisch vor. Mit unsicheren Schritten ging er zur nächsten Hütte, wo Bonpland war. Doch als er die Stimme einer Frau hörte, blieb er stehen. Er horchte, und da war sie wieder. Er wandte sich ab, kroch in seine Hütte, verschloß den Eingang. Durch den kurz geöffneten Vorhang waren Mücken hereingekommen, eine Fledermaus flatterte panisch über seinem Kopf. Mein Gott, flüsterte er. Dann, aus purer Erschöpfung, fiel er in unruhigen Schlaf.

Als er aufwachte, war es heller Morgen, die Hitze war noch stärker geworden, die Fledermaus verschwunden. In makelloser Kleidung, den Degen an der Seite und den Hut unter dem Arm, trat er ins Freie. Der Platz vor der Hütte war leer. Sein Gesicht blutete aus mehreren Schnittwunden.

Bonpland fragte, was ihm passiert sei.

Er habe versucht, sich zu rasieren. Bloß der Moskitos wegen dürfe man nicht verwildern, man sei immerhin ein zivilisierter Mensch. Humboldt setzte sich seinen Hut auf und fragte, ob Bonpland nachts etwas gehört habe.

Nichts Besonderes, sagte Bonpland vorsichtig. Man höre ja viel in der Dunkelheit.

Humboldt nickte. Man träume die seltsamsten Dinge.

Man könne nicht auf alles hören, was man höre, sagte Bonpland.

Man müsse schließlich schlafen, sagte Humboldt.

Am nächsten Tag fuhren sie in den Rio Negro ein, über dessen dunklem Wasser die Moskitos weniger wurden. Auch die Luft war hier besser. Aber die Gegenwart der Leichen bedrückte die Ruderer, und selbst Humboldt war bleich und schweigsam. Bonpland hielt die Augen geschlossen. Er befürchte, sagte er, sein Fieber komme zurück. Die Affen schrien in ihren Käfigen, rüttelten an den Gittern und schnitten einander Grimassen. Einer bekam sogar die Tür auf, schlug Purzelbäume, belästigte die Ruderer, kletterte am Bootsrand entlang, sprang auf Humboldts Schulter und bespuckte den knurrenden Hund.

Mario bat Humboldt, auch einmal etwas zu erzählen.

Geschichten wisse er keine, sagte Humboldt und schob seinen Hut zurecht, den der Affe umgedreht hatte. Auch möge er das Erzählen nicht. Aber er könne das schönste deutsche Gedicht vortragen, frei ins Spanische übersetzt. Oberhalb aller Bergspitzen sei es still, in den Bäumen kein Wind zu fühlen, auch die Vögel seien ruhig, und bald werde man tot sein.

Alle sahen ihn an.

Fertig, sagte Humboldt.

Ja wie, fragte Bonpland.

Humboldt griff nach dem Sextanten.

Entschuldigung, sagte Julio. Das könne doch nicht alles gewesen sein.

Es sei natürlich keine Geschichte über Blut, Krieg und Verwandlungen, sagte Humboldt gereizt. Es komme keine Zauberei darin vor, niemand werde zu einer Pflanze, keiner könne fliegen oder esse einen anderen auf. Mit einer schnellen Bewegung packte er den Affen, der gerade versucht hatte, ihm die Schuhe zu öffnen, und steckte ihn in den Käfig. Der Kleine schrie, schnappte nach ihm, streckte die Zunge heraus, machte große Ohren und zeigte ihm sein Hinterteil. Und wenn er sich nicht irre, sagte Humboldt, habe jeder auf diesem Boot Arbeit genug!

Bei San Carlos überquerten sie den magnetischen Äquator. Humboldt betrachtete die Instrumente mit andächtiger Miene. Von diesem Ort hatte er als Kind geträumt.

Gegen Abend erreichten sie die Mündung des legendären Kanals. Sofort stürzten Mückenschwärme auf sie ein. Doch mit der Wärme verzog sich der Dunst, der Himmel wurde klar, und Humboldt konnte den Längengrad bestimmen. Er arbeitete die ganze Nacht. Er maß den Winkel der Mondbahn vor dem südlichen Kreuz, dann, zur Kontrolle, fixierte er stundenlang mit dem Teleskop die Geisterflecken der Jupitermonde. Nichts sei zuverlässig, sagte er zu dem ihn aufmerksam beobachtenden Hund. Die Tabellen nicht, nicht die Geräte, nicht einmal der Himmel. Man müsse selbst so genau sein, daß einem die Unordnung nichts anhaben könne.

Erst in den frühen Morgenstunden war er soweit. Er klatschte in die Hände. Aufstehen, keine Zeit verlieren! Ein Endpunkt des Kanals sei bestimmt, man müsse schnell zum anderen.

Verschlafen fragte Bonpland, ob er befürchte, jemand könne ihm zuvorkommen. Am Ende der Welt, nach all den Jahrhunderten, in denen der gottverdammte Fluß keinen Menschen interessiert habe.

Man wisse nie, sagte Humboldt.

Das Gebiet war auf keiner Karte verzeichnet, sie konnten nur ahnen, wohin das Wasser sie trug. Die Baumstämme standen hier so eng, daß man nicht ans Ufer konnte, und alle paar Stunden benetzte feiner Sprühregen die Luft, ohne Kühlung zu bringen oder die Insekten zu vertreiben. Bonplands Atem machte pfeifende Geräusche.

Es sei nichts, sagte er hustend, er wisse bloß nicht, ob das Fieber in ihm oder in der Luft sei. Als Arzt empfehle er, nicht tief einzuatmen. Er vermute, die Wälder strömten ungesunde Dämpfe aus. Vielleicht liege es auch an den Leichen.

Ausgeschlossen, sagte Humboldt. An den Leichen liege es nicht.

Endlich fanden sie eine Stelle zum Anlegen. Mit Macheten und Beilen hackten sie einen kleinen Platz für die Übernachtung frei. Über den Flammen ihres Lagerfeuers knallten zerplatzende Moskitos. Eine Fledermaus biß den Hund in die Nase, er blutete stark, drehte sich brummend um sich selbst und wollte nicht ruhig werden. Er flüchtete unter Humboldts Hängematte, sein Knurren hinderte sie lange am Einschlafen.

Am nächsten Morgen brachten Humboldt und Bonpland es nicht fertig, sich zu rasieren, ihre Gesichter waren von den Insektenstichen zu geschwollen. Als sie ihre Beulen im Fluß kühlen wollten, bemerkten sie, daß der Hund fehlte. Humboldt lud hastig das Gewehr.

Keine gute Idee, sagte Carlos. Der Urwald sei nirgendwo dichter, die Luft zu feucht für Waffen. Den Hund habe ein Jaguar geholt, da sei nichts zu machen.

Ohne zu antworten, verschwand Humboldt zwischen den Bäumen.

Neun Stunden später waren sie immer noch da. Zum siebzehnten Mal kam Humboldt zurück, trank Wasser, wusch sich im Fluß und wollte wieder los. Bonpland hielt ihn auf.

Es helfe nichts, der Hund sei weg.

Nie und nimmer, sagte Humboldt. Er gestatte es nicht.

Bonpland legte ihm die Hand auf die Schulter. Der Hund sei verdammt noch einmal tot!

Vollkommen tot, sagte Julio.

Ganz und gar hinüber, sagte Mario.

Das sei, sagte Carlos, gewissermaßen der toteste Hund aller Zeiten.

Humboldt sah sie alle, einen nach dem anderen, an. Er öffnete und schloß den Mund, dann legte er das Gewehr zu Boden.

Erst Tage darauf kam wieder eine Siedlung in Sicht. Ein vom Schweigen blöd gewordener Missionar begrüßte sie stotternd. Die Menschen waren nackt und bunt gefärbt: Einige hatten sich Fräcke auf die Körper gemalt, andere Uniformen, die sie selbst nie gesehen haben konnten. Humboldts Miene hellte sich auf, als er erfuhr, daß an diesem Ort Curare angefertigt wurde.

Der Curaremeister war eine würdevolle, priesterlich hagere Gestalt. So, erklärte er, schabe man die Zweige, so zerreibe man die Rinde auf einem Stein, so fülle man, Vorsicht, den Saft in einen Bananenblatttrichter. Auf den Trichter komme es an. Er bezweifle, daß Europa etwas ähnlich Kunstvolles hervorgebracht habe.

Nun ja, sagte Humboldt. Es sei zweifellos ein sehr respektabler Trichter.

Und so, sagte der Meister, dampfe man den Stoff in einem Tongefäß ab, aufpassen bitte, selbst das Hinschauen sei gefährlich, so füge man eingedickten Blätteraufguß hinzu. Und dies, er hielt Humboldt das Tonschälchen hin, sei nun das stärkste Gift dieser und jeder anderen Welt. Damit könne man Engel töten!

Humboldt fragte, ob man es trinken könne.

Man trage es auf Pfeile auf, sagte der Meister. Es zu trinken habe noch keiner versucht. Man sei ja nicht wahnsinnig.

Aber die getöteten Tiere könne man sofort essen?

Das könne man, sagte der Meister. Das sei der Sinn der Sache.

Humboldt betrachtete seinen Zeigefinger. Dann steckte er ihn in die Schüssel und leckte ihn ab.

Der Meister stieß einen Schrei aus.

Keine Sorge, sagte Humboldt. Sein Finger sei heil, seine Mundhöhle auch. Wenn man keine Wunden habe, müsse der Stoff verträglich sein. Die Substanz wolle erforscht werden, er habe es also zu riskieren. Übrigens bitte er um Verzeihung, ihm sei ein wenig schwach zumute. Er sank auf die Knie und blieb eine Weile auf der Erde sitzen. Er rieb sich die Stirn und summte leise vor sich hin. Dann stand er behutsam auf und kaufte dem Meister alle Vorräte ab.

Die Weiterfahrt verzögerte sich um einen Tag. Humboldt und Bonpland saßen nebeneinander auf einem umgekippten Baum. Humboldts Blick war auf seine Schuhe gerichtet, Bonpland wiederholte unablässig die Anfangsstrophe eines französischen Abzählreims. Sie wußten nun, wie Curare angefertigt wurde, gemeinsam hatten sie nachgewiesen, daß man eine erstaunliche Menge durch den Mund zu sich nehmen konnte, ohne Schlimmeres zu erleiden als ein wenig Schwindel und optische Chimären, daß einem aber schon bei einem winzigen Quantum, eingetropft ins Blut, die Sinne schwanden und bereits das Fünftel eines Gramms reichte, einen kleinen Affen zu töten, den man jedoch retten konnte, wenn man ihm mit Gewalt Atemluft ins Maul blies, solange das Gift seine Muskeln lähmte. Nach einer Stunde ließ dann die Wirkung nach, allmählich kehrte seine Fähigkeit, sich zu bewegen, wieder, und bis auf eine leichte Trübsal blieb nichts bei ihm zurück. So kam es ihnen auch wie eine Täuschung vor, als sich plötzlich das Gebüsch teilte und ein schnurrbärtiger Mann in Leinenhemd und ledernem Wams verschwitzt, doch gefaßt vor sie hintrat. Er war wohl Mitte Dreißig, hieß Brombacher und stammte aus Sachsen. Er habe, sagte er, keine Pläne und kein Ziel, er wolle einfach die Welt sehen.

Humboldt schlug ihm vor, mit ihnen zu kommen.

Brombacher lehnte ab. Allein erfahre man mehr, und Deutsche treffe man ohnehin daheim in Mengen.

Stockend, seiner Muttersprache entwöhnt, fragte Humboldt nach Brombachers Heimatstadt, der Höhe ihres Kirchturms, der Zahl ihrer Bewohner.

Brombacher antwortete ruhig und höflich: Bad Kürthing, vierundfünfzig Fuß, achthundertzweiunddreißig Seelen. Er bot ihnen schmutzige Teigfladen an, sie wehrten ab. Er erzählte von den Wilden, den Tieren und den einsamen Nächten im Urwald. Nach kurzem stand er auf, lüftete seinen Hut, stapfte davon, und das Blattwerk schloß sich hinter ihm. Unter allen Ungereimtheiten seines Lebens, schrieb Humboldt tags darauf seinem Bruder, sei diese Begegnung die wunderlichste gewesen. Ganz werde er sich nie darüber klar sein, ob sie wirklich stattgefunden habe oder eine letzte Nachwirkung des auf ihrer beider Einbildungskraft lastenden Giftes gewesen sei.

Gegen Abend hatte das Curare sie soweit losgelassen, daß sie wieder umhergehen konnten und sogar Hunger bekamen. Über einem Feuer drehten die Missionsbewohner Spieße mit einem Kinderkopf, drei winzigen Händen und vier Füßchen mit deutlich erkennbaren Zehen. Keine Menschen, erklärte der Missionar, das verhindere man, wo man könne. Nur Äffchen aus dem Wald.

Bonpland weigerte sich, davon zu kosten. Humboldt

nahm zögernd eine Hand und biß hinein. Es schmecke nicht schlecht, aber ihm sei nicht wohl dabei. Ob es die Leute beleidige, wenn er nicht aufesse?

Der Missionar schüttelte mit vollem Mund den Kopf. Das interessiere keinen!

In der Nacht hielt der Lärm der Tierstimmen sie wach. Die eingesperrten Affen hämmerten gegen die Gitter und wollten nicht aufhören zu schreien. Humboldt schrieb den Anfang einer Betrachtung über die Nachtlaute des Waldes und das Tierdasein, welches man als fortgesetzten Kampf, mithin als das Gegenteil des Paradieses verstehen müsse.

Er vermute, sagte Bonpland, daß der Missionar gelogen habe.

Humboldt sah auf.

Der Mann lebe schon lange hier, sagte Bonpland. Der Urwald habe große Kraft. Es sei ihm wohl peinlich gewesen, darum seine Beteuerung. Die Leute hier äßen Menschenfleisch, das habe Pater Zea gesagt, und jeder wisse es. Was könne ein Missionar allein dagegen tun?

Unsinn, sagte Humboldt.

Doch, sagte Julio. Das klinge vernünftig.

Humboldt schwieg einen Moment. Er bitte um Verzeihung. Sie seien alle schon arg mitgenommen. Er habe viel Verständnis. Aber wenn noch einmal jemand die Unterstellung äußere, daß der Patensohn des Herzogs von Braunschweig Menschenfleisch gegessen habe, werde er zur Waffe greifen.

Bonpland lachte.

Er meine es ernst, sagte Humboldt.

Doch nicht wirklich, sagte Bonpland.

Allerdings.

Alle schwiegen beklommen. Bonpland holte Luft, sagte jedoch nichts. Einer nach dem anderen drehten sie sich zum Feuer und stellten sich schlafend.

Von nun an wurde Bonplands Fieber schlimmer. Immer öfter stand er in den Nächten auf und sank nach einigen Schritten kichernd in sich zusammen. Einmal war Humboldt, als beuge sich jemand über ihn. Schemenhaft erkannte er Bonplands Gesicht, die Zähne gefletscht, in der Hand eine Machete. Hastig überlegte er. Man träumte hier Sonderbares, das wußte er nur zu gut. Er brauchte Bonpland. Er mußte ihm vertrauen. Es war also ein Traum. Er schloß die Augen und zwang sich, bewegungslos liegen zu bleiben, bis er das Geräusch von Schritten hörte. Als er das nächste Mal blinzelte, lag Bonpland mit geschlossenen Augen neben ihm.

Tagsüber flossen die Stunden ineinander; die Sonne hing sehr tief und feurig über dem Fluß, es schmerzte, sie anzusehen, die Moskitos griffen von allen Seiten an, selbst die Ruderer waren zu erschöpft zum Reden. Eine Zeitlang folgte ihnen eine metallene Scheibe, flog vor und dann wieder hinter ihnen, glitt lautlos durch den Himmel, verschwand, tauchte wieder auf, kam für Minuten so nahe, daß Humboldt mit dem Fernrohr die gekrümmte Spiegelung des Flusses, ihres Bootes und seiner selbst auf ihrer gleißenden Oberfläche wahrnehmen konnte. Dann raste sie davon und kam nie wieder.

Bei klarem Wetter erreichten sie das Ende des Kanals. Im Norden erhoben sich granitweiße Berge, auf der anderen Seite erstreckten sich grasige Ebenen. Humboldt fixierte die untergehende Sonne mit dem Sextanten und maß den Winkel zwischen der Jupiterbahn und jener des vorbeiwandernden Mondes.

Jetzt erst, sagte er, existiere der Kanal wirklich.

Stromabwärts, sagte Mario, werde es schneller vorangehen. Man müsse die Strudel nicht mehr fürchten und könne sich in der Mitte halten. So entkomme man den Moskitos.

Das bezweifle er, sagte Bonpland. Er glaube nicht mehr an einen Ort ohne sie. Selbst in seine Erinnerungen seien sie geraten. Denke er an La Rochelle, so finde er die Stadt voller Insekten.

Daß der Kanal jetzt auf den Karten verzeichnet sei, erklärte Humboldt, werde die Wohlfahrt des gesamten Erdteils befördern. Man könne nun Güter quer über den Kontinent bringen, neue Handelszentren würden entstehen, ungeahnte Unternehmungen seien möglich.

Bonpland bekam einen Hustenanfall. Tränen liefen ihm über das Gesicht, er spuckte Blut. Hier sei nichts, keuchte er. Es sei heißer als in der Hölle, es gebe nur Gestank, Moskitos und Schlangen. Hier werde nie etwas sein, und dieser dreckige Kanal werde nichts daran ändern. Könnten sie jetzt endlich zurück?

Humboldt starrte ihn ein paar Sekunden an. Das habe er noch nicht entschieden. Die Mission Esmeralda sei die letzte christliche Siedlung vor der Wildnis. Von dort aus komme man durch unerforschtes Gebiet in wenigen Wochen zum Amazonas. Dessen Quellen habe noch keiner gefunden.

Mario bekreuzigte sich.

Andererseits, sagte Humboldt nachdenklich, sei es vielleicht unklug. Die Sache sei nicht ungefährlich. Wenn er nun unterginge, verschwänden mit ihm alle Funde und Ergebnisse. Niemand würde davon erfahren.

Das dürfe man nicht riskieren, sagte Bonpland.

Tollkühn wäre es, sagte Julio.

Gar nicht zu reden von denen! Mario zeigte auf die Leichen. Niemand würde sie zu sehen kriegen!

Humboldt nickte. Manchmal müsse man zurückstehen können.

Die Mission Esmeralda bestand aus sechs Häusern zwischen riesigen Bananenstauden. Es gab nicht einmal einen Missionar, nur ein alter spanischer Soldat stand fünfzehn Familien von Indianern vor. Humboldt engagierte einige Männer, um die Termiten aus dem Holz des Bootes zu schaben.

Die Entscheidung, nicht weiterzufahren, sei die richtige, sagte der Soldat. In der Wildnis hinter der Mission töteten die Menschen ohne Hemmungen. Sie hätten mehrere Köpfe, seien unsterblich und unterhielten sich in Katzensprachen.

Humboldt seufzte bekümmert; es ärgerte ihn, daß nun ein anderer die Amazonasquellen finden würde. Um sich abzulenken, studierte er die Bilder von Sonnen, Monden und kompliziert gerollten Schlangen, die fast hundert Meter über dem Fluß in den Fels geritzt waren.

Früher müsse das Wasser höher gestanden haben, sagte der Soldat.

So hoch nicht, sagte Humboldt. Offenbar seien die Felsen niedriger gewesen. Er habe einen Lehrer in Deutschland, dem er das kaum mitzuteilen wage.

Oder fliegende Menschen, sagte der Soldat.

Humboldt lächelte.

Viele Wesen flögen, sagte der Soldat, und keiner finde etwas dabei. Hingegen habe noch niemand gesehen, wie ein Berg sich aufrichte.

Menschen flögen nicht, sagte Humboldt. Selbst wenn er es sähe, würde er es nicht glauben.

Und das sei dann Wissenschaft?

Ja, sagte Humboldt, genau das sei Wissenschaft.

Als das Boot wiederhergestellt und Bonplands Fieber gesunken war, traten sie den Rückweg an. Zum Abschied bat der Soldat Humboldt, in der Hauptstadt ein gutes Wort für ihn einzulegen, damit man ihn anderswohin versetze. Es sei ja nicht auszuhalten. Erst neulich habe er eine Spinne in seinem Essen gefunden, er hielt beide Handflächen nebeneinander, so groß! Zwölf Jahre, das sei einem Menschen nicht zuzumuten. Hoffnungsvoll schenkte er Humboldt zwei Papageien und winkte ihnen lange hinterher.

Mario hatte recht gehabt: Stromabwärts ging es schneller, und die Insekten waren in der Flußmitte nicht so aggressiv. Nach kurzer Zeit erreichten sie die Jesuitenmission, wo Pater Zea sie mit Verwunderung begrüßte.

Er habe nicht erwartet, sie so bald wiederzusehen. Bemerkenswerte Robustheit! Wie seien sie mit den Kannibalen zurechtgekommen?

Er habe keine getroffen, sagte Humboldt.

Komisch, sagte Pater Zea. Praktisch alle Stämme dort unten seien Menschenfresser.

Könne er nicht bestätigen, sagte Humboldt und runzelte die Stirn.

Seine Missionsbewohner hätten seit ihrer Abfahrt keine Ruhe mehr gefunden, sagte Pater Zea. Es habe sie doch sehr aufgewühlt, daß man ihre Vorfahren aus den Gräbern geholt habe. Vielleicht sei es besser, sie wechselten gleich in ihr altes Boot und reisten weiter.

Es sehe aus, als stehe ein Unwetter bevor, wandte Humboldt ein.

Das dürfe man nicht abwarten, sagte Pater Zea. Die Lage sei ernst, und er könne für nichts garantieren.

Humboldt überlegte einen Moment. Der Obrigkeit, sagte er dann, müsse man Folge leisten.

Am Nachmittag darauf ballten sich Wolken zusammen, Donner rollte fern über die Ebene, und plötzlich waren sie im stärksten Gewitter, das sie je erlebt hatten. Humboldt ließ die Segel streichen und Kisten, Leichen und Tierkäfige auf einer Felseninsel abladen.

Das habe man nun davon, sagte Julio.

Regen habe noch keinem geschadet, sagte Mario.

Regen schade jedem, sagte Carlos. Er könne einen umbringen. Er habe schon manchen umgebracht.

Sie würden nie mehr heimkommen, sagte Julio.

Und wenn schon, sagte Mario. Daheim habe es ihm nie gefallen.

Daheim, sagte Carlos, sei der Tod.

Humboldt wies sie an, das Boot drüben am Ufer zu vertäuen. Sie legten ab, in diesem Moment ließ eine Flutwelle den Fluß anschwellen und riß das Boot mit. Bonpland und Humboldt sahen noch, wie eines der Ruder davonflog, dann nahm das schäumende Wasser ihnen die Sicht. Sekunden später blitzte das Boot noch einmal weit in der Ferne auf, dann war es mit allen vier Ruderern dahin.

Und jetzt, fragte Humboldt.

Da sie nun einmal hier seien, sagte Bonpland, könnten sie doch die Felsen untersuchen.

Eine Höhle führte unter einen der Katarakte. Über ihren Köpfen donnerte das Wasser, durch Löcher in der Decke stürzte es in breiten Säulen herab, zwischen denen man trocken stehen konnte. Mit heiserer Stimme schlug Bonpland vor, die Temperatur zu messen.

Humboldt wirkte erschöpft. Er könne es nicht erklären, aber in manchen Augenblicken sei er nahe daran, alles fahrenzulassen. Mit langsamen Bewegungen hantierte er an den Instrumenten. Und jetzt hinaus, die Höhle könne jeden Moment überschwemmt werden!

Eilig liefen sie ins Freie.

Der Regen hatte an Stärke gewonnen. Das Wasser ergoß sich über sie wie aus Eimern, tränkte ihre Kleider, füllte die Schuhe und machte den Boden so glitschig, daß sie kaum Halt fanden. Sie setzten sich und warteten. Krokodile glitten durch die Gischt. In den Käfigen brüllten die Affen, trommelten an die Türen und rissen an den Gittern. Die zwei Papageien hingen wie durchnäßte Handtücher an ihren Stangen. Der eine glotzte bedrückt vor sich hin, der andere murmelte unablässig Beschwerden in schlechtem Spanisch.

Und was, fragte Humboldt, wenn das Boot nicht zurückkomme?

Das werde es schon, sagte Bonpland. Nur die Ruhe.

Der Regen, als wollte der Himmel sie von der Insel spülen, wurde noch stärker. Der Horizont flackerte von Blitzen, der Donner brach sich an den Uferfelsen jenseits des Flusses, so daß das Echo jedes Schlages sich in den nächsten mischte.

Nicht gut sei das, sagte Humboldt. Sie seien von Wasser umgeben und säßen am höchsten Punkt. Hoffentlich habe Herr Franklin mit seiner Theorie des Blitzschlags unrecht.

Bonpland holte schweigend seine Flasche hervor und trank.

Und er sei überrascht, sagte Humboldt, daß es in den Stromschnellen so viele Echsen gebe. Das widerspreche den Annahmen der Zoologie.

Bonpland nahm noch einen Schluck.

Andererseits habe man ja Beispiele für Fische, die sogar Wasserfälle emporklettern könnten.

Bonpland zog die Augenbrauen hoch. Der Donner war zu einem nicht mehr nachlassenden Getöse geworden. Am anderen Ende der Insel, keine fünfzig Schritte von ihnen, wuchtete sich etwas Großes und Dunkles auf den Stein.

Wenn sie stürben, sagte Humboldt, würde niemand von ihnen erfahren.

Und wenn schon, sagte Bonpland und warf die leere Flasche weg. Tot sei tot.

Humboldt sah besorgt nach dem Krokodil. Falls sie zurück zur Küste kämen, werde er alles seinem Bruder schicken: Pflanzen, Karten, Tagebücher und Sammlungen. Auf zwei getrennten Schiffen. Dann erst werde er zu den Kordilleren aufbrechen.

Den Kordilleren?

Humboldt nickte. Er wolle die großen Vulkane sehen. Die Neptunismusfrage müsse ein für allemal geklärt werden.

Bald wußten sie nicht mehr, wie lange sie warteten.

Einmal war eine tote Kuh vorbeigetrieben, dann der Deckel eines Klaviers, dann ein Schachbrett und ein zerbrochener Schaukelstuhl. Humboldt holte vorsichtig die Uhr hervor, horchte auf ihr leises Pariser Ticken und spähte durch die Wachstuchhülle nach den Zeigern. Entweder war der Beginn des Gewitters erst wenige Minuten her, oder sie saßen schon über zwölf Stunden fest, oder aber der Regen hatte nicht bloß Fluß, Wald und Himmel, sondern die Zeit selbst durcheinandergebracht, hatte ein paar Stunden einfach fortgespült, so daß der neue Mittag mit der Nachtstunde und dem nächsten Morgen zusammenfloß. Humboldt legte die Arme um seine Knie.

Manchmal, sagte er, wundere es ihn. Von Rechts wegen hätte er Bergwerke inspizieren sollen. Hätte ein deutsches Schloß bewohnt, Kinder gezeugt, sonntags Hirsche gejagt und einmal im Monat die Stadt Weimar aufgesucht. Und nun sitze er hier, bei Sintflut, unter fremden Sternen, ein Boot erwartend, das nicht kommen werde.

Bonpland fragte, ob es ihm als Fehler erscheine. Schloß, Kinder, Weimar. Das sei doch etwas!

Humboldt nahm seinen Hut ab, den das Wasser in einen nutzlosen Klumpen verwandelt hatte. Eine Fledermaus stieg aus dem Wald, verfing sich im Sturm, wurde vom Regen hinuntergedrückt und nach ein paar Flügelschlägen vom Wasser mitgerissen.

Der Gedanke sei ihm nie gekommen.

Nicht für eine einzige Sekunde?

Humboldt beugte sich vor und spähte nach dem Krokodil. Er überlegte. Dann schüttelte er den Kopf.

Die
Sterne

Nachdem er angekündigt hatte, wo und wann der Planet zum nächsten Mal auftauchen werde und ihm natürlich keiner geglaubt hatte und der elende Steinklumpen dann doch auf Tag und Stunde genau aus der Nacht getreten war, war er jetzt also berühmt. Die Astronomie war eine populäre Wissenschaft. Könige interessierten sich dafür, Generäle verfolgten ihre Entwicklungen, Fürsten schrieben Preise für Entdeckungen aus, und die Zeitungen berichteten über Maskelyne, Mason, Dixon und Piazzi wie über Helden. Einer, der für immer den Horizont der Mathematik erweitert hatte, war eine Kuriosität. Wer aber einen Stern entdeckte, ein gemachter Mann.

Ja nun, sagte der Herzog, da sehe man es. Jetzt habe er es doch geschafft.

Gauß, der nicht wußte, was er darauf antworten sollte, verbeugte sich stumm.

Und sonst, fragte der Herzog nach der üblichen Nachdenkpause. Persönlich? Er habe gehört, man wolle heiraten?

Doch doch, sagte Gauß, ja.

Der Audienzraum hatte sich verändert. Die Deckenspiegel, offenbar aus der Mode gekommen, hatte man durch goldenes Blattwerk ersetzt, und es brannten weniger Kerzen. Auch der Herzog sah anders aus: Er war älter geworden. Ein Augenlid hing schlaff herab, die Wangen waren wulstig, sein schwerer Körper schien schmerzhaft fest auf seine Knie zu drücken.

Eine Gerberstochter, habe er gehört?

Stimmt, sagte Gauß. Lächelnd fügte er hinzu: Eure Hoheit. Was für eine Anrede! Was für ein Ort. Er mußte sich zusammennehmen, damit er nicht respektlos wirkte. Dabei mochte er diesen Herzog. Er war kein übler Mann, er bemühte sich, die Dinge richtig zu machen, und im Vergleich zu den meisten war er nicht einmal dumm.

Eine Familie, sagte der Herzog, müsse ernährt werden.

Das sei nicht zu leugnen, sagte Gauß. Deshalb habe er sich ja der Ceres gewidmet.

Der Herzog sah ihn mit gerunzelter Stirn an.

Gauß seufzte. Ceres, sagte er betont langsam, habe man den Planetoiden getauft, den Piazzi zuerst gesichtet und dessen Umlaufbahn er, Gauß, bestimmt habe. Er habe sich dem Problem überhaupt nur seiner Heiratspläne wegen gewidmet. Er habe gewußt, daß er jetzt etwas Praktisches leisten müsse, das auch Leute begreifen könnten, die weniger ... Er zögerte. Auch Leute begreifen könnten, die sich für Mathematik nicht interessierten.

Der Herzog nickte. Gauß erinnerte sich, daß er ihn nicht direkt ansehen sollte, und schlug die Augen nieder. Er fragte sich, wann endlich das Angebot kommen würde. Immer das langwierige Hin und Her, immer solche Umschweife. All die ans Gerede verlorene Zeit!

In diesem Sinn habe er eine Idee, sagte der Herzog.

Gauß zog die Augenbrauen weit hinauf, um Überraschung zu mimen. Er wußte, daß die Idee von Zimmermann war, der stundenlang auf den Herzog eingeredet hatte.

Vielleicht sei ihm aufgefallen, daß Braunschweig noch keine Sternwarte habe.

Beizeiten, sagte Gauß.

Was?

Es sei ihm aufgefallen.

Nun frage er sich, ob die Stadt nicht eine bekommen müsse. Und Doktor Gauß, trotz seiner Jugend, solle ihr erster Direktor sein. Der Herzog stemmte die Hände in die Seiten. Sein Gesicht verzog sich zu einem breiten Lächeln. Das überrasche ihn, nicht wahr?

Er wolle einen Professorentitel dazu, sagte Gauß.

Der Herzog schwieg.

Einen Professorentitel, wiederholte Gauß, jede Silbe betonend. Eine Anstellung bei der Universität Helmstedt. Doppelte monatliche Bezüge.

Der Herzog trat vor und wieder zurück, machte ein brummendes Geräusch, blickte an die goldblattverzierte Decke. Gauß nutzte die Zeit, um einige Primzahlen abzuzählen. Er hatte schon viele tausend davon. Er war ziemlich sicher, daß man nie eine Formel finden würde, sie zu ermitteln. Aber wenn man viele hunderttausend abzählte, konnte man die Wahrscheinlichkeit ihres Auftauchens asymptotisch bestimmen. Für einen Moment war er so konzentriert, daß er zusammenzuckte, als der Herzog sagte, man feilsche nicht mit seinem Landesvater.

Das liege ihm auch fern, sagte Gauß. Hingegen halte er es für notwendig mitzuteilen, daß ihm ein Angebot aus Berlin gemacht worden sei sowie von der Akademie in Sankt Petersburg. Rußland habe ihn immer interessiert. Schon oft habe er sich vorgenommen, die russische Sprache zu lernen.

Petersburg, sagte der Herzog, sei weit weg. Auch Berlin sei nicht in der Nähe. Wenn man es recht bedenke, sei der allernächste Platz dieser hier. Jeder andere sei anderswo. Selbst Göttingen. Er sei kein Wissenschaftler, er bitte, ihn zu korrigieren, falls er sich irre.

Doch, sagte Gauß mit auf den Boden gehefteten Augen. Das sei schon richtig.

Und wen nicht die Heimatliebe halte, der könne wenigstens berücksichtigen, daß das Reisen anstrengend sei. Anderswo müsse man sich erst einrichten, man habe Schererein, das Umziehen gehe ins Geld und sei eine Höllenarbeit. Womöglich habe man auch eine alte Mutter daheim.

Gauß spürte, wie er rot wurde. Das geschah immer, wenn jemand seine Mutter erwähnte; nicht aus Scham, sondern weil er sie so liebte. Dennoch, er mußte sich räuspern und wiederholte: Dennoch, man könne nicht immer, wie man wolle. Wer Familie habe, brauche Geld und müsse dorthin, wo es zu holen sei.

Man werde sich einigen, sagte der Herzog. Ein Professorentitel sei möglich. Wenn auch nicht bei doppelten Bezügen.

Wenn man aber den Titel der Bezüge wegen wolle?

Dann gereiche man seiner Profession nicht zur Ehre, sagte der Herzog kühl.

Gauß wurde klar, daß er zu weit gegangen war. Er verbeugte sich, der Herzog entließ ihn mit einer Handbewegung, sofort öffnete ein Diener hinter ihm die Tür.

Während er auf das schriftliche Angebot des Hofes wartete, beschäftigte er sich mit der Kunst der Orbitberechnung. Eine Sternenbahn, sagte er zu Johanna, sei nicht bloß irgendeine Bewegung, sondern das notwendige Resultat der Einflüsse, die alle Körper auf einen einzelnen Körper in der Leere ausübten: jene Linie also, die in exakt gleicher Krümmung auf dem Papier und im Raum entstehe, wenn man einen Gegenstand in die Freiheit schleudere. Das Rätsel der Gravitation. Das zähe Zusammenstreben aller Körper.

Das Zusammenstreben der Körper, wiederholte sie und schlug mit dem Fächer auf seine Schulter. Er wollte sie küssen, sie wich lachend zurück. Er war nie dahinter gekommen, warum sie ihre Meinung geändert hatte. Seit ihrem zweiten Brief hatte sie getan, als wäre es das Selbstverständlichste. Und es gefiel ihm, daß es Dinge gab, die er nicht begriff.

Zwei Tage vor der Hochzeit ritt er nach Göttingen, um Nina ein letztes Mal zu besuchen.

Jetzt heiratest du, sagte sie, und natürlich nicht mich.

Nein, antwortete er, natürlich nicht.

Sie fragte, ob er sie gar nicht liebgehabt habe.

Ein wenig, antwortete er, während er die Schnüre ihres Kleides löste und gar nicht glauben konnte, daß er eben das übermorgen bei Johanna tun würde. Das andere Versprechen aber werde er halten, er werde Russisch lernen. Und obwohl sie versicherte, es habe nichts zu bedeuten, in ihrem Beruf werde man sentimental, verblüffte es ihn und mißfiel ihm auch, daß sie weinte.

Das Pferd schnaubte ärgerlich, als er es auf dem Rückweg auf freiem Feld zum Stehen brachte. Ihm war klargeworden, wie man aus den Bahnstörungen der Ceres die Masse des Jupiter ermitteln konnte. Er sah in den Nachthimmel, bis sein Nacken weh tat. Noch vor kurzem waren dort bloß leuchtende Punkte gewesen. Jetzt unterschied er ihre Formationen, wußte, welche von ihnen die für die Orientierung auf dem Meer wichtigen Breitengrade markierten, kannte ihre Wege, die Stunden ihres Verschwindens und ihrer Wiederkehr. Ganz von selbst, und eigentlich nur, weil er Geld brauchte, waren sie zu seinem Beruf und er zu ihrem Leser geworden.

Zur Hochzeit kamen wenige Gäste: sein alter und schon sehr gebeugter Vater, seine kindisch schluchzende Mutter, Martin Bartels und Professor Zimmermann, außerdem Johannas Familie, ihre häßliche Freundin Minna sowie ein Sekretär des Hofes, der nicht zu wissen schien, warum man ihn hergeschickt hatte. Während des sparsam zubereiteten Festmahls sprach Gauß' Vater darüber, daß man sich nicht beugen lassen dürfe, niemals, von keinem, dann erhob sich Zimmermann, öffnete den Mund, lächelte liebenswürdig in die Runde und setzte sich wieder. Bartels stieß Gauß an.

Der stand auf, schluckte und sagte, er habe nicht erwartet, daß er etwas wie Glück finden würde, und im Grunde glaube er auch jetzt nicht daran. Es komme ihm wie ein Rechenfehler vor, ein Irrtum, von dem er nur hoffe, keiner werde ihn aufdecken. Er nahm wieder Platz und wunderte sich über die fassungslosen Blicke. Leise fragte er Johanna, ob er etwas Falsches gesagt habe.

Aber woher denn, antwortete sie. Genau diese Rede habe sie sich immer für ihre Hochzeit erträumt.

Eine Stunde später waren die letzten Gäste gegangen und er und Johanna auf dem Weg nach Hause. Sie sprachen wenig. Plötzlich waren sie einander fremd.

Im Schlafzimmer zog er die Vorhänge zu, trat zu ihr, spürte, wie sie zurückweichen wollte, hielt sie sanft fest und begann, die Bänder ihres Kleids zu öffnen. Ohne Licht war das nicht einfach; Nina hatte immer Sachen getragen, bei denen es leichter gewesen war. Es dauerte lange, der Stoff war so widerspenstig und der Bänder waren so viele, daß er selbst schon kaum mehr für möglich hielt, daß er sie noch immer nicht gelöst hatte. Aber dann hatte er es doch geschafft, das Kleid sank hinab, und die Nacktheit ihrer Schultern zeichnete sich weiß im Dunkel ab. Er legte ihr den Arm um die Schultern, instinktiv schützte sie ihre Brüste mit den Händen, und er spürte ihr Widerstreben, als er sie zum Bett führte. Er überlegte, wie er mit ihrem Unterrock verfahren sollte, es war schon mit dem Kleid so schwierig gewesen. Wieso trugen Frauen nicht Sachen, die man aufbekam? Keine Angst, flüsterte er und war doch überrascht, als sie antwortete, sie habe keine, und mit einem Griff, auf dessen Zielsicherheit ihn nichts vorbereitet hatte, seinen Gürtel öffnete. Hast du das schon einmal getan? Was er denn von ihr denke, fragte sie lachend, und im nächsten Augenblick bauschte sich ihr Unterrock auf dem Boden, und da sie zögerte, zog er sie mit sich, und schon lagen sie nebeneinander und atmeten schwer, und jeder wartete darauf, daß der Herzschlag des anderen sich beruhigte. Als er seine Hand über ihre Brust zum Bauch und dann, er entschied sich, es zu wagen, obwohl ihm war, als müsse er sich dafür entschuldigen, weiter hinabwandern ließ, tauchte die Mondscheibe bleich und beschlagen zwischen den Vorhängen auf, und er schämte sich, daß ihm ausgerechnet in diesem Moment klar wurde, wie man Meßfehler der Planetenbahnen approximativ korrigieren konnte. Er hätte es gern notiert, aber jetzt kroch ihre Hand an seinem Rücken abwärts. So habe sie es sich nicht vorgestellt, sagte sie mit einer Mischung aus Schrekken und Neugier, so lebendig, als wäre ein drittes Wesen mit ihnen. Er wälzte sich auf sie, und weil er fühlte, daß sie erschrak, wartete er einen Moment, dann schlang sie ihre Beine um seinen Körper, doch er bat um Verzeihung, stand auf, stolperte zum Tisch, tauchte die Feder ein und schrieb, ohne Licht zu machen: *Summe d. Quadr. d. Differenz zw. beob. u. berechn.* → *Min.*, es war zu wichtig, er durfte es nicht vergessen. Er hörte sie sagen, sie könne es nicht glauben und sie glaube es auch nicht, selbst jetzt, während sie es erlebe. Aber er war schon fertig. Auf dem Weg zurück stieß er mit dem Fuß gegen den Bettpfosten, dann spürte er sie wieder unter sich, und erst als sie ihn an sich zog, bemerkte er, wie nervös er eigentlich war, und für einen Augenblick wunderte es ihn sehr, daß sie beide, die kaum etwas voneinander wußten, in diese Lage geraten waren. Doch dann wurde etwas anders, und er hatte keine Scheu mehr, und gegen Morgen kannten sie einander schon so gut, als hätten sie es immer geübt und immer miteinander.

Machte Glück dumm? Wenn er in den nächsten Wochen in den *Disquisitiones* blätterte, kam es ihm schon seltsam vor, daß das von ihm sein sollte. Er mußte sich zusammennehmen, um alle Ableitungen zu verstehen. Er fragte sich, ob sein Geist ins Mittelmaß sank. Die Astronomie war von gröberer Art als die Mathematik. Man konnte die Probleme nicht nur durch Nachdenken lösen, jemand mußte durch ein Okular starren, bis ihm die Augen weh taten, und ein anderer mußte die Meßergebnisse in ermüdend langen Tabellen festhalten. Für ihn tat das ein Herr Bessel in Bremen, dessen einzige Begabung darin bestand, daß er sich nie irrte. Als Direktor einer Sternwarte hatte Gauß das Recht, Hilfskräfte zu beauftragen – auch wenn noch nicht einmal der Grundstein dieser Warte gelegt war.

Mehrmals hatte er um Audienz angesucht, aber der Herzog war stets beschäftigt. Er schrieb einen wütenden Brief und bekam keine Antwort. Er schrieb einen zweiten, und als noch immer keiner reagierte, wartete er so lange vor dem Audienzzimmer, bis ihn ein Sekretär mit wirrem Haar und unordentlicher Uniform nach Hause schickte. Auf der Straße begegnete er Zimmermann und beklagte sich bitter.

Der Professor sah ihn an wie eine Erscheinung und fragte, ob er wirklich nicht wisse, daß Krieg sei.

Gauß blickte sich um. Die Straße lag ruhig im Sonnenschein, ein Bäcker trug einen Brotkorb vorbei, über dem Kirchendach funkelte träge das Blech des Wetterhahns. Es duftete nach Flieder. Krieg?

Tatsächlich hatte er seit Wochen keine Zeitung gelesen. Bei Bartels, der alles aufhob, setzte er sich vor einen Stapel alter Journale. Grimmig überblätterte er einen Bericht Alexander von Humboldts über das Hochland von Caxamarca. Wo zum Teufel war dieser Kerl nicht gewesen? Doch gerade als er bei den Kriegsberichterstattungen anlangte, unterbrach ihn das Räderknirschen einer Fuhrwerkkolonne. Bajonette, Reiterhelme und Lanzen bewegten sich eine halbe Stunde lang am Fenster vorbei. Bartels kam atemlos heim und erzählte, daß in einer der Kutschen der Herzog liege, bei Jena angeschossen, blutend wie Vieh, im Sterben. Alles sei verloren.

Gauß faltete die Zeitung zusammen. Dann könne er ja heimgehen.

Er durfte es keinem sagen, aber dieser Bonaparte interessierte ihn. Angeblich diktierte er bis zu sechs Briefe zugleich. Einst hatte er eine vorzügliche Abhandlung über das Problem der Kreisteilung mit festgestelltem Zirkel verfaßt. Schlachten gewann er, indem er als erster und am überzeugendsten behauptete, gewonnen zu haben. Er dachte schneller und gründlicher als die anderen, das war das ganze Geheimnis. Gauß fragte sich, ob Napoleon wohl von ihm gehört hatte.

Mit der Sternwarte werde es so bald nichts, sagte er beim Abendessen zu Johanna. Noch immer beobachte er den Himmel von seinem Wohnzimmer aus, das sei doch kein Zustand! Er habe ein Angebot aus Göttingen. Dort wolle man ebenfalls ein Observatorium bauen, es sei nicht weit, er könnte von dort jede Woche seine Mutter besuchen. Der Umzug könnte erledigt sein, bevor das Kind da sei.

Aber Göttingen, sagte Johanna, gehöre jetzt zu Frankreich.

Göttingen zu Frankreich?

Wieso, rief sie, sei ausgerechnet er blind für Dinge, die sonst jeder sehe? Göttingen gehöre zu Hannover, dessen

Personalunion mit der englischen Krone durch Frankreichs Siege gebrochen sei und das Napoleon dem neuen Königreich Westfalen angegliedert habe, regiert von Jérôme Bonaparte. Wem also leiste ein westfälischer Beamte den Diensteid? Napoleon!

Er rieb sich die Stirn. Westfalen, wiederholte er, als würde es klarer, wenn er es sich vorsagte. Jérôme. Was habe das mit ihnen zu tun?

Mit Deutschland, sagte sie, habe es zu tun und damit, wo man stehe.

Er sah sie hilflos an.

Sie wisse schon, jetzt werde er sagen, daß aus der Zukunft zurückgeblickt beide Seiten einander gleichen würden, daß sich bald keiner mehr über das erregen werde, wofür man heute sterbe. Aber was ändere das? Die Anbiederung an die Zukunft sei eine Form der Feigheit. Glaube er wirklich, man werde dann klüger sein?

Ein wenig schon, sagte er. Notgedrungen.

Man lebe aber jetzt!

Leider, sagte er, löschte die Kerzen, ging zum Teleskop und richtete es auf die nebelverhangene Oberfläche des Jupiter. Deutlicher als je sah er in der klaren Nacht seine winzigen Monde.

Das Fernrohr schenkte er bald darauf Professor Pfaff, und sie zogen nach Göttingen. Auch hier herrschte Unordnung. Nachts lärmten französische Soldaten, und wo das Observatorium entstehen sollte, war noch nicht einmal die Erde für das Fundament ausgehoben, bloß ein paar Schafe zupften an Grashalmen. Die Sterne mußte er von Professor Lichtenbergs alter Turmkammer auf der Stadtmauer aus beobachten. Und das Schlimmste: Man zwang ihn, Kollegien zu halten. Junge Männer kamen in seine Wohnung, schaukelten mit seinen Stühlen und machten ihm die Sofakissen speckig, während er sich abmühte, ihnen auch nur irgend etwas begreiflich zu machen.

Von allen Menschen, die er je getroffen hatte, waren seine Studenten die dümmsten. Er sprach so langsam, daß er den Beginn des Satzes vergessen hatte, bevor er am Schluß war. Es nützte nichts. Er sparte alles Schwierige aus und beließ es bei den Anfangsgründen. Sie verstanden nicht. Am liebsten hätte er geweint. Er fragte sich, ob die Beschränkten ein spezielles Idiom hatten, das man lernen konnte wie eine Fremdsprache. Er gestikulierte mit beiden Händen, zeigte auf seinen Mund und formte die Laute überdeutlich, als hätte er es mit Taubstummen zu tun. Doch die Prüfung schaffte nur ein junger Mann mit wäßrigen Augen. Sein Name war Moebius, und als einziger schien er kein Kretin zu sein. Als bei der zweiten Prüfung wiederum nur er bestanden hatte, nahm der Dekan nach der Fakultätsversammlung Gauß zur Seite und bat, nicht ganz so streng zu verfahren. Als Gauß den Tränen nahe nach Hause kam, fand er dort nur ungebetene Fremde: einen Arzt, eine Hebamme und seine Schwiegereltern.

Alles habe er versäumt, sagte die Schwiegermutter. Wohl wieder den Kopf in den Sternen gehabt!

Er habe ja nicht einmal ein anständiges Fernrohr, sagte er bedrückt. Was denn passiert sei?

Es sei ein Junge.

Was für ein Junge denn? Erst als er ihrem Blick begegnete, verstand er. Und er wußte sofort, daß sie ihm das nie verzeihen würde.

Es tat ihm leid, daß es ihm so schwer fiel, den Kleinen zu mögen. Man hatte ihm gesagt, das komme von selbst. Aber noch Wochen nach der Geburt, wenn er das hilflose Wesen, das aus irgendeinem Grund Joseph hieß, in Händen hielt und seine winzige Nase und verwirrenderweise vollzähligen Zehen betrachtete, fühlte er nichts als Mitleid und Scheu. Johanna nahm es ihm ab und fragte mit einem Anflug von Besorgnis, ob er glücklich sei. Aber natürlich, sagte er und ging zum Teleskop.

Seit sie in Göttingen lebten, besuchte er wieder Nina. Sie war nicht mehr ganz jung und empfing ihn mit der Vertrautheit einer Ehefrau. Er habe noch immer nicht Russisch gelernt, sagte sie vorwurfsvoll, und er entschuldigte sich und versprach, es bald zu tun. Von diesen Besuchen, das hatte er sich geschworen, würde Johanna nie erfahren, selbst unter Folter wollte er lügen. Er war verpflichtet, Schmerz von ihr fernzuhalten. Er war nicht verpflichtet, ihr die Wahrheit zu sagen. Wissen war schmerzhaft. Kein Tag verging, an dem er selbst sich nicht weniger davon wünschte.

Er hatte ein Werk über Astronomie begonnen. Nichts Bedeutendes, kein Buch für die Ewigkeit wie die *Disquisitiones*, die Zeit würde es hinter sich lassen. Aber es versprach die genaueste Anleitung zur Bahnberechnung zu werden, die es je gegeben hatte. Und er mußte sich beeilen. Obwohl er gerade erst dreißig war, bemerkte er, daß seine Fähigkeit zur Konzentration nachließ und die Pausen, welche die Menschen vor ihren Antworten zu machen schienen, immer kürzer wurden. Er hatte weitere Zähne verloren, und Woche für Woche plagten ihn Koliken. Der Arzt riet zu einer Pfeife jeden Morgen und einem lauwarmen Bad vor dem Schlafengehen. Er war sicher, daß er nicht alt werden würde. Als Johanna ihm mitteilte, daß schon wieder ein Kind unterwegs sei, hätte er nicht sagen können, ob er sich darüber freute. Es würde ohne ihn aufwachsen müssen, das stand fest. Immerhin machte er diesmal alles richtig: Er war ängstlich während der Geburt und erleichtert danach, und zu Ehren ihrer dummen Freundin Minna nannten sie das Mädchen Wilhelmine. Als er nur wenige Monate später versuchte, ihr Rechnen beizubringen, sagte Johanna, das sei nun wirklich zu früh.

Widerwillig, da Johanna schon wieder schwanger war, fuhr er nach Bremen, um mit Bessel die Jupitertabellen durchzugehen. Vor der Abfahrt schlief er eine Woche schlecht, hatte Alpträume, war tagsüber wütend und bedrückt. Die Reise war noch schlimmer als die nach Königsberg, die Kutsche noch enger, die Mitreisenden noch weniger gewaschen, und als ein Rad brach, mußten sie vier Stunden in einer lehmigen Landschaft stehen, während der Kutscher es schimpfend reparierte. Sofort nachdem Gauß übermüdet, mit schwerem Kopf und schmerzendem Rücken aus der Kutsche gestiegen war, fragte ihn Bessel nach der Berechnung der Jupitermasse aus den Ceresstörungen. Ob er schon einen konsistenten Orbit habe?

Gauß lief rot an. Es gelinge ihm nicht, was solle er tun! Hunderte Stunden habe er sich damit befaßt. Die Sache sei unvorstellbar diffizil. Eine Qual sei es und er zum Teufel nicht mehr jung, man solle ihn verschonen, er lebe ohnehin nicht mehr lange, es sei ein Fehler gewesen, sich auf diesen Kram einzulassen.

Kleinlaut fragte Bessel, ob er das Meer sehen wolle.

Keine Expeditionen, sagte Gauß.

Es sei ganz nahe, sagte Bessel. Eine Spazierfahrt bloß!

In Wahrheit war es eine weitere mühselige Reise, und die Kutsche schaukelte so stark, daß Gauß wieder seine Koliken hatte. Es regnete, das Fenster schloß nicht dicht, und sie wurden naß bis auf die Haut.

Aber es lohne sich, wiederholte Bessel immer wieder. Das Meer müsse man doch gesehen haben.

Müsse man? Gauß fragte, wo das geschrieben stehe.

Der Strand war verdreckt, und auch das Wasser ließ zu wünschen übrig. Der Horizont schien eng, der Himmel niedrig, das Meer wie eine Suppe unter schmutzigem Nebel. Kalter Wind wehte. In der Nähe verbrannte etwas, und der Rauch machte das Atmen schwer. Auf den Wellen hob und senkte sich ein kopfloser Hühnerkörper.

Ja, gut. Gauß blinzelte in den Dunst. Dann könne man jetzt wohl zurück.

Doch Bessels Unternehmungslust war ungehemmt. Es reiche nicht, das Meer zu sehen, man müsse auch im Theater gewesen sein!

Theater sei teuer, sagte Gauß.

Bessel lachte. Der Herr Professor solle sich in allem als Gast betrachten, es sei ihm eine Ehre. Er miete eine Privatkutsche, man sei im Handumdrehen dort!

Die Reise dauerte vier quälende Tage, und das Bett im Weimarer Gasthof war so hart, daß Gauß' Rückenschmerzen unerträglich wurden. Außerdem brachten ihn die Sträucher an der Ilm zum Niesen. Im Hoftheater war es heiß, das stundenlange Sitzen eine Pein. Man gab ein

Stück von Voltaire. Irgend jemand tötete einen anderen. Eine Frau weinte. Ein Mann klagte. Eine andere Frau fiel auf die Knie. Monologe wurden gehalten. Die Übersetzung war schön und voll Melodie, aber Gauß hätte sie lieber gelesen. Vom Gähnen rannen ihm Tränen über die Wangen.

Nicht wahr, flüsterte Bessel, es sei bewegend!

Die Schauspieler schleuderten ihre Hände in die Luft, traten unablässig vor und zurück und rollten beim Sprechen mit den Augen.

Er glaube, flüsterte Bessel, Goethe sei heute in seiner Loge.

Gauß fragte, ob das der Esel sei, der sich anmaße, Newtons Theorie des Lichts zu korrigieren.

Leute drehten sich zu ihnen um, Bessel schien in seinem Sitz zu schrumpfen und sagte kein Wort mehr, bis der Vorhang fiel.

Beim Hinausgehen wurden sie von einem hageren Herrn angesprochen. Ob er die Ehre mit Gauß, dem Astronomen, habe?

Dem Astronomen und Mathematiker, sagte Gauß.

Der Mann stellte sich als preußischer Diplomat vor, zur Zeit ansässig in Rom, gerade auf der Durchreise nach Berlin, wo er einen Posten als Direktor der Unterrichtssektion im Innenministerium antreten werde. Es gebe viel zu tun, deutsches Schulwesen müsse von Grund auf reformiert werden. Er selbst habe die beste Erziehung genossen, nun finde er Gelegenheit, etwas davon weiterzureichen. Er stand sehr aufrecht, ohne sich auf seinen silbernen Stock zu stützen. Übrigens seien sie Alumni derselben Universität und hätten gemeinsame Bekannte.

Daß Herr Gauß auch in der Mathematik tätig sei, habe er nicht gewußt. Erhebend, nicht wahr?

Gauß verstand nicht.

Die Aufführung.

Na ja, sagte Gauß.

Er begreife schon. Nicht ganz das richtige in diesem Moment. Etwas Deutsches wäre angemessener gewesen. Aber mit Goethe diskutiere man schwer über solche Dinge.

Gauß, der zuvor nicht zugehört hatte, bat den Diplomaten, seinen Namen zu wiederholen.

Der Diplomat tat es mit einer Verneigung. Er sei übrigens auch Forscher!

Neugierig beugte Gauß sich vor.

Er untersuche alte Sprachen.

Ach so, sagte Gauß.

Das, sagte der Diplomat, habe enttäuscht geklungen.

Sprachwissenschaft. Gauß wiegte den Kopf. Er wolle ja keinem zu nahe treten.

Nein, nein. Er solle es ruhig sagen.

Gauß zuckte die Achseln. Das sei etwas für Leute, welche die Pedanterie zur Mathematik hätten, nicht jedoch die Intelligenz. Leute, die sich ihre eigene notdürftige Logik erfänden.

Der Diplomat schwieg.

Gauß fragte ihn nach seinen Reisen. Er müsse ja wirklich überall gewesen sein!

Das, sagte der Diplomat säuerlich, sei sein Bruder. Eine Verwechslung, die ihm nicht zum erstenmal passiere. Er verabschiedete sich und ging mit kleinen Schritten davon.

In der Nacht ließen die Schmerzen an Rücken und Bauch Gauß nicht einschlafen. Er wälzte sich hin und her und schimpfte leise auf sein Schicksal, auf Weimar und vor allem Bessel. Früh am nächsten Morgen, Bessel war noch nicht aufgestanden, ließ er anspannen und befahl dem Kutscher, ihn sofort nach Göttingen zu bringen.

Endlich angekommen, die Reisetasche noch in der Hand, abwechselnd vorgebeugt wegen seiner Bauchschmerzen und schief zurückgelehnt wegen seines steifen Rückens, fragte er in der Universität nach dem Baubeginn des Observatoriums.

Man höre zur Zeit nicht viel vom Ministerium, sagte der Beamte. Hannover sei weit. Genaues wisse man nicht. Falls er das vergessen habe, es sei Krieg.

Die Armee habe Schiffe, sagte Gauß, die müsse man navigieren, dafür brauche man Sternenkarten, und die erstelle man nicht gut daheim in der Küche.

Der Beamte versprach baldige Nachricht. Übrigens plane man eine gründliche Neuvermessung des Königreichs Westfalen. Der Herr Professor habe doch schon einmal als Geodät gearbeitet. Man suche noch einen tüchtigen Rechner als Leiter der Unternehmung.

Gauß öffnete den Mund. Mit aller Willenskraft brachte er es fertig, den Mann nicht anzuschreien. Er schloß ihn wieder und ging ohne Gruß.

Er riß die Wohnungstür auf und rief, er sei zurück und gehe so bald nicht wieder. Als er sich im Flur die Stiefel auszog, traten Arzt, Hebamme und Schwiegermutter aus dem Schlafzimmer. Also schön, diesmal würde er sich nicht blamieren. Breit lächelnd und etwas zu überschwenglich fragte er, ob es schon da sei und ob Junge oder Mädchen und vor allem, wieviel es wiege.

Ein Junge, sagte der Arzt. Er liege im Sterben. Wie auch die Mutter.

Man habe alles versucht, sagte die Hebamme.

Was danach geschah, konnte sein Gedächtnis lange nicht zur Einheit formen. Es kam ihm vor, als wäre die Zeit vor- und zurückgeschnellt, als hätten sich mehrere Möglichkeiten eröffnet und gegenseitig wieder ausgelöscht. Eine Erinnerung zeigte ihn an Johannas Bett, während sie kurz die Augen aufschlug und ihm einen Blick zuwarf, in dem kein Wiedererkennen war. Die Haare klebten ihr im Gesicht, ihre Hand war feucht und kraftlos, der Korb mit dem Säugling stand neben seinem Stuhl. Dem widersprach eine andere Erinnerung, in der sie schon kein Bewußtsein mehr hatte, als er ins Zimmer stürmte, und eine dritte, in der sie in diesem Augenblick bereits gestorben war, ihr Körper bleich und wächsern, sowie eine vierte, in der er mit ihr ein Gespräch von entsetzlicher Klarheit führte: Sie fragte, ob sie sterben müsse, nach einem Moment des Zögerns nickte er, worauf sie ihn aufforderte, nicht zu lange traurig zu sein, man lebe, dann sterbe man, so sei es nun einmal. Erst nach der sechsten Nachmittagsstunde fügte sich alles wieder. Er saß an ihrem Bett. Menschen tuschelten im Flur. Johanna war tot.

Er schob den Stuhl zurück und versuchte sich an den Gedanken zu gewöhnen, daß er wieder heiraten mußte. Er hatte Kinder. Er wußte nicht, wie man die aufzog. Einen Haushalt führen konnte er nicht. Dienstboten waren teuer.

Leise öffnete er die Tür. Das, dachte er, ist es. Leben müssen, obgleich alles vorbei ist. Disponieren, organisieren: jeden Tag, jede Stunde und Minute. Als hätte es noch Sinn.

Ein wenig beruhigte es ihn, als er seine Mutter ankommen hörte. Er dachte an die Sterne. Die kurze Formel, die all ihre Bewegungen in einer Zeile zusammenfaßte. Zum erstenmal wußte er, daß er sie nicht finden würde. Allmählich wurde es dunkel. Zögernd ging er zum Teleskop.

Der
Berg

Beim Licht einer Ölfunzel, während der Wind immer mehr Schneeflocken vorbeitrug, versuchte Aimé Bonpland, einen Brief nach Hause zu schreiben. Denke er an die vergangenen Monate, so sei ihm, als habe er Dutzende Leben hinter sich, alle einander ähnlich und keines wiederholenswert. Die Orinokofahrt scheine ihm wie etwas, wovon er in Büchern gelesen habe, Neuandalusien sei eine Legende aus der Vorzeit, Spanien nur mehr ein Wort. Inzwischen gehe es ihm besser, manche Tage seien schon fieberfrei, auch die Träume, in denen er Baron Humboldt erwürge, zerhacke, erschieße, anzünde, vergifte oder unter Steinen begrabe, würden seltener.

Er überlegte und kaute an seinem Federkiel. Etwas weiter bergan, umgeben von schlafenden Maultieren, das Haar mit Rauhreif und etwas Schnee bedeckt, rechnete Humboldt an einer Positionsbestimmung mit Hilfe der Jupitermonde. Auf den Knien balancierte er den Glaszylinder des Barometers. Neben ihm schliefen, in Wolldecken gewickelt, ihre drei Bergführer.

Morgen, schrieb Bonpland weiter, wollten sie den Chimborazo bezwingen. Für den Fall, daß sie es nicht überlebten, habe Baron Humboldt ihm dringend geraten, einen Abschiedsbrief zu schreiben, weil es nämlich unwürdig sei, einfach so und ohne Schlußwort zu sterben.

Auf dem Berg würden sie Steine und Pflanzen sammeln, selbst hier oben gebe es unbekannte Gewächse, er habe in den letzten Monaten viel zu viele davon zerschnitten. Der Baron behaupte, es gebe bloß sechzehn Grundtypen, aber er sei eben gut im Erkennen von Typen, ihm, Bonpland, kämen sie unzählig vor. Ein Großteil ihrer Präparate, darunter drei sehr alte Leichen, seien in Havanna auf ein Schiff nach Frankreich verladen worden, in einem zweiten Schiff hätten sie die Herbarien und all ihre Aufzeichnungen an Baron Humboldts Bruder gesandt. Vor drei Wochen oder vielleicht auch sechs, die Tage vergingen so schnell und er habe den Überblick verloren, hätten sie erfahren, daß eines der Schiffe abgesoffen sei. Baron Humboldt habe es schlimme Tage beschert, dann aber habe er gesagt, man sei ja erst am Anfang. Ihm, Bonpland, habe der Verlust weniger zugesetzt, denn sein Fieber sei damals so stark gewesen, daß er nur vage gewußt habe, wo er gewesen sei und warum und wer. Den Großteil der Zeit habe er in Alpträumen mit Fliegen und mechanischen Spinnen gekämpft. Er bemühe sich, nicht daran zurückzudenken, und hoffe bloß, daß das gesunkene Schiff nicht das mit den Leichen gewesen sei. So viele Stunden habe er mit ihnen verbracht, daß er in ihnen gegen Ende der Flußfahrt nicht mehr bloße Schiffsladung, sondern schweigsame Gefährten gesehen habe.

Bonpland wischte sich die Stirn ab und nahm einen tiefen Schluck aus seiner Messingflasche. Früher hatte er eine aus Silber gehabt, aber die war ihm unter Umständen, an die er sich nicht erinnerte, abhanden gekommen. Man sei, schrieb er, ja erst am Anfang. Er bemerkte, daß der Satz jetzt zweimal dastand, und strich ihn aus. Man sei ja erst am Anfang! Er blinzelte und strich ihn zum zweitenmal. Leider sei es ihm nicht möglich, die Details ihrer Route zu schildern, ihm verschwimme alles, er sehe bloß noch ein paar Bilder vor sich, zwischen denen er mit Mühe einen Zusammenhang herstellen könne. In Havanna zum Beispiel habe der Baron zwei Krokodile einfangen und mit einem Rudel Hunde zusammensperren lassen, um ihr Jagdverhalten zu studieren. Das Geschrei der Hunde sei kaum zu ertragen gewesen, es habe geklungen wie das Jammern von Kindern. Danach seien die Wände so blutig gewesen, daß man den Saal auf Baron Humboldts Kosten neu habe ausmalen müssen.

Er schloß die Augen, riß sie wieder auf und blickte sich überrascht um, als hätte er für einen Moment vergessen, wo er war. Er hustete und nahm einen tiefen Schluck. Vor Cartagena sei ihr Schiff beinahe gekentert, auf dem Magdalenenfluß hätten die Moskitos sie hartnäckiger gequält als auf dem Orinoko, schließlich seien sie über Tausende vom verschwundenen Inkavolk angelegte Stufen in die kalten Höhen der Kordilleren aufgestiegen. Normalerweise werde man da von Trägern geschleppt, aber Baron Humboldt habe es verweigert. Der Menschenwürde wegen. Die Träger seien so beleidigt gewesen, fast hätten sie sie verprügelt. Bonpland holte tief Luft; dann, wider Willen, seufzte er leise. Vor Santa Fé de Bogotá hätten sie die Honoratioren der Stadt erwartet, ihr Ruf sei ihnen offenbar vorausgeeilt, wiewohl seltsamerweise jeder vom Baron, niemand aber von Aimé Bonpland gehört habe. Vielleicht liege das am Fieber. Er stockte, der letzte Satz schien ihm unlogisch. Er erwog ihn zu streichen, aber dann entschied er sich dagegen.

Noble Leute seien es gewesen, es habe Gelächter gegeben, als der Baron sich gesträubt habe, sein Barometer aus der Hand zu legen, auch habe man sich gewundert, daß ein so berühmter Mann so klein gewachsen sei. Sie hätten bei dem Biologen Mutis gewohnt. Ständig habe der Baron von Pflanzen sprechen wollen, immer wieder habe Mutis erwidert, daß sich derlei Themen in Gesellschaft nicht ziemten. Immerhin habe er, Bonpland, mit Mutis' Kräutern sein Fieber gesenkt. Mutis habe eine junge Kammerzofe beschäftigt, eine Indianerin aus dem Hochland, mit der man, er hielt inne, nahm einen großen Schluck und spähte mit gerunzelter Stirn nach Humboldts in der Dämmerung kaum mehr sichtbarer Gestalt, ausgezeichnete Gespräche habe führen können über dies und das und noch anderes. Unterdessen habe der Baron Bergwerke besichtigt und Karten erstellt. Vortreffliche Karten. Daran zweifle er nicht.

Ohne es zu wollen, nickte er ein paarmal, dann fuhr er fort. Mit elf Maultieren seien sie weitergezogen, über den Fluß, die Paßstraße entlang. Viel Regen. Der Boden voller Morast und Stacheln, und da Baron Humboldt weiterhin nicht gewillt gewesen sei, sich tragen zu lassen, hätten sie barfuß gehen müssen, um die Stiefel zu schonen. Sie hätten sich die Füße blutig gelaufen. Und die Maultiere seien störrisch gewesen! Die Besteigung des Pichincha hätten sie abgebrochen, als Übelkeit und Schwindel ihn überwältigt hätten. Zunächst habe Baron Humboldt alleine weitergewollt, aber dann sei auch er ohnmächtig geworden. Irgendwie hätten sie es bis zurück ins Tal geschafft. Der Baron habe es dann erneut versucht, mit einem Führer, der natürlich noch nie oben gewesen sei, in diesen Ländern kletterten die Menschen nicht auf Berge, wenn keiner sie zwinge. Erst der dritte Versuch sei gelungen, und nun wüßten sie genau, wie hoch der Berg sei, welche Temperatur sein Qualm habe, was für Flechten sein Gestein. Baron Humboldt interessiere sich ausnehmend für Vulkane, mehr als für irgend etwas anderes, das habe mit seinen Lehrern in Deutschland zu tun und mit einem Mann in Weimar, den er verehre wie Gott. Nun stehe die krönende Unternehmung, der Chimborazo, an. Bonpland nahm einen letzten Schluck, wickelte sich fester in seine Decke und sah zu Humboldt hinüber, der, er konnte es gerade noch erkennen, mit einem Messingtrichter am Erdboden horchte.

Er habe ein Grollen gehört, rief Humboldt. Verschiebungen in der Erdkruste! Mit etwas Glück könne man auf einen Ausbruch hoffen.

Das wäre schön, sagte Bonpland, faltete den Brief, steckte ihn ein und streckte sich auf dem Boden aus. Er fühlte die Kälte der gefrorenen Erde auf seiner Wange. Ihm war, als linderte sie sein Fieber.

Wie immer schlief er gleich ein, und wie meist träumte er, daß er in Paris war, an einem Morgen im Herbst, bei sanft gegen die Scheibe trommelndem Regen. Eine Frau, die er nicht deutlich sah, fragte ihn, ob er tatsächlich geglaubt habe, durch die Tropen zu reisen, und er antwortete, nicht wirklich, und wenn, so höchstens einen Augenblick. Dann wachte er auf, weil Humboldt ihn an der Schulter rüttelte und fragte, worauf er denn warte, es sei schon vier Uhr vorbei. Bonpland stand auf, und als Humboldt sich abwandte, packte er ihn, schob ihn auf den Abgrund zu und stieß ihn mit ganzer Kraft über die

Felskante. Jemand rüttelte an seiner Schulter und fragte, worauf er denn warte, es sei vier, man müsse los. Bonpland rieb sich die Augen, klopfte den Schnee von seinen Haaren und stand auf.

Die indianischen Führer betrachteten ihn schläfrig. Humboldt reichte ihnen ein versiegeltes Kuvert. Der Abschiedsbrief an seinen Bruder. Er habe lange daran gefeilt. Falls er nicht zurückkomme, bitte er um zuverlässige Zustellung an die nächste Jesuitenmission.

Die Führer versprachen es gähnend.

Und das sei seiner, sagte Bonpland. Er sei nicht zugeklebt, sie könnten ihn ruhig lesen, und wenn sie ihn nicht zustellten, sei es ihm auch egal.

Humboldt wies die Führer an, mindestens drei Tage auf sie zu warten. Sie nickten gelangweilt und zupften ihre Wollponchos zurecht. Gewissenhaft überprüfte er Chronometer und Teleskop. Er verschränkte die Arme und blickte eine Weile starr ins Nichts. Dann, plötzlich, ging er los. Hastig griff Bonpland nach Botanisiertrommel und Stock und lief ihm nach.

Aufgeräumt wie lange nicht, erzählte Humboldt von seiner Kindheit, der Arbeit am Blitzableiter, den einsamen Streifzügen durch die Wälder, nach denen er seine ersten Käfer zu Sammlungen geordnet habe, vom Salon der Henriette Herz. Er bedauere jeden Menschen, der solche Gefühlsbildung nicht genossen habe.

Seine Gefühlsbildung, sagte Bonpland, habe mit einem Bauernmädchen aus der Nachbarschaft stattgefunden. Die habe fast alles zugelassen. Nur vor ihren Brüdern habe man sich hüten müssen.

Der Hund gehe ihm nicht aus dem Sinn, sagte Humboldt auf einmal. Noch immer habe er sich von der Schuld nicht befreien können. Er habe für das Tier doch Verantwortung gehabt!

Dieses Bauernmädchen sei erstaunlich gewesen. Noch keine vierzehn, habe sie Dinge beherrscht, man glaube es nicht.

Bei den Hunden in Havanna hätte das anders gelegen. Natürlich hätten sie ihm leid getan. Aber die Wissenschaft habe es verlangt, nun wisse man mehr über das Jagdverhalten der Krokodile. Außerdem seien es Mischlinge gewesen, unedel und ziemlich räudig.

Wo sie jetzt gingen, gab es keine Pflanzen mehr, nur braungelbe Flechten auf den aus dem Schnee ragenden Steinen. Bonpland hörte sehr laut seinen eigenen Herzschlag und das Zischen des über die Schneedecke streichenden Windes. Als ein kleiner Schmetterling vor ihm auffflog, erschrak er.

Keuchend kam Humboldt auf die Nachricht vom Sturz Urquijos zu sprechen. Eine schlimme Sache. Noch sei es ein Gerücht, aber allmählich mehrten sich die Anzeichen, daß der Minister die Gunst der Königin verloren habe. Also weitere Jahrzehnte der Sklaverei. Nach ihrer Rückkehr werde er ein paar Dinge schreiben, die diesen Leuten nicht gefallen würden.

Der Schnee wurde höher. Bonpland rutschte aus und schlitterte bergab, nach kurzem geschah Humboldt dasselbe. Um ihre aufgeschürften Hände vor der Kälte zu schützen, wickelten sie sie in Schals. Humboldt betrachtete die Ledersohlen seiner Schuhe. Nägel, sagte er nachdenklich. Durch die Sohlen nach außen getrieben. Das bräuchten sie jetzt.

Bald reichte der Schnee bis zu ihren Knien. Plötzlich schloß Nebel sie ein. Humboldt maß die Inklination der Magnetnadel und bestimmte ihre Höhe mit dem Barometer. Wenn er sich nicht irre, führe der kürzeste Gipfelweg nordöstlich über den abgeflachten Hang, dann etwas nach links, dann steil aufwärts.

Nordöstlich, wiederholte Bonpland. In dem Nebel wisse man nicht einmal, wo die Spitze sei und wo das Tal!

Dort, sagte Humboldt und zeigte mit Entschiedenheit irgendwohin.

Vorgebeugt stapften sie an zu Säulen gespaltenen Felsmauern entlang. Hoch droben, für Momente erkennbar, dann wieder verschwunden, führte ein verschneiter Grat zum Gipfel. Instinktiv neigten sie sich beim Gehen nach links, wo der Abhang schräg und frostverglast abfiel. Zu ihrer Rechten öffnete sich senkrecht die Schlucht. Zunächst war Bonpland der dunkel gekleidete Herr, der mit traurigem Gesicht an ihrer Seite stapfte, gar nicht aufgefallen. Erst als er sich in eine geometrische Figur verwandelte, eine Art schwach pulsierende Bienenwabe, wurde es unangenehm.

Dort links, fragte er. Ob da wohl etwas sei?

Humboldt warf einen kurzen Blick zur Seite. Nein.

Gut, sagte Bonpland.

Auf einer schmalen Plattform machten sie Pause, weil Bonplands Nase blutete. Beunruhigt schielte er nach der sehr langsam auf sie zuschwebenden Wabe. Er hustete und nahm einen Schluck aus seiner Messingflasche. Als das Bluten nachließ und sie weiterkonnten, war er erleichtert. Humboldts Uhr sagte ihnen, daß sie erst wenige Stunden unterwegs waren. Der Nebel war so dicht, daß es keinen Unterschied zwischen oben und unten gab: Wohin man sah, dasselbe durch nichts unterbrochene Weiß.

Jetzt reichte ihnen Schnee bis zu den Hüften. Humboldt stieß einen Schrei aus und verschwand in einer Verwehung. Bonpland grub mit den Händen, bekam seinen Gehrock zu fassen und riß ihn heraus. Humboldt klopfte den Schnee von seinen Kleidern und überzeugte sich, daß kein Instrument beschädigt war. Auf einem Steinvorsprung warteten sie, bis der Nebel dünner wurde und sich mit Helligkeit vollsog. Bald würde die Sonne durchbrechen.

Alter Freund, sagte Humboldt. Er wolle nicht sentimental werden, aber nach dem langen Weg hinter ihnen, in diesem großen Moment, müsse er doch einmal folgendes sagen.

Bonpland lauschte. Aber nichts kam mehr. Humboldt schien es schon wieder vergessen zu haben.

Er wolle kein Spielverderber sein, sagte Bonpland, aber etwas stimme nicht. Dort rechts von ihnen, nein, etwas weiter, nein, links, richtig, dort. Das Ding, das wie ein Stern aus Watte aussehe. Oder wie ein Haus. Er gehe wohl recht in der Annahme, daß das nur für ihn da sei?

Humboldt nickte.

Bonpland fragte, ob er sich Sorgen machen müsse.

Ansichtssache, sagte Humboldt. Es liege wohl am schwächeren Druck und der veränderten Zusammensetzung der Luft. Böse Miasmen könne man ausschließen. Übrigens sei nicht er hier der Arzt.

Sondern wer?

Berückend, sagte Humboldt, wie stetig die Dichte des Luftmeers nach oben hin abnehme. Wenn man es hochrechne, könne man ableiten, an welchem Punkt das Nichts beginne. Oder wo, des sinkenden Siedepunkts wegen, das Blut in den Adern anfange zu kochen. Was ihn selbst betreffe, so sehe er zum Beispiel seit einer ganzen Weile den verlorenen Hund. Er sehe zerzaust aus, und ihm fehle ein Bein und ein Ohr. Außerdem sinke er nicht im Schnee ein, und seine Augen seien sehr schwarz und tot. Es sei kein schöner Anblick, er müsse sich arg zusammennehmen, um nicht zu schreien. Und dauernd beschäftige ihn das Versäumnis, daß sie dem Tier keinen Namen gegeben hätten. Aber es sei nicht nötig gewesen, sie hätten doch nur diesen Hund gehabt, oder?

Er wisse von keinem anderen, sagte Bonpland.

Humboldt nickte beruhigt, sie stiegen weiter. Wegen der Felsspalten unter dem Schnee mußten sie langsam gehen. Einmal lichtete sich für Sekunden der Nebel, gab eine Schlucht neben ihnen frei und verhüllte sie wieder. Dieses Zahnfleischbluten, sagte Humboldt vorwurfsvoll zu sich selbst, das sei doch kein Zustand, schämen müsse man sich!

Auch Bonplands Nase blutete wieder, und in seinen Händen war trotz der Umwicklung kein Gefühl mehr. Er bat um Entschuldigung, sank auf die Knie und übergab sich.

Vorsichtig kletterten sie eine Steilwand empor. Bonpland fiel der Tag ein, als sie im Regen auf der Orinokoinsel festgesessen hatten. Wie waren sie eigentlich von dort weggekommen? Er konnte sich nicht erinnern. Gerade als er Humboldt fragen wollte, löste sich unter dessen Schuh ein Stein und traf ihn an der Schulter. Es tat so weh, daß er fast von der Wand gestürzt wäre. Er kniff die Augen zu und rieb sich Schnee ins Gesicht. Danach war ihm besser, obgleich die pulsierende Wabe noch immer neben ihm hing und, unangenehmer noch, die Steilwand jedesmal, wenn er an ihr Halt suchte, ein wenig zurückwich. Hin und wieder blickten ihn aus dem Fels Gesichter an, verwittert, mit abfälligem oder gelangweiltem Ausdruck. Zum Glück machte der Nebel es unmöglich, in die Tiefe zu sehen.

Damals auf der Insel, rief er. Wie seien sie eigentlich weggekommen?

Die Antwort blieb so lange aus, daß Bonpland die Frage längst wieder vergessen hatte, als Humboldt endlich den Kopf zu ihm drehte. Er wisse es beim besten Willen nicht. Wie denn?

Oberhalb der Steilwand zerriß der Nebel. Sie sahen einige Fetzen blauen Himmels und den Kegel der Bergspitze. Die kalte Luft war sehr dünn: So tief man auch einatmete, man bekam kaum etwas in die Lunge. Bonpland versuchte seinen Puls zu messen, aber er verzählte sich immer wieder, und schließlich gab er es auf. Sie betraten einen schmalen Steg, der bedeckt von Schnee über eine Felsspalte führte.

Voranschauen, sagte Humboldt. Nie hinunter!

Sofort sah Bonpland hinab. Ihm war, als verschöbe sich die Perspektive, der Boden der Schlucht schoß auf ihn zu, der Steg schnellte nach unten. Erschrocken klammerte er sich an seinen Stock. Die Brücke, stotterte er.

Weitergehen, sagte Humboldt.

Kein Fels, sagte Bonpland.

Humboldt blieb stehen. Es stimmte: Unter ihnen war kein Gestein. Sie standen auf einem frei hängenden Bogen aus Schnee. Er starrte hinab.

Nicht nachdenken, sagte Bonpland. Weiter.

Weiter, wiederholte Humboldt, ohne sich zu rühren.

Einfach weiter, sagte Bonpland.

Humboldt ging wieder los.

Bonpland setzte einen Fuß vor den anderen. Scheinbar stundenlang hörte er den Schnee knirschen und wußte, daß zwischen ihm und dem Abgrund nur Wasserkristalle waren. Bis zum Ende seines Lebens, mittellos und gefangen in der Einsamkeit Paraguays, konnte er sich die Bilder bis ins kleinste zurückrufen: die zerfasernden Dunstwölkchen, die helle Luft, die Schlucht am unteren Rand seines Blickfelds. Er versuchte ein Lied zu summen, aber die Stimme, die er hörte, war nicht seine, und so ließ er es. Schlucht, Gipfel, Himmel und knirschender Schnee, und sie waren noch immer nicht angelangt. Und immer noch nicht. Bis er irgendwann doch, Humboldt wartete schon und streckte ihm die Hand entgegen, die andere Seite erreichte.

Bonpland, sagte Humboldt. Er sah klein, grau und plötzlich alt aus.

Humboldt, sagte Bonpland.

Eine Weile standen sie schweigend nebeneinander. Bonpland drückte das Taschentuch gegen seine blutende Nase. Allmählich, erst durchscheinend, dann immer deutlicher, kehrte die pulsierende Wabe zurück. Die Schneebrücke war zehn, höchstens fünfzehn Fuß lang, der Weg darüber konnte nur ein paar Sekunden gedauert haben.

Mit tastenden Schritten gingen sie den Felskamm entlang. Bonpland stellte fest, daß er eigentlich aus drei Personen bestand: Einem, der ging, einem, der dem Gehenden zusah, und einem, der alles unablässig in einer niemandem verständlichen Sprache kommentierte. Versuchsweise gab er sich eine Ohrfeige. Das half ein wenig, und für einige Minuten dachte er klarer. Nur änderte es nichts daran, daß dort, wo der Himmel sein sollte, jetzt der Erdboden hing und sie verkehrt herum, also mit dem Kopf nach unten, abwärts stiegen.

Aber es ergebe auch Sinn, sagte Bonpland laut. Schließlich seien sie auf der anderen Seite der Erde.

Humboldts Antwort konnte er nicht verstehen, sie wurde vom Gemurmel des kommentierenden Begleiters übertönt. Bonpland begann zu singen. Erst fiel der eine, dann der andere Begleiter ein. Bonpland hatte das Lied in der Schule gelernt, ziemlich sicher kannte es auf dieser Hemisphäre keiner. Ein Beweis, daß die zwei neben ihm wirklich waren und keine Hochstapler, denn wer hätte es ihnen beibringen sollen? Zwar war an diesem Gedanken etwas nicht logisch, aber er kam nicht darauf, was. Und am Ende war es auch gleichgültig, da er ja ohnehin keine Gewähr hatte, daß er es war, der dachte, und nicht einer der zwei anderen. Sein Atem ging kurz und laut, sein Herz klopfte.

Humboldt blieb abrupt stehen.

Was denn, rief Bonpland wütend.

Humboldt fragte, ob er das auch sehe.

Na aber sicher doch, sagte Bonpland, ohne zu wissen, wovon die Rede war.

Er müsse das fragen, sagte Humboldt. Er könne seinen Sinnen nicht trauen. Zudem mische der Hund sich ständig ein.

Den Hund, sagte Bonpland, habe er nie leiden können.

Diese Schlucht hier, sagte Humboldt, sei doch eine Schlucht, oder?

Bonpland sah hinab. Vor ihren Füßen fiel ein Spalt wohl vierhundert Fuß in die Tiefe. Drüben ging es weiter, und von dort schien der Gipfel nicht mehr weit.

Da kämen sie nie hinüber!

Bonpland erschrak, weil nicht er, sondern der Mann rechts von ihm das gesagt hatte. Damit es trotzdem seine Gültigkeit hatte, mußte er es wiederholen. Da kämen sie nie hinüber!

Niemals, bestätigte der Mann zu seiner Linken. Es sei denn, sie flögen.

Langsam, wie gegen einen Widerstand, ging Humboldt in die Knie und öffnete den Behälter mit dem Barometer. Seine Hände zitterten so stark, daß es fast heruntergefallen wäre. Blut lief nun auch ihm aus der Nase und tropfte auf seine Jacke. Jetzt keinen Fehler machen, sagte er beschwörend.

Sehr gern, antwortete Bonpland.

Irgendwie brachte es Humboldt fertig, ein Feuer anzuzünden und einen kleinen Topf mit Wasser zu erhitzen. Er könne sich nicht auf das Barometer verlassen, erklärte er, und auch nicht auf seinen Kopf, er müsse die Höhe nach dem Siedepunkt bestimmen. Seine Augen waren schmal, seine Lippen zitterten von der Anstrengung der Konzentration. Als das Wasser kochte, maß er die Temperatur und las die Uhr ab. Dann holte er den Schreibblock hervor. Er zerknüllte ein halbes Dutzend Blätter, bis seine Hand ihm soweit gehorchte, daß er Zahlen schreiben konnte.

Bonpland sah mißtrauisch in die Schlucht. Der Himmel hing tief unter ihnen und war aufgerauht. Man konnte sich einigermaßen daran gewöhnen, auf dem Kopf zu stehen. Nicht allerdings daran, daß Humboldt so langsam rechnete. Bonpland fragte, ob das heute noch etwas werde.

Verzeihung, sagte Humboldt. Ihm falle es schwer, sich zu sammeln. Ob bitte irgendwer den Hund an die Leine nehmen könne!

Den Hund, sagte Bonpland, habe er nie leiden können. Sofort schämte er sich, weil er das schon gesagt hatte. Es war ihm so peinlich, daß ihm schlecht wurde. Er beugte sich vornüber und übergab sich erneut.

Fertig, fragte Humboldt. Dann dürfe er ihm nämlich mitteilen, daß sie sich auf einer Höhe von achtzehntausendsechshundertneunzig Fuß befänden.

Ja halleluja, sagte Bonpland.

Das mache sie zu den Menschen, die am weitesten nach oben vorgedrungen seien. Keiner habe sich je so weit von der Meereshöhe entfernt.

Aber der Gipfel?

Mit oder ohne Gipfel, es sei der Weltrekord.

Er wolle auf den Gipfel, sagte Bonpland.

Ob er denn nicht die Schlucht sehe, schrie Humboldt. Sie seien beide nicht mehr bei Sinnen. Wenn sie jetzt nicht abstiegen, kämen sie nie zurück.

Man könnte, sagte Bonpland, auch einfach behaupten, man wäre oben gewesen.

Humboldt sagte, er wolle das nicht gehört haben.

Er habe das auch nicht gesagt. Das sei der andere gewesen!

Überprüfen könne es ja keiner, sagte Humboldt nachdenklich.

Eben, sagte Bonpland.

Er habe das nicht gesagt, rief Humboldt.

Was gesagt, fragte Bonpland.

Sie sahen einander ratlos an.

Die Höhe sei notiert, sagte Humboldt dann. Die Gesteinsproben gesammelt. Jetzt schnell hinunter!

Der Abstieg dauerte lange. Sie mußten die Schlucht, über die sie vorhin die Schneebrücke gebracht hatte, in weitem Bogen umgehen. Doch die Sicht war jetzt klar, und Humboldt fand den Weg ohne Schwierigkeiten. Bonpland stolperte ihm nach. Seine Knie kamen ihm unverläßlich vor. Immer wieder war ihm, als ginge er in fließendem Wasser, und eine optische Brechung verschob seine Beine auf das lästigste. Auch verhielt der Stock in seiner Hand sich ungebührlich: Er schwang aus, stach in den Schnee, betastete Felsbrocken, ohne daß Bonpland etwas anderes tun konnte, als ihm zu folgen. Die Sonne stand bereits niedrig. Humboldt rutschte ein Schotterfeld hinab. Seine Hände und sein Gesicht waren aufgeschürft, sein Mantel zerrissen, doch das Barometer war ganz geblieben.

Der Schmerz habe auch sein Gutes, sagte er mit zusammengebissenen Zähnen. Für den Moment sehe er wieder klar. Der Hund sei verschwunden.

Den Hund, sagte Bonpland, habe er wirklich nie leiden können.

Sie müßten es heute noch schaffen, sagte Humboldt. Die Nacht werde kalt. Sie seien verwirrt. Sie würden nicht überleben. Er spuckte Blut. Um den Hund tue es ihm leid. Den habe er geliebt.

Da sie gerade aufrichtig seien, sagte Bonpland, und man morgen alles auf die Höhenkrankheit schieben könne, wolle er wissen, was Humboldt dort auf der Schneebrücke gedacht habe.

Er habe sich das Nichtdenken befohlen, sagte Humboldt. Also habe er nichts gedacht.

Wirklich gar nichts?

Nicht das geringste.

Bonpland blinzelte in Richtung der allmählich verblassenden Bienenwabe. Zwei seiner Begleiter waren davongegangen. Einen mußte er noch loswerden. Vielleicht war das auch gar nicht nötig. Er hatte den Verdacht, daß er es selbst war.

Sie beide, sagte Humboldt, hätten den höchsten Berg der Welt bestiegen. Das werde bleiben, was auch immer in ihrem Leben noch geschehe.

Nicht ganz bestiegen, sagte Bonpland.

Unsinn!

Wer einen Berg besteige, erreiche die Spitze. Wer die Spitze nicht erreiche, habe den Berg nicht bestiegen.

Humboldt betrachtete schweigend seine blutenden Hände.

Dort auf der Brücke, sagte Bonpland, habe er auf einmal bedauert, als zweiter gehen zu müssen.

Das sei nur menschlich, sagte Humboldt.

Aber nicht bloß, weil der erste früher in Sicherheit sei. Ihm seien seltsame Vorstellungen gekommen. Wäre er der erste gewesen, etwas in ihm hätte gern der Brücke, sobald er hinüber gewesen wäre, einen Tritt versetzt. Der Wunsch sei stark gewesen.

Humboldt antwortete nicht. Er schien in eigene Gedanken versunken.

Bonplands Kopf tat weh, auch fühlte er wieder sein Fieber. Er war todmüde. Es würde lange dauern, bis er sich von diesem Tag erholt hätte. Wer weit reise, sagte er, erfahre viele Dinge. Ein paar davon über sich selbst.

Humboldt bat um Entschuldigung. Er habe leider nichts verstanden. Der Wind!

Bonpland schwieg ein paar Sekunden. Nichts Wichtiges, sagte er dankbar. Geschwätz, Gerede.

Na dann, sagte Humboldt mit unbewegtem Gesicht. Kein Grund zum Trödeln!

Zwei Stunden später stießen sie auf ihre wartenden Führer. Humboldt verlangte seinen Brief zurück und zerriß ihn sofort. In diesen Dingen dürfe man nicht nachlässig sein. Nichts sei peinlicher als ein Abschiedsschreiben, dessen Verfasser noch lebe.

Ihm sei es egal, sagte Bonpland und hielt sich den schmerzenden Kopf. Sie sollten den seinen behalten oder wegwerfen, sie könnten ihn auch abschicken.

In der Nacht schrieb Humboldt, zum Schutz gegen das Schneetreiben zusammengekauert unter einer Decke, zwei Dutzend Briefe, in denen er Europa die Mitteilung machte, daß von allen Sterblichen er am höchsten gelangt sei. Sorgfältig versiegelte er jeden einzelnen. Dann erst schwanden ihm die Sinne.

Der
Garten

Am späten Abend klopfte der Professor an die Tür des Herrenhauses. Ein junger, hagerer Diener öffnete und sagte, Graf von der Ohe zur Ohe empfange nicht.

Gauß bat ihn, den Namen zu wiederholen.

Der Diener tat es: Graf Hinrich von der Ohe zur Ohe.

Gauß mußte lachen.

Der Diener betrachtete ihn mit einem Ausdruck, als wäre er in einen Kuhfladen getreten. Die Familie des gnädigen Herrn heiße seit tausend Jahren so.

Deutschland sei schon ein spaßiger Fleck, sagte Gauß. Wie auch immer, er komme wegen der Landvermessung. Hindernisse seien wegzuräumen, der Staat müsse Herrn … Er lächelte. Der Staat müsse dem Herrn Grafen einige Bäume und einen wertlosen Schuppen abkaufen. Eine reine Formsache, die man schnell hinter sich bringen könne.

Vielleicht könne man, sagte der Diener. Aber gewiß nicht mehr heute abend.

Gauß blickte auf seine schmutzigen Schuhe. Er hatte es befürchtet. Gut, dann übernachte er hier, man solle ihm ein Zimmer richten!

Er glaube nicht, daß Platz sei, sagte der Diener.

Gauß nahm seine Samtkappe ab, wischte sich über die

Stirn und fingerte an seinem Kragen. Er fühlte sich unwohl und verschwitzt. Sein Magen schmerzte. Dies sei ein Mißverständnis. Er komme nicht als Bittsteller. Er sei Leiter der staatlichen Meßkommission, und wenn man ihn von der Schwelle weise, kehre er in Begleitung wieder. Ob man ihn verstehe?

Der Diener trat einen Schritt zurück.

Ob man ihn verstehe?

Jawohl, sagte der Diener.

Jawohl, Herr Professor!

Herr Professor, wiederholte der Diener.

Und jetzt wünsche er den Grafen zu sehen.

Der Diener runzelte die Brauen so stark, daß seine ganze Stirn zerknitterte. Er habe sich offenbar nicht klar ausgedrückt. Der gnädige Herr habe sich schon zurückgezogen. Er schlafe!

Nur einen Moment, sagte Gauß.

Der Diener schüttelte den Kopf.

Schlaf sei kein Schicksal. Wer schlafe, den könne man wecken. Je länger er hier stehen müsse, desto später komme der Graf wieder in die Federn, und seine eigene Laune bessere es auch nicht gerade. Er sei hundemüde.

Mit heiserer Stimme bat der Diener, ihm zu folgen.

Er trug den Kerzenhalter so schnell voran, als hoffte er, Gauß davonlaufen zu können. Schwer wäre es nicht gewesen: Gauß' Füße schmerzten, das Leder seiner Schuhe war zu hart, unter seinem Wollhemd juckte es, und ein Brennen im Nacken zeigte ihm, daß er sich einen neuen Sonnenbrand geholt hatte. Sie gingen durch einen niedrigen Gang mit bläßlichen Tapeten. Eine Magd mit hübscher Figur trug einen Nachttopf vorbei,

Gauß sah ihr wehmütig nach. Sie kamen eine Treppe hinunter, dann wieder hinauf, dann wieder hinunter. Die Anlage sollte wohl Besucher verwirren, und vermutlich funktionierte das bei Leuten ohne geometrische Vorstellungskraft ganz gut. Gauß überschlug, daß sie jetzt etwa zwölf Fuß über und vierzig Fuß westlich vom Haupttor waren und sich in südwestlicher Richtung bewegten. Der Diener klopfte an eine Tür, öffnete, sagte ein paar Worte ins Innere und ließ Gauß eintreten. In einem Schaukelstuhl saß ein alter Mann im Schlafrock mit Holzpantoffeln. Er war groß, hatte hohle Wangen und stechende Augen.

Von der Ohe zur Ohe, angenehm. Worüber lachen Sie?

Er lache nicht, sagte Gauß. Er sei der staatliche Landvermesser. Er lache nie und habe sich bloß vorstellen wollen und für die Gastfreundschaft bedanken.

Der Graf fragte, ob er deshalb geweckt worden sei.

Genau deshalb, sagte Gauß. Jetzt wünsche er eine gute Nacht! Zufrieden folgte er dem Diener eine weitere Treppe hinunter und einen besonders stickigen Gang entlang. Diese Leute würden ihn nie wieder wie einen Domestiken behandeln!

Sein Triumph hielt nicht lange an. Der Diener brachte ihn in ein fürchterliches Loch. Es stank, auf dem Boden lagen Reste von fauligem Heu, ein Holzbrett diente als Bett, zum Waschen war ein rostiger Eimer mit nicht ganz sauberem Wasser gefüllt, ein Abort nicht zu sehen.

Er habe ja schon einiges erlebt, sagte Gauß. Vor zwei Wochen habe ein Bauer ihm seine Hundehütte angeboten. Aber die sei schöner gewesen als das hier.

Das möge sein, sagte der Diener, bereits im Gehen. Aber etwas anderes gebe es nicht.

Stöhnend zwängte sich Gauß auf die Holzpritsche. Das Kissen war hart und roch nicht gut. Er legte seine Mütze darauf, aber das half nicht. Lange konnte er nicht einschlafen. Sein Rücken tat weh, die Luft war schlecht, er fürchtete sich vor Geistern, und wie jeden Abend fehlte ihm Johanna. Da war man einen Moment nicht aufmerksam gewesen, und schon hatte man ein Amt, zog durch die Wälder und verhandelte mit Bauern um ihre schiefen Bäume. Heute nachmittag erst hatte er für eine alte Birke das Fünffache ihres Wertes bezahlt. Es hatte eine Ewigkeit gedauert, bis seine Helfer endlich den störrischen Stamm durchgesägt hatten und er Eugens Leuchtsignal mit dem Theodoliten anpeilen konnte. Natürlich hatte der Esel zunächst in die falsche Richtung geblinkt! Morgen würden sie sich treffen, und er mußte sich darum kümmern, wie man von dort in höchstens zwei Geraden zum nächsten Knotenpunkt kam. Das war jetzt sein Beruf. Das astronomische Buch war längst erschienen, von der Universität war er beurlaubt. Immerhin war die Arbeit gut bezahlt, und wenn man nicht dumm war, konnte man auf verschiedene Arten noch ein wenig nebenbei verdienen. Über diesen Gedanken schlief er ein.

Am frühen Morgen weckte ihn ein quälender Traum. Er sah sich selbst auf der Pritsche liegen und davon träumen, daß er auf der Pritsche lag und davon träumte, auf der Pritsche zu liegen und zu träumen. Beklommen setzte er sich auf und wußte sofort, daß das Erwachen noch vor ihm lag. Dann wechselte er in wenigen Sekunden von einer Wirklichkeit in die nächste und wieder nächste, und keine hatte etwas Besseres zu bieten als dasselbe verdreckte Zimmer mit Heu auf dem Boden und einem Wassereimer in der Ecke. Einmal stand eine hohe, verschattete Gestalt in der Tür, ein andermal lag ein toter Hund in der Ecke, dann hatte sich ein Kind mit einer hölzernen Maske hereinverirrt, aber bevor er es deutlich sehen konnte, war es schon wieder weg. Als er schließlich erschöpft auf dem Bettrand saß und in den sonnigen Morgenhimmel sah, konnte er das Gefühl nicht loswerden, daß er jene Wirklichkeit, in die er gehörte, um einen Schritt verfehlt hatte. Er spritzte sich kaltes Wasser ins Gesicht und dachte an Eugen, den er am Nachmittag treffen würde. Üblicherweise besserte es seine Laune, wenn er ihn anschreien konnte. Er kleidete sich an und ging gähnend hinaus.

Er kam durch Zimmerfluchten mit von der Zeit recht mitgenommenen Gemälden: ernste Männer, ungelenk gemalt, die Farbe zu dick aufgetragen. Möbel aus fleckigem Holz, viel Staub. Nachdenklich blieb er vor einem Spiegel stehen. Ihm gefiel nicht, was er sah. Er öffnete einige Schubladen, sie waren leer. Erleichtert fand er eine Gittertür in den Garten.

Dieser war mit erstaunlicher Sorgfalt angelegt: Palmen, Orchideen, Orangenbäume, bizarr geformte Kakteen und allerlei Pflanzen, die Gauß noch nicht einmal auf Bildern gesehen hatte. Kies knirschte unter seinen Schuhen, eine Liane streifte ihm die Mütze vom Kopf. Es duftete süßlich, zerplatzte Früchte lagen auf dem Boden. Der Bewuchs wurde dichter, der Weg schmaler, er mußte geduckt gehen. Was für eine Verschwendung! Er hoffte nur, daß es hier nicht auch noch fremdartige Insekten gab. Als er sich zwischen zwei Palmenstämmen hindurchschob, blieb er mit der Jacke hängen und wäre fast in einen Dornenstrauch gestolpert. Dann stand er auf einer Wiese. In einem Lehnstuhl, noch immer im Schlafrock, mit wirrem Haar und nackten Füßen, saß der Graf und trank Tee.

Beeindruckend, sagte Gauß.

Früher sei es viel schöner gewesen, sagte der Graf. Gartenpersonal sei heute teuer, und die französische Einquartierung habe viel zerstört. Erst seit kurzem sei er wieder hier. Er sei in der Schweiz gewesen, ein Ausgewanderter, jetzt hätten die Dinge sich vorübergehend geändert. Ob der Herr Geodät sich nicht setzen wolle?

Gauß sah sich um. Es gab nur einen Stuhl, und in dem saß der Graf. Nicht unbedingt, sagte er zögernd.

Ja nun, sagte der Graf. Dann könne man gleich verhandeln.

Eine bloße Formsache, sagte Gauß. Um freie Sicht auf den Scharnhorster Meßpunkt zu haben, müsse er drei Bäume des gräflichen Waldes fällen und einen offenbar seit Jahren leerstehenden Schuppen abreißen.

Scharnhorst? So weit könne doch kein Mensch sehen!

Doch, sagte Gauß, sofern man gebündeltes Licht verwende. Er habe ein Instrument entwickelt, welches Blinksignale über ungeahnt weite Strecken senden könne. Zum erstenmal sei damit eine Verständigung zwischen Erde und Mond möglich.

Erde und Mond, wiederholte der Graf.

Gauß nickte lächelnd. Er sah genau, was sich jetzt im Kopf des alten Dummkopfs tat.

Was Bäume und Schuppen angehe, sagte der Graf, so

handle es sich um eine Fehleinschätzung. Der Schuppen sei bitternotwendig. Die Bäume seien wertvoll.

Gauß seufzte. Er hätte sich gern gesetzt. Wie viele solcher Gespräche hatte er schon führen müssen? Natürlich, sagte er müde, aber man solle nicht übertreiben. Er wisse gut, was ein bißchen Holz und eine Hütte wert seien. Gerade in dieser Zeit dürfe man den Staat nicht durch Unmäßigkeit belasten.

Patriotismus, sagte der Graf. Interessant. Besonders, wenn ihn jemand einfordere, der bis vor kurzem französischer Beamter gewesen sei.

Gauß starrte ihn an.

Der Graf nippte an seinem Tee und bat, ihn nicht falsch zu verstehen. Er mache niemandem Vorwürfe. Es seien schlimme Zeiten gewesen, und jeder habe sich nach seinen Möglichkeiten verhalten.

Seinetwegen, sagte Gauß, habe Napoleon auf den Beschuß Göttingens verzichtet!

Der Graf nickte. Er sah nicht überrascht aus. Nicht jeder habe das Glück gehabt, vom Korsen geschätzt zu werden.

Und kaum einer die Verdienste, sagte Gauß.

Der Graf blickte versonnen in seine Tasse. Im Geschäftlichen jedenfalls scheine der Herr Geodät nicht so unerfahren, wie er sich gebe.

Gauß fragte, wie er das verstehen solle.

Er könne doch davon ausgehen, daß der Herr Geodät ihn in landesüblicher Konventionalmünze bezahlen werde?

Selbstverständlich, sagte Gauß.

Dann frage er sich aber, ob dem Herrn Geodät diese

Ausgaben vom Staat nicht in Gold erstattet würden. Falls dem nämlich so sei, gebe es einen hübschen Kursgewinn. Um das zu sehen, müsse man kein Mathematiker sein.

Gauß lief rot an.

Jedenfalls nicht der sogenannte Fürst der Mathematiker, sagte der Graf, der so etwas wohl kaum einfach außer acht lasse.

Gauß faltete die Hände auf dem Rücken und betrachtete die auf den Palmenstämmen wachsenden Orchideen. Nichts davon sei gegen das Gesetz, sagte er mit gepreßter Stimme.

Kein Zweifel, sagte der Graf. Er sei sicher, der Herr Geodät habe das geprüft. Übrigens habe er große Bewunderung für die Vermessungsarbeit. Es sei eine wunderliche Beschäftigung, monatelang mit Instrumenten herumzuziehen.

Nur wenn man es in Deutschland tue. Wer das gleiche in den Kordilleren unternehme, werde als Entdecker gefeiert.

Der Graf wiegte den Kopf. Hart sei es wohl dennoch, zumal wenn man daheim Familie habe. Der Herr Geodät habe doch Familie? Eine gute Frau?

Gauß nickte. Die Sonne kam ihm zu hell vor, und die Pflanzen beunruhigten ihn. Er fragte, ob sie über den Kauf der Bäume sprechen könnten. Er müsse weiter, seine Zeit sei knapp!

So knapp wohl auch nicht, sagte der Graf. Wenn man Verfasser der *Disquisitiones Arithmeticae* sei, so müsse man es eigentlich nie wieder eilig haben.

Gauß sah den Grafen verblüfft an.

Bitte keine unnötige Bescheidenheit, sagte der Graf.

Der Abschnitt über die Kreisteilung gehöre zum Bemerkenswertesten, was er je gelesen habe. Er habe da Gedanken gefunden, von denen sogar er noch habe lernen können.

Gauß lachte auf.

Doch doch, sagte der Graf, er meine es ernst.

Es erstaune ihn, sagte Gauß, hier einen Mann mit solchen Interessen zu treffen.

Er solle lieber von Wissen sprechen, sagte der Graf. Seine Interessen seien sehr beschränkt. Doch er habe es immer für nötig gehalten, seine Kenntnisse weit über die Grenzen seiner Anteilnahme hinaus auszudehnen. Bei der Gelegenheit: Er habe gehört, der Herr Geodät wolle ihm etwas sagen.

Bitte?

Es sei schon eine Weile her. Beschwerden, Ärgernisse. Eine Anklage sogar.

Gauß rieb sich die Stirn. Ihm wurde allmählich heiß. Er hatte keine Ahnung, wovon dieser Mann sprach.

Bestimmt nicht?

Gauß sah ihn verständnislos an.

Dann eben nicht, sagte der Graf. Und was die Bäume anbelange, die gebe er gratis.

Und den Schuppen?

Den auch.

Aber warum, fragte Gauß und erschrak über sich selbst. Was für ein dummer Fehler!

Brauche man immer Gründe? Aus Liebe zum Staat, wie sie einem Bürger wohl anstehe. Aus Wertschätzung für den Herrn Geodäten.

Gauß bedankte sich mit einer Verbeugung. Er müsse

jetzt aufbrechen, sein nichtsnutziger Sohn warte, er habe heute noch die ganze Länge bis Kalbsloh abzuschreiten.

Der Graf erwiderte den Gruß mit einer Flatterbewegung seiner dünnen Hand.

Auf dem Weg zum Herrenhaus schien es Gauß einen Moment, als hätte er die Orientierung verloren. Er konzentrierte sich, dann ging er rechts, links und rechts, durch die Gittertür, wieder zweimal rechts, durch noch eine Tür und stand in der Eingangshalle vom Vortag. Der Diener wartete schon, öffnete die Haustür und entschuldigte sich für das Zimmer. Er habe nicht gewußt, um wen es sich gehandelt habe. Es sei nur die Reiterkammer gewesen, wo man Gesindel und Herumtreiber unterbringe. Droben sei es gar nicht häßlich. Man habe Spiegel und Waschbecken und sogar Bettzeug.

Gesindel und Herumtreiber, wiederholte Gauß.

Ja, sagte der Diener mit unbewegtem Gesicht. Abschaum und niederes Gezücht. Und er schloß sanft die Tür.

Gauß atmete tief ein. Er war erleichtert, daß er hinaus war. Er mußte schnell weg, bevor dieser Verrückte seine Zusage bereute. Der hatte also die *Disquisitiones* gelesen! Er hatte sich noch immer nicht ans Berühmtsein gewöhnt. Selbst damals, als in der schlimmsten Kriegszeit ein Adjutant Napoleons Grüße überbracht hatte, hatte er es für ein Mißverständnis gehalten. Womöglich war es auch eines gewesen; er würde es nie erfahren. Schnellen Schrittes ging er den Hang hinunter in den Wald.

Ärgerlicherweise versteckten sich die gestern markierten Bäume auf das geschickteste. Es war schwül, er schwitzte, und es gab zu viele Fliegen. Auf jedem Baum, der weg mußte, hatte er ein Kreidekreuz angebracht. Jetzt mußte er ein zweites darüber malen, als Zeichen, daß die Genehmigung zum Fällen vorlag. Eugen hatte ihn kürzlich gefragt, ob sie ihm nicht leid täten, diese Bäume seien so alt und hoch, sie spendeten so viel Schatten und hätten so lange gelebt. Der Junge war zugleich gefühlig und begriffsstutzig. Ein Jammer: Er war so fest entschlossen gewesen, die Begabungen seiner Kinder zu nähren, ihnen das Lernen leicht zu machen und alles zu fördern, was an ihnen außergewöhnlich war. Aber dann war nichts an ihnen außergewöhnlich gewesen. Sie waren nicht einmal besonders intelligent. Joseph machte sich ganz gut als Offiziersanwärter, doch der war ja auch von Johanna. Wilhelmine war immerhin gehorsam und hielt das Haus sauber. Aber Eugen?

Endlich fand er den Schuppen und konnte ihn markieren. Vermutlich würde es Tage dauern, bis die Helfer ihn abgerissen hätten. Dann würde er den Winkel zur Basislinie bestimmen können, und das Netz wäre um ein weiteres Dreieck vergrößert. So mußte er sich Schritt für Schritt hinaufarbeiten, bis zur dänischen Grenze.

Bald würde all das eine Kleinigkeit sein. Man würde in Ballons schweben und die Entfernungen auf magnetischen Skalen ablesen. Man würde galvanische Signale von einem Meßpunkt zum nächsten schicken und die Distanz am Abfallen der elektrischen Intensität erkennen. Aber ihm half das nicht, er mußte es jetzt tun, mit Maßband, Sextant und Theodolit, in lehmigen Stiefeln, mußte dazu noch Methoden finden, auf dem Weg reiner Mathematik die Ungenauigkeiten der Messung auszugleichen: Winzige Fehler addierten sich jedesmal zur

Katastrophe. Noch nie hatte es eine genaue Karte dieser oder irgendeiner Gegend gegeben.

Seine Nase juckte, eine Mücke hatte mitten hineingestochen. Er wischte sich den Schweiß ab. Er dachte an Humboldts Bericht über die Moskitos am Orinoko: Menschen und Insekten konnten nicht auf Dauer zusammenleben, nicht für immer, nicht in alle Zukunft. Erst letzte Woche war Eugen von einer Hornisse gestochen worden. Angeblich kamen auf jeden Menschen eine Million Insekten. Selbst mit viel Glück und Geschick konnte man die nicht alle ausrotten. Er setzte sich auf einen Baumstumpf, holte ein hartes Stück Brot aus der Tasche und biß vorsichtig hinein. Sekunden später schwirrten die ersten Wespen um seinen Kopf. Nüchtern betrachtet mußte man annehmen, daß die Insekten gewinnen würden.

Er dachte an seine Frau Minna. Er hatte sie nie belogen. Zuerst hatte er überlegt, Nina zu heiraten, aber in einem langen Brief hatte ihn Bartels überzeugt, daß er das nicht tun dürfe. Also hatte er Minna erklärt, daß er jemanden für die Kinder brauche und für den Haushalt und seine Mutter, daß er nun einmal nicht allein leben könne, und immerhin sei sie Johannas beste Freundin gewesen. Ihre Verlobung mit irgendeinem Schafskopf war erst kurz zuvor gelöst worden, sie war nicht mehr jung, ihre Chancen auf Heirat standen schlecht. Sie hatte verschämt gekichert, war hinausgegangen und wieder zurückgekommen und hatte an ihrem Kleid gezupft. Dann hatte sie ein wenig geweint und angenommen. Er dachte an ihre Hochzeit, an den Schrecken, der über ihn gekommen war, als er sie in Weiß gesehen hatte, die großen

Zähne zu einem glücklichen Lächeln gebleckt. Da hatte er seinen Fehler erkannt. Das Problem war nicht, daß er sie nicht liebte. Das Problem war, daß er sie nicht ausstehen konnte. Daß ihre Nähe ihn nervös und unglücklich machte, daß ihre Stimme ihm vorkam, als kratze Kreide auf einer Schiefertafel, daß er sich schon einsam fühlte, wenn er ihr Gesicht nur von weitem sah, und allein der Gedanke an sie ausreichte, ihn wünschen zu lassen, er wäre tot. Warum er Landvermesser geworden war? Um nicht daheim zu sein.

Er bemerkte, daß er schon wieder die Orientierung verloren hatte. Er blickte auf. Die Baumwipfel ragten in einen diesigen Himmel. Der Waldboden federte unter seinen Schritten. Er mußte aufpassen, auf den feuchten Wurzeln rutschte man leicht aus. Zu Mittag würde er wohl bei einem Bauern essen müssen, und wie immer würde er von der Brotsuppe und der fetten Milch Bauchkrämpfe kriegen. Und daß das Schwitzen nicht gesund war, sagte einem jeder Arzt im Land.

Stunden später fand Eugen ihn schimpfend durch den Wald streifen.

Warum erst jetzt, brüllte Gauß.

Eugen beteuerte, daß er nichts für die Verspätung könne, ein Bauer habe ihn in die falsche Richtung geschickt, dann habe er die Markierung am Schuppen übersehen, sie sei zu niedrig aufgemalt gewesen, und eine Ziege habe genau davor gelegen. Als er das Kreuz dann doch bemerkt habe, habe sie ihn auch noch angegriffen. Er sei noch nie von einer Ziege gebissen worden. Daß so etwas passieren könne, habe er nicht gewußt.

Gauß streckte seufzend die Hand aus, in Erwartung

einer Ohrfeige zuckte der Junge zurück. Dabei hatte er ihm nur auf die Schulter klopfen wollen. Ärger stieg in Gauß auf, jetzt konnte er die Geste nicht mehr zu Ende führen, ohne sich zu blamieren. Also mußte er ihm einen Klaps auf die Wange geben. Der geriet ein wenig zu fest, und Eugen sah ihn mit aufgerissenen Augen an.

Wie stehst du denn da, sagte Gauß, weil er den Schlag begründen mußte. Halt dich gerade! Er nahm Eugen den zusammengelegten Heliotrop aus den Händen. Kein Zweifel, der Junge hatte Minnas Verstand und vom Vater nur die Neigung zur Melancholie. Zärtlich strich Gauß über die Kristallspiegel, die Skalen und das schwenkbare Teleskop. Diese Erfindung würden die Menschen lange verwenden! Er wünschte, sagte er, er hätte das Gerät dem Grafen demonstrieren können.

Welchem Grafen?

Gauß stöhnte. Er war von klein auf an die Trägheit der Menschen gewöhnt. Aber seinem eigenen Sohn konnte er sie nicht durchgehen lassen. Dummer Esel, sagte er und ging los. Bei dem Gedanken daran, wieviel noch zu tun war, wurde ihm schwindlig. Deutschland war kein Land der Städte, es war bevölkert von Bauern und ein paar kauzigen Aristokraten, es bestand aus Tausenden Wäldern und Dörfchen. Ihm war, als müßte er sie alle aufsuchen.

Die
Hauptstadt

In Neuspanien wartete der erste Reporter.

Fast hätten sie es nicht bis dorthin geschafft, weil der Kapitän des einzigen Schiffes nach Acapulco sich geweigert hatte, Ausländer an Bord zu nehmen. Pässe hin oder her, er sei Neugranadier, Spanien interessiere ihn nicht, und Urquijos Siegel sei bedeutungslos, hier sowieso und jetzt auch drüben. Bestechungsgeld hatte Humboldt aus Prinzip nicht bezahlen wollen, schließlich hatten sie es so gelöst, daß Humboldt das Geld Bonpland gegeben und dieser es dem Kapitän zugesteckt hatte.

Unterwegs hatte eine Eruption des Vulkans Cotopaxi einen Sturm ausgelöst, und da der Kapitän Humboldts Ratschläge ignoriert hatte – er mache das seit Jahren, und es widerspreche dem Seerecht, seinen Navigator zu kritisieren, Besatzungsmitglieder könnten dafür aufgeknüpft werden –, waren sie weit vom Kurs abgetrieben. Damit der Sturm nicht ungenützt vorbeiging, hatte Humboldt sich fünf Meter über der Wasseroberfläche an den Bug binden lassen, um die Höhe der von keiner Küste gebrochenen Wellen zu messen. Einen ganzen Tag hatte er dort gehangen, von der Morgenstunde bis in die Nacht, das Okular des Sextanten vor dem Gesicht. Danach war er zwar leicht durcheinander, aber auch rot, erfrischt und fröhlich gewesen und hatte nicht begreifen können, warum die Matrosen ihn von da an für den Teufel gehalten hatten.

Am Bootssteg von Acapulco also stand ein schnurrbärtiger Mann. Er heiße Gomez und schreibe für mehrere Journale sowohl Neuspaniens als auch des Mutterlands. Er bitte untertänig, den Herrn Grafen begleiten zu dürfen.

Nicht Graf, sagte Bonpland. Nur Baron.

Da er seine Reise selbst beschreiben wolle, komme ihm das unnötig vor, sagte Humboldt und sah Bonpland vorwurfsvoll an.

Gomez versprach, daß er ein Schatten sein werde, ein Schemen, praktisch unsichtbar, daß er jedoch alles beobachten wolle, was nach Zeugen verlange.

Humboldt bestimmte zunächst die geographische Position der Hafenstadt. Ein exakter Atlas von Neuspanien, diktierte er Gomez, während er auf dem Rücken lag und das Teleskop auf den Nachthimmel richtete, könne die Besiedlung der Kolonie fördern, die Unterwerfung der Natur beschleunigen, das Geschick des Landes in eine günstige Richtung lenken. Angeblich habe ein deutscher Astronom die Bahn eines neuen Wandelsterns berechnet. Leider sei es unmöglich, Genaues zu erfahren, die Journale seien hier so rückständig. Manchmal wolle er heim. Er senkte das Fernrohr und bat Gomez, die letzten beiden Sätze aus seinen Notizen zu streichen.

Sie zogen ins Gebirge. Bonpland hatte sich vom Fieber erholt: Er sah dürrer und trotz der Sonne blaß aus, er hatte die ersten Falten und deutlich weniger Haare als noch vor ein paar Jahren. Neu war, daß er an den Fingernägeln kaute, und aus Gewohnheit hustete er noch von Zeit zu

Zeit. Ihm fehlten jetzt so viele Zähne, daß ihm das Essen schwerfiel.

Humboldt dagegen schien unverändert. In alter Geschäftigkeit arbeitete er an einer Aufrißkarte des Kontinents. Er verzeichnete die Vegetationszonen, den in zunehmender Höhe absinkenden Luftdruck, das Ineinanderfließen der Gesteine im Berginneren. Um die Steinformationen zu unterscheiden, kroch er in Felslöcher, die so klein waren, daß er mehrmals steckenblieb und Bonpland ihn an den Füßen herausziehen mußte. Er kletterte auf einen Baum, ein Ast brach ab, und Humboldt stürzte auf den mitschreibenden Gomez.

Der fragte Bonpland, was Humboldt für ein Mensch sei.

Er kenne ihn besser als irgendeinen, sagte Bonpland. Besser als seine Mutter und seinen Vater, besser auch als sich selbst. Er habe es sich nicht ausgesucht, doch so sei es gekommen.

Und?

Bonpland seufzte. Er habe keine Ahnung.

Gomez fragte, wie lange sie schon gemeinsam unterwegs seien.

Er wisse es nicht, sagte Bonpland. Vielleicht ein Leben lang. Vielleicht länger.

Warum habe er all das auf sich genommen?

Bonpland sah ihn mit rot unterlaufenen Augen an.

Warum habe er, wiederholte Gomez, es auf sich genommen? Warum sei er der Assistent –

Nicht Assistent, sagte Bonpland. Mitarbeiter.

Warum also sei er der Mitarbeiter dieses Mannes geblieben, trotz all der Mühen und all die Jahre hindurch?

Bonpland dachte nach. Aus vielen Gründen.

Zum Beispiel?

Eigentlich, sagte Bonpland, habe er bloß immer weg-gewollt aus La Rochelle. Dann habe eines zum anderen geführt. Die Zeit vergehe so absurd schnell.

Das, sagte Gomez, sei keine Antwort.

Er müsse jetzt Kakteen zerschneiden. Bonpland wand-te sich ab und erkletterte mit flinken Bewegungen die nächste Anhöhe.

Humboldt stieg unterdessen in die Mine von Taxco hinab. Einige Tage beobachtete er die Silberförderung, inspizierte die Verschalung der Stollen, beklopfte den Stein, unterhielt sich mit den Vorstehern. Mit seiner Atemmaske und der Grubenlampe sah er aus wie ein Dä-mon. Wo immer er auftauchte, fielen die Arbeiter auf die Knie und riefen Gott um Hilfe an. Mehrmals mußten die Vorarbeiter ihn vor Steinwürfen schützen.

Am meisten faszinierte ihn die Findigkeit der Arbeiter beim Diebstahl. Keiner durfte in den Förderkorb, bevor man ihn auf das genaueste untersucht hatte. Dennoch fanden sie immer wieder Wege, um Erzstücke mitzu-nehmen. Humboldt fragte, ob er sich der Wissenschaft halber an der Leibesvisitation beteiligen dürfe. Er fand Silberklumpen im Haar, in den Achselhöhlen, in den Mündern und selbst im Anus der Männer. Derlei Arbeit widerstrebe ihm, sagte er zum Bergwerksleiter, einem ge-wissen Don Fernando García Utilla, der ihm träumerisch zusah, wie er den Bauchnabel eines kleinen Jungen be-tastete; allein, die Wissenschaft und die Staatswohlfahrt verlangten es. Ein geregeltes Ausbeuten der Schätze der tiefen Erde sei nicht denkbar, wenn man nicht den Einzelinteressen der Arbeitenden entgegenwirke. Er wiederholte den Satz, damit Gomez mitschreiben konnte. Außerdem sei es ratsam, die Anlagen zu erneuern. Es gebe zu viele Unfälle.

Man habe genug Leute, sagte Don Fernando. Wer sterbe, könne ersetzt werden.

Humboldt fragte ihn, ob er Kant gelesen habe.

Ein wenig, sagte Don Fernando. Aber er habe Einwände gehabt, Leibniz liege ihm mehr. Er habe deutsche Vorfahren, deshalb kenne er all diese schönen Phantastereien.

Am Tag ihrer Weiterreise standen zwei Fesselballons rund und leuchtend neben der Sonne. Das sei jetzt Mode, erklärte Gomez, jeder Mann von Stand und Mut wolle einmal mitfliegen.

Vor Jahren habe er den ersten Ballon über Deutschland gesehen, sagte Humboldt. Glücklich, wer damals geflogen sei. Als es gerade kein Wunder mehr gewesen sei und noch nichts Irdisches. Wie die Entdeckung eines neuen Sterns.

Bei Cuernavaca sprach sie ein junger Nordamerikaner an. Er hatte einen raffiniert gezwirbelten Bart, hieß Wilson und schrieb für den *Philadelphia Chronicle*.

Das sei ihm jetzt zuviel, sagte Humboldt.

Natürlich stünden die Vereinigten Staaten im Schatten des großen Nachbarn, sagte Wilson. Doch auch ihr junges Staatswesen habe eine Öffentlichkeit, die mit wachsendem Interesse die Taten von General Humboldt verfolge.

Bergwerksassessor, sagte Humboldt, um Bonpland zuvorzukommen. Nicht General!

Vor der Hauptstadt legte Humboldt Galauniform an. Eine Delegation des Vizekönigs erwartete sie mit dem Stadtschlüssel auf einer Anhöhe. Seit Paris waren sie in keiner Metropole dieser Größe gewesen. Es gab eine Universität, eine öffentliche Bücherei, einen botanischen Garten, eine Akademie der Künste und eine Bergbauakademie nach preußischem Vorbild unter der Leitung von Humboldts ehemaligem Freiberger Mitschüler Andres del Rio. Über das Wiedersehen schien der sich nicht mehr als nötig zu freuen. Er legte Humboldt die Hände auf die Schultern, hielt ihn auf Armeslänge von sich und betrachtete ihn mit zusammengekniffenen Augen.

Also sei es wahr, sagte er in gebrochenem Deutsch. Trotz allen Geredes.

Welchen Geredes? Seit der Begegnung mit Brombacher hatte Humboldt nicht mehr seine Muttersprache verwendet. Sein Deutsch klang hölzern und unsicher, immer wieder mußte er nach Worten suchen.

Gerüchte, sagte Andres. Etwa, daß er ein Spion der Vereinigten Staaten sei. Oder einer der Spanier.

Humboldt lachte. Ein spanischer Spion in der spanischen Kolonie?

Aber ja, sagte Andres. Lange werde man nicht mehr Kolonie sein. Drüben wisse man das, und hier wisse man es erst recht.

Nahe dem Hauptplatz hatte man begonnen, die Reste des von Cortés zerstörten Tempels auszugraben. Im Schatten der Kathedrale standen gähnende Arbeiter, der stechende Geruch von Maisfladen hing in der Luft. Auf dem Boden lagen Knochenschädel mit Edelsteinaugen, Dutzende Obsidianmesser, kunstvoll in Stein geritzte

Bilder menschlicher Schlachtungen, kleine Tonfiguren mit offenem Brustkorb. Da war auch ein Steinaltar aus grob gehauenen Totenköpfen. Der Maisgeruch störte Humboldt, ihm war nicht wohl. Als er sich umdrehte, sah er Wilson und Gomez mit ihren Notizblöcken.

Er bat sie, ihn allein zu lassen, er müsse sich konzentrieren.

So arbeite ein großer Forscher, sagte Wilson.

Allein sein, um sich zu konzentrieren, sagte Gomez. Das solle die Welt erfahren!

Humboldt stand vor einem riesigen Rad aus Stein. Ein Gewirbel aus Echsen, Schlangenköpfen und in geometrische Splitter zerbrochenen Menschenfiguren. In der Mitte ein Gesicht mit herausgestreckter Zunge und lidlosen Augen. Er sah lange hin. Allmählich ordnete sich das Chaos; er erkannte Entsprechungen, Bilder, die einander ergänzten, Symbole, die, nach feinen Gesetzmäßigkeiten wiederholt, Zahlen verschlüsselten. Das hier war ein Kalender. Er versuchte ihn abzuzeichnen, aber es gelang nicht, und das hatte irgend etwas mit dem Gesicht in der Mitte zu tun. Er fragte sich, wo er diesem Blick schon begegnet war. Der Jaguar fiel ihm ein, dann der Junge in der Lehmhütte. Beunruhigt sah er auf seinen Block. Er würde hierfür einen professionellen Zeichner brauchen. Er starrte in das Gesicht, und es lag wohl an der Hitze oder am Maisgeruch, daß er sich auf einmal abwenden mußte.

Zwanzigtausend, sagte ein Arbeiter vergnügt. Zur Einweihung des Tempels seien zwanzigtausend Menschen geopfert worden. Einer nach dem anderen: Herz raus, Kopf ab. Die Reihen der Wartenden hätten bis zum Rand der Stadt gereicht.

Guter Mann, sagte Humboldt. Reden Sie keinen Unsinn!

Der Arbeiter sah ihn beleidigt an.

Zwanzigtausend an einem Ort und Tag, das sei undenkbar. Die Opfer würden es nicht dulden. Die Zuschauer würden es nicht dulden. Ja mehr noch: Die Ordnung der Welt vertrüge derlei nicht. Wenn so etwas wirklich geschähe, würde das Universum enden.

Dem Universum, sagte der Arbeiter, sei das scheißegal.

Am Abend aß Humboldt beim Vizekönig. Andres del Rio und mehrere Mitglieder der Regierung waren gekommen, ein Museumsdirektor, einige Offiziere und ein kleiner, schweigsamer Herr mit dunkler Hautfarbe und außergewöhnlich eleganter Kleidung: der Conde de Moctezuma, Ururenkel des letzten Gottkönigs und Grande des spanischen Reichs. Er bewohnte ein Schloß in Kastilien und war geschäftehalber für ein paar Monate in der Kolonie. Seine Frau, eine großgewachsene Schönheit, sah Humboldt mit unverhohlenem Interesse an.

Zwanzigtausend sei schon richtig, sagte der Vizekönig. Vielleicht auch mehr, die Schätzungen gingen auseinander. Unter Tlacaelel, dem letzten Hohepriester, sei das Reich ganz dem Blut verfallen.

Nicht daß das Hohepriesterdasein wünschenswert gewesen sei, sagte Andres. Man habe sich selbst regelmäßig verstümmeln müssen. Beispielsweise habe man, er bitte die Damen um Verzeihung, zu wichtigen Festen seinem Gemächt Blut abgezapft.

Humboldt räusperte sich und begann von Goethe zu

sprechen, auch von seinem älteren Bruder und deren gemeinsamem Interesse für die Sprachen alter Völker. Diese hielten sie für eine Art besseres Latein, reiner und näher am Ursprung der Welt. Er frage sich, ob das auch fürs Aztekische zutreffe.

Der Vizekönig sah fragend den Conde an.

Er könne keine Auskunft geben, sagte der, ohne von seinem Teller aufzuschauen. Er spreche nur Spanisch.

Um das Thema zu wechseln, fragte der Vizekönig Humboldt nach seiner Meinung über die Silberminen.

Ineffektiv, sagte Humboldt geistesabwesend, überall Dilettantismus und Stümperei. Er schloß einen Moment die Augen, sofort erschien das Steingesicht vor ihm. Etwas hatte ihn gesehen, das spürte er, und würde ihn nicht mehr vergessen. Nur der gewaltige Überschuß von Silber, hörte er sich sagen, erlaube die Vortäuschung von Effizienz. Die Mittel seien überholt, die Diebstahlsquote sei enorm, das Personal ungenügend ausgebildet.

Einige Sekunden war es still. Der Vizekönig warf dem blaß gewordenen Andres del Rio einen Blick zu.

Das sei natürlich übertrieben formuliert, sagte Humboldt, erschrocken über sich selbst. Vieles habe ihn beeindruckt!

Der Conde sah ihn schwach lächelnd an.

Neuspanien brauche einen fähigen Bergwerksminister, sagte der Vizekönig.

Humboldt fragte, an wen er da denke.

Der Vizekönig schwieg.

Unmöglich, sagte Humboldt und hob die Hände. Er sei Preuße, er könne nicht für ein anderes Land Dienst tun.

Erst später am Abend brachte er es fertig, ein paar Worte mit dem Conde zu wechseln. Leise fragte er ihn, was er über ein riesiges Kalenderrad aus Stein wisse.

Etwa fünf Ellen im Radius?

Humboldt nickte.

Mit gefiederten Schlangen, ein starres Gesicht im Mittelpunkt?

Ja, rief Humboldt.

Darüber wisse er nicht das geringste, sagte der Conde. Er sei kein Indianer, sondern spanischer Grande.

Humboldt fragte, ob es keine Familienüberlieferung gebe.

Der Conde richtete sich zu seiner vollen Höhe auf und reichte nun bis zu Humboldts Brust. Sein Vorfahr habe sich von Cortés kidnappen lassen. Er habe um sein Leben gefleht wie eine Frau, habe gejammert und geweint und schließlich, nach Wochen der Gefangenschaft, die Seiten gewechselt. Es seien Azteken gewesen, die ihn mit Steinwürfen getötet hätten. Wenn er, der Conde de Moctezuma, jetzt auf den Hauptplatz ginge, er würde keine fünf Minuten leben. Der Conde überlegte. Vielleicht, sagte er dann, würde auch gar nichts passieren. Alles sei lange her, die Menschen erinnerten sich kaum noch. Er faßte den Ellenbogen seiner Frau und blickte mit schmalen Augen an Humboldt hinauf. Wer immer ihn treffe, forsche in seinem Gesicht nach einem Abglanz der Züge des Gottkönigs. Jeder, der seinen Namen erfahre, blicke durch ihn hindurch in die Vergangenheit. Ob Humboldt sich vorstellen könne, wie es sei, das Leben als Schatten eines großen Verwandten zu führen?

Manchmal könne er das, antwortete Humboldt.

Familienüberlieferung, wiederholte der Conde abfällig. Er und seine Frau gingen ohne Gruß.

Früh am Morgen bemerkte Humboldt, daß Bonpland nicht da war. Sofort machte er sich auf die Suche. Die Straßen waren voller Händler: Ein Mann verkaufte getrocknete Früchte, ein zweiter Wundermittel gegen alle Krankheiten außer der Gicht, ein dritter schlug sich mit einem Beil die linke Hand ab, welche er dann herumgeben und von der Menge untersuchen ließ, während er unter Schmerzen wartete, bis er sie zurückbekam. Er preßte sie an den Stumpf und beträufelte sie mit Tinktur. Bleich vom Blutverlust hieb er dann ein paarmal auf den Tisch, um zu zeigen, daß sie angewachsen war. Die Umstehenden klatschten und kauften ihm alle Tinkturvorräte ab. Ein vierter hatte Wundermittel gegen Gicht, ein fünfter billig gedruckte illustrierte Broschüren. In einer davon wurde die Geschichte eines wundertätigen Priesters erzählt, in einer anderen das Leben des Indiojungen, dem die Madonna von Guadalupe erschienen war, in einer dritten die Abenteuer eines deutschen Barons, der ein Boot durch die Hölle des Orinoko gesteuert und den höchsten Berg der Welt bestiegen hatte. Die Bilder waren gar nicht übel, besonders Humboldts Uniform war gut getroffen.

Er fand Bonpland, wo er ihn vermutet hatte. Das Haus war aufwendig geschmückt, die Fassade bedeckt mit chinesischen Kacheln. Ein Pförtner bat ihn zu warten. Minuten später tauchte Bonpland in hastig übergestreifter Kleidung auf.

Humboldt fragte, wie oft er ihn noch an ihre Abmachung erinnern solle.

Das sei ein Hotel wie jedes andere, antwortete Bonpland, und die Abmachung sei eine Zumutung. Er habe ihr nie zugestimmt.

So oder so, sagte Humboldt, es sei jedenfalls eine Abmachung.

Bonpland forderte ihn auf, sich die Predigten zu sparen.

Am nächsten Tag erstiegen sie den Popocatepetl. Ein Pfad führte fast bis zum Gipfel: Gomez und Wilson, der Bürgermeister der Hauptstadt, drei Zeichner und fast hundert Schaulustige folgten ihnen. Wann immer Bonpland eine Pflanze abschnitt, mußte er sie herumzeigen. Meist kam sie so abgegriffen zurück, daß er sie nicht mehr in die Botanisiertrommel zu legen brauchte. Als Humboldt vor einem Erdloch seine Atemmaske anschnallte, brandete Applaus auf. Und während er mit dem Barometer die Höhe des Gipfels bestimmte und sein Thermometer in den Krater hinabließ, verkauften Händler Erfrischungen.

Beim Abstieg sprach sie ein Franzose an. Er heiße Duprés und schreibe für mehrere Pariser Zeitschriften. Eigentlich sei er wegen der von Baudin geleiteten Expedition der Akademie angereist. Aber nun sei Baudin nicht aufgetaucht, und er habe kaum sein Glück fassen können, als er erfahren habe, daß ein viel Größerer im Land sei.

Für einen Moment gelang es Humboldt nicht, ein selbstgefälliges Lächeln zu unterdrücken. Er hoffe immer noch, sich Baudin anzuschließen und mit ihm zu den Philippinen zu fahren. Er trage sich mit dem Gedanken, den Kapitän in Acapulco abzufangen, damit man sich gemeinsam der Untersuchung der seligen Inseln widmen könne.

Gemeinsam, wiederholte Duprés. Der seligen Untersuchung der Inseln.

Der Untersuchung der seligen Inseln!

Duprés strich es durch, schrieb es neu und bedankte sich.

Dann besuchten sie die Ruinen von Teotihuacan. Sie schienen zu groß für menschliche Erbauer. Auf einer geraden Chaussee gelangten sie zu einem von Tempeln umstandenen Platz. Humboldt setzte sich auf den Boden und rechnete, die Menge beobachtete ihn aus der Entfernung. Bald wurde es den ersten langweilig, manche begannen zu schimpfen, nach einer Stunde waren die meisten und nach neunzig Minuten die allerletzten gegangen. Nur die drei Journalisten blieben. Bonpland kam verschwitzt von der Spitze der größten Pyramide zurück.

So hoch habe er es sich nicht vorgestellt!

Humboldt, den Sextanten in Händen, nickte.

Vier Stunden später, längst war es Abend, saß er immer noch da, in der gleichen Haltung über das Papier gebeugt, Bonpland und die Journalisten waren frierend eingeschlafen. Als Humboldt kurz darauf seine Instrumente einpackte, wußte er, daß die Sonne am Tag des Solstitiums von der Chaussee aus gesehen genau über der Spitze der größten Pyramide auf- und durch die Spitze der zweitgrößten unterging. Diese ganze Stadt war ein Kalender. Wer hatte das erdacht? Wie gut hatten die Menschen die Sterne gekannt, und was hatten sie mitteilen wollen? Seit über tausend Jahren war er der erste, der ihre Botschaft lesen konnte.

Warum er so bedrückt sei, fragte Bonpland, der vom Klappern der Instrumente wach geworden war.

So viel Zivilisation und so viel Grausamkeit, sagte Humboldt. Was für eine Paarung! Gleichsam der Gegensatz zu allem, wofür Deutschland stehe.

Vielleicht sei es Zeit zur Heimkehr, sagte Bonpland.

In die Stadt?

Nicht in diese.

Eine Weile sah Humboldt in den bestirnten Nachthimmel. Gut, sagte er dann. Er werde diese erschreckend intelligent geschichteten Steine verstehen lernen, als wären sie Teil der Natur. Danach werde er Baudin allein zu den Philippinen aufbrechen lassen und das erste Schiff nach Nordamerika nehmen. Von dort würden sie zurück nach Europa fahren.

Zuvor aber reisten sie zum Vulkan Jorullo, der vor fünfzig Jahren ganz plötzlich unter Donner, Feuersturm und Ascheregen aus der Ebene gestiegen war. Als er in der Ferne auftauchte, klatschte Humboldt vor Aufregung in die Hände. Dort hinauf müsse er noch, diktierte er den Journalisten, davon sei die endgültige Widerlegung der neptunistischen Thesen zu erwarten. Wenn er an den großen Abraham Werner denke, er buchstabierte den Namen, tue ihm das beinahe leid.

Am Fuß des Vulkans empfing sie der Gouverneur der Provinz Guanajuato mit großem Gefolge, darunter der Erstbesteiger, ein alter Herr namens Don Ramón Espelde. Der bestand darauf, die Expedition anzuführen. Die Sache sei zu gefährlich, um sie Laien zu überlassen!

Humboldt beteuerte, daß er mehr Berge erklettert habe als irgendein Mensch.

Ungerührt gab Don Ramón ihm den Ratschlag, nicht direkt in die Sonne zu schauen und bei jedem Aufsetzen des rechten Fußes die Madonna von Guadalupe anzurufen.

Sie kamen schleppend voran. Immer wieder mußten sie auf den einen oder anderen Begleiter warten; besonders Don Ramón rutschte immer wieder aus oder konnte vor Erschöpfung nicht weiter. Regelmäßig ließ sich Humboldt unter staunenden Blicken auf alle viere nieder, um mit dem Hörrohr den Felsboden zu behorchen. Oben angekommen, seilte er sich in den Krater ab.

Der Kerl, sagte Don Ramón, sei ja vollkommen irre, so etwas habe er noch nie erlebt.

Als man Humboldt wieder heraufzog, war er grün angelaufen, hustete erbärmlich, und seine Kleidung war angesengt. Der Neptunismus, rief er blinzelnd, sei mit diesem Tag zu Grabe getragen!

Ein Jammer eigentlich, sagte Bonpland. Er habe Poesie gehabt.

In Veracruz nahmen sie das erste Schiff zurück nach Havanna. Er müsse zugeben, sagte Humboldt, während die Küste im Dunst versank, er sei froh, daß es zu Ende gehe. Er lehnte sich an die Reling und schaute mit schmalen Augen in den Himmel. Bonpland fiel auf, daß er zum erstenmal nicht mehr wie ein junger Mann aussah.

Sie hatten Glück: In Havanna legte gerade ein Schiff ab, das den Kontinent hinauf und dann den Delaware-Fluß entlang nach Philadelphia fahren würde. Humboldt wandte sich an den Kapitän, zeigte einmal noch seinen spanischen Paß und erbat eine Passage.

Herrgott, sagte der Kapitän. Sie!

Himmel, sagte Humboldt.

Ratlos sahen sie einander an.

Er halte das für keine gute Idee, sagte der Kapitän.

Er müsse aber nun einmal dort hinauf, sagte Humboldt und versprach, unterwegs keine Positionsbestimmungen durchzuführen. Er vertraue ihm völlig. Die Ozeanüberquerung damals habe er als Glanzstück der Seefahrerkunst in Erinnerung. Trotz der Seuche, des unfähigen Schiffsarztes und der falschen Berechnungen.

Und dann ausgerechnet Philadelphia, sagte der Kapitän. Seinetwegen könnten alle aufständischen Kolonisten krepieren, die dort und die hier.

Er habe vierzehn Kisten mit Gesteins- und Pflanzenproben, sagte Humboldt, dazu vierundzwanzig Käfige mit Affen und Vögeln sowie einige Glasschatullen mit Insekten und Spinnentieren, die nach umsichtiger Behandlung verlangten. Wenn es recht sei, könne sofort aufgeladen werden.

Dies sei ein belebter Hafen, sagte der Kapitän. Sicher komme bald ein anderes Schiff.

Er hätte nichts dagegen, sagte Humboldt. Aber er habe nun einmal diesen Paß, und die katholischen Majestäten erwarteten, daß er sich beeile.

Humboldt hielt sich an sein Versprechen und mischte sich nicht in die Navigation. Wäre nicht ein Affe ausgebrochen, der ganz allein den halben Proviant verzehrte, zwei Taranteln befreite und in der Kapitänskajüte alles in Fetzen riß, wäre die Reise ohne Störungen vorbeigegangen. Er verbrachte die Fahrt auf dem Hinterdeck, schlief mehr als sonst und setzte Briefe an Goethe, seinen Bruder und Präsident Thomas Jefferson auf. Während in

Philadelphia die Kisten abgeladen wurden, verabschiedeten er und der Kapitän sich von neuem.

Er hoffe sehr auf ein Wiedersehen, sagte Humboldt steif.

Gewiß nicht mehr als er, antwortete der Kapitän, dessen Uniform notdürftig geflickt worden war.

Beide salutierten.

Eine Kutsche wartete, um sie in die Hauptstadt zu bringen. Ein Bote übergab eine formelle Einladung: Der Präsident ersuche um die Ehre, sie im neu gebauten Regierungssitz beherbergen zu dürfen; er sei begierig, alles und mehr über Herrn von Humboldts bereits legendäre Reise zu erfahren.

Erhebend, sagte Duprés.

Ein zu kleines Wort, sagte Wilson. Humboldt und Jefferson! Und er dürfe dabeisein!

Wieso Herrn von Humboldts Reise, fragte Bonpland. Wieso eigentlich niemals die Humboldt-Bonplandsche Reise? Oder die Bonpland-Humboldt-Reise? Die Bonpland-Expedition? Ob ihm das einmal jemand erklären könne?

Ein Hinterwäldlerpräsident, sagte Humboldt. Wen interessiere schon, was der denke!

Die Stadt Washington befand sich im Aufbau. Überall waren Baugerüste, Gruben und Ziegelhaufen, überall hörte man Sägen und Hammerschläge. Der Regierungssitz, gerade fertiggestellt und noch nicht zu Ende gestrichen, war ein klassizistischer Kuppelbau, umgeben von Säulen. Er freue sich, sagte Humboldt, als sie aus der Kutsche stiegen, einmal wieder ein Zeugnis für den Einfluß des großen Winckelmann zu sehen!

Ein Spalier ungeschickt salutierender Soldaten hatte Aufstellung genommen, ein Trompetensignal wehte durch den Himmel, eine Fahne blähte sich im Wind. Humboldt hielt sich sehr gerade und hob den Handrücken an den Rand seiner Kappe. Vom Gebäude her näherten sich Männer in dunklen Gehröcken; voran der Präsident, hinter ihm der Außenminister Madison. Humboldt sagte etwas von der Ehre hierzusein, seinem Respekt vor der liberalen Idee, von der Freude, die Sphäre einer drückenden Despotie verlassen zu haben.

Ob er schon gegessen habe, fragte der Präsident und schlug ihm auf die Schulter. Sie müssen doch etwas essen, Baron!

Das Galadiner war miserabel, doch die Würdenträger der Republik hatten sich alle versammelt. Humboldt sprach von der Eiseskälte der Kordilleren und den Mückenschwärmen am Orinoko. Er erzählte gut, bloß verlor er sich immer wieder in Fakten: Er berichtete so detailliert über Ströme und Druckschwankungen, über das Verhältnis von Höhenlage und Vegetationsdichte, über die feinen Unterschiede der Insektenarten, daß mehrere Damen zu gähnen begannen. Als er sein Notizbuch hervorholte und anfing, Meßergebnisse vorzutragen, versetzte Bonpland ihm unter dem Tisch einen Tritt. Humboldt trank einen Schluck Wein und kam auf die Last des Despotismus und die Ausbeutung der Bodenschätze zu reden, welche einen sterilen Reichtum erzeuge, von dem die Volkswirtschaft niemals profitieren könne. Er sprach über den Alpdruck der Sklaverei. Wieder spürte er einen Tritt. Er sah Bonpland böse an, dann erst begriff er, daß es der Außenminister gewesen war.

Jefferson habe Ländereien, flüsterte Madison.

Und?

Mit allem, was dazugehöre.

Humboldt wechselte das Thema. Er erzählte vom schmutzigen Hafen Havannas, vom Hochland von Caxamarca, von Atahualpas versunkenem Goldgarten, von den Tausende Meilen langen Steinwegen, mit denen das Inkavolk die unzähligen Anhöhen verbunden hatte. Er hatte schon mehr getrunken, als er es gewöhnt war, sein Gesicht rötete sich, seine Bewegungen wurden ausladender. Immer schon sei er unterwegs gewesen, seit seinem achten Lebensjahr. Nie habe er mehr als sechs Monate an einem Ort verbracht. Er kenne alle Kontinente und habe die Fabelwesen gesehen, von denen die orientalischen Märchenerzähler berichteten: fliegende Hunde, mehrköpfige Schlangen und äußerst polyglotte Papageien. Leise vor sich hin lachend, ging er schlafen.

Am nächsten Tag hatte er, trotz seiner Kopfschmerzen, eine lange Unterredung im elliptisch geformten Arbeitszimmer des Präsidenten. Jefferson lehnte sich zurück und nahm seine Brille ab.

Bifokalgläser, erklärte er, sehr brauchbar, eine der vielen Erfindungen seines Freundes Franklin. Offen gesagt, der Mann sei ihm immer unheimlich gewesen, er habe ihn nie begriffen. Ja natürlich, gern. Hier!

Während Humboldt die Brille untersuchte, faltete Jefferson die Hände auf der Brust und begann Fragen zu stellen. Wenn Humboldt abschweifte, schüttelte er mild den Kopf, unterbrach und fragte noch einmal. Auf dem Tisch lag wie zufällig eine Karte von Mittelamerika. Er wollte alles über Neuspanien, dessen Transportwege und

Bergwerke wissen. Es interessierte ihn, wie die Administration arbeitete, wie im Land und über den Ozean hinweg Befehle übermittelt wurden, wie die Stimmung unter den Adeligen war, wie groß die Armee, wie ausgerüstet, wie gut ausgebildet. Wenn man eine Großmacht zum Nachbarn habe, könne man nie genug Information besitzen. Dennoch mache er den Herrn Baron darauf aufmerksam, daß er im Auftrag der spanischen Krone gereist sei. Womöglich verpflichte ihn das zu Verschwiegenheit.

Ach warum, sagte Humboldt. Wem solle es schaden? Er beugte sich über die Karte, deren zahlreiche Fehler er gerade berichtigt hatte, und markierte mit genau gesetzten Kreuzen die Standorte der wichtigsten Garnisonen.

Jefferson bedankte sich seufzend. Was wisse man hier schon? Man sei eine kleine Protestantengemeinde am Rand der Welt. Unendlich weit von allem.

Humboldt warf einen Blick durchs Fenster. Zwei Arbeiter schleppten eine Leiter vorbei, ein dritter hob eine Kiesgrube aus. Um ehrlich zu sein, er könne es nicht erwarten, wieder nach Hause zu kommen.

Nach Berlin?

Humboldt lachte. Kein Mensch von Verstand könne diese greuliche Stadt sein Zuhause nennen. Er meine natürlich Paris. In Berlin, soviel sei sicher, werde er nie wieder wohnen.

Der
Sohn

Mißmutig legte Gauß seine Serviette weg. Das Essen hatte ihm gar nicht geschmeckt. Aber da er sich schlecht darüber beschweren konnte, begann er über die Stadt zu schimpfen. Er fragte, wie man es hier aushalten könne.

Es habe auch Vorteile, sagte Humboldt unbestimmt.

Welche?

Humboldt sah ein paar Sekunden starr auf die Tischplatte. Ihm schwebe vor, sagte er dann, die Erde mit einem Netz magnetischer Beobachtungsstationen zu überziehen. Er wolle herausfinden, ob es einen, zwei oder unzählige Magneten in ihrem Inneren gebe. Die Royal Society habe er schon dafür gewonnen, aber er brauche noch die Hilfe des Fürsten der Mathematiker!

Dazu brauche man keinen besonderen Mathematiker, sagte Gauß. Er habe sich schon mit fünfzehn mit Magnetismus beschäftigt. Kinderkram. Bekomme man hier auch Tee?

Konsterniert schnippte Humboldt mit den Fingern. Es war früher Nachmittag, und der Professor hatte sechzehn Stunden Schlaf hinter sich. Humboldt dagegen war wie jeden Tag um fünf Uhr morgens aufgestanden, hatte nicht gefrühstückt, sondern ein paar Versuche über die Fluktuation des Erdmagnetfelds gemacht, dann ein Memorandum über Kosten und möglichen Nutzen einer Robbenzucht in Warnemünde diktiert, vier Briefe an zwei Akademien aufgesetzt, mit Daguerre über das offenbar unlösbare Problem der chemischen Bildfixierung auf Kupferplatten diskutiert, zwei Tassen Kaffee getrunken, sich zehn Minuten ausgeruht und drei Kapitel seines Reisewerkes mit Fußnoten zur Kordillerenflora versehen. Er hatte mit dem Sekretär der Naturforschergesellschaft über den Ablauf des für den Abend geplanten Empfangs gesprochen, für den neuen mexikanischen Premierminister eine kleine Denkschrift über die Abpumpung von Grubenwasser geschrieben und die Fragebriefe zweier Biographen beantwortet. Dann war Gauß, schläfrig und schlecht gelaunt, aus dem Gästezimmer gekommen und hatte nach Frühstück verlangt.

Was Berlin betreffe, sagte Humboldt, so habe er kaum eine Wahl gehabt. Nach langen Jahren in Paris sei ihm … Er strich seine weißen Haare aus dem Gesicht, holte ein Taschentuch hervor, schneuzte sich leise, faltete es und strich es glatt, bevor er es zurück in die Tasche schob. Wie solle er das nun sagen?

Das Geld ausgegangen?

Eine zu drastische Formulierung. Aber die Dokumentation der Reise habe seine Mittel mehr oder minder aufgebraucht. Vierunddreißig Bände. All die Tafeln und Stiche, die Karten und Illustrationen. Und das in Kriegszeiten, bei Materialknappheit und stark erhöhten Löhnen. Er habe ganz allein eine Akademie sein müssen. Und so sei er nun eben Kammerherr, speise bei Hof und sehe täglich den König. Es gebe Schlimmeres.

Offenbar, sagte Gauß.

Immerhin schätze Friedrich Wilhelm die Forschung!

Napoleon habe ihn und Bonpland immer gehaßt, weil dreihundert seiner Wissenschaftler in Ägypten weniger ausgerichtet hätten als sie beide in Südamerika. Nach ihrer Rückkehr seien sie monatelang Stadtgespräch gewesen. Napoleon sei das gar nicht recht gewesen. Duprés habe einige sehr schöne Reminiszenzen dieser Zeit in *Humboldt – Grand voyageur* aufgenommen. Ein Buch, das den Fakten geringere Gewalt antue als etwa Wilsons *Scientist and Traveller: My Journeys with Count Humboldt in Central America.*

Eugen fragte, was aus Herrn Bonpland geworden sei. Man sah ihm an, daß er nicht gut geschlafen hatte. Gemeinsam mit zwei Dienstboten hatte er in einer stickigen Kammer im Nebenhaus übernachten müssen. Er hatte nicht gewußt, daß Menschen so laut schnarchen konnten.

Bei seiner einzigen Audienz, erzählte Humboldt, habe der Kaiser ihn gefragt, ob er Pflanzen sammle. Er habe bejaht, der Kaiser habe gesagt, ganz wie seine Frau, und sich brüsk abgewandt.

Seinetwegen, sagte Gauß, habe Bonaparte auf den Beschuß Göttingens verzichtet.

Das habe er gehört, sagte Humboldt, aber er bezweifle das, es habe wohl eher strategische Gründe gehabt. Wie auch immer, später habe Napoleon ihn als preußischen Spion aus dem Land weisen wollen. Die gesamte Akademie habe sich zusammentun müssen, um es zu verhindern. Dabei habe er niemanden – Humboldt warf dem Sekretär einen Blick zu, der schlug sofort den Schreibblock auf –, dabei habe er niemanden aushorchen wollen außer der Natur, habe keine anderen Geheimnisse gesucht als die so offen liegenden Wahrheiten der Schöpfung.

Offen liegenden Wahrheiten der Schöpfung, wiederholte der Sekretär mit gespitzten Lippen.

Die *so* offen liegenden!

Der Sekretär nickte. Der Diener brachte ein Tablett mit silbernen Täßchen.

Aber Bonpland, wiederholte Eugen.

Eine schlimme Sache. Humboldt seufzte. Eine sehr traurige Geschichte. Aber hier sei nun endlich der Tee – ein Geschenk des Zaren, dessen Finanzminister ihn wiederholt nach Rußland eingeladen habe. Natürlich habe er abgesagt, aus politischen Gründen wie auch, es verstehe sich von selbst, seines Alters wegen.

Richtig entschieden, sagte Eugen. Die schlimmste Despotie der Welt! Er wurde rot vor Schreck über sich selbst.

Gauß bückte sich, hob ächzend den Knotenstock auf, zielte und stieß unter dem Tisch nach Eugens Fuß. Er verfehlte und stieß noch einmal. Eugen zuckte zusammen.

Da könne er nicht ganz widersprechen, sagte Humboldt. Er winkte ab, sofort hörte der Sekretär mit dem Mitschreiben auf. Die Restauration liege wie Mehltau auf Europa. Daran sei, er könne es nicht verschweigen, auch sein Bruder schuld. Die Hoffnungen seiner Jugend seien fern und unwirklich geworden. Auf der einen Seite die Tyrannei, auf der anderen die Freiheit der Toren. Wenn drei Männer auf der Straße stünden, sie hätten es ja erlebt, sei dies eine Zusammenrottung. Wenn dreißig in einem Hinterzimmer Geister anriefen, so habe keiner etwas einzuwenden. Dutzende Wirrköpfe zögen durchs Land, predigten die Freiheit und ließen sich von arglosen

Narren durchfüttern. Europa sei zum Schauplatz eines Alptraums geworden, aus dem keiner mehr erwachen könne. Vor Jahren habe er eine Reise nach Indien vorbereitet, habe das Geld beisammen gehabt, alle Instrumente, den Plan. Es hätte die krönende Unternehmung seiner Erdentage werden sollen. Dann hätten es die Engländer verhindert. Keiner wolle einen Feind der Sklaverei in seinem Land haben. In Lateinamerika wiederum seien Dutzende neue Staaten entstanden, ohne Zweck und Sinn. Das Lebenswerk seines Freundes Bolívar liege in Trümmern. Ob die Herren übrigens wüßten, wie der große Befreier ihn tituliert habe?

Er schwieg. Erst nach einer Weile wurde klar, daß er auf Antwort wartete.

Na wie denn, fragte Gauß.

Den wahren Entdecker Südamerikas! Humboldt lächelte in seine Tasse. Das könne man in Gomez' *El Barón Humboldt* nachlesen. Ein unterschätztes Buch. Apropos, er habe gehört, der Herr Professor beschäftige sich jetzt mit Wahrscheinlichkeitsrechnung?

Sterbestatistik, sagte Gauß. Er nahm einen Schluck Tee, verzog angewidert das Gesicht und stellte die Tasse so weit von sich, wie er konnte. Man denke, man bestimme sein Dasein selbst. Man erschaffe und entdecke, erwerbe Güter, finde Menschen, die man mehr liebe als sein Leben, zeuge Kinder, vielleicht kluge, vielleicht auch idiotische, sehe den Menschen, den man liebe, sterben, werde alt und dumm, erkranke und gehe unter die Erde. Man meine, man habe alles selbst entschieden. Erst die Mathematik zeige einem, daß man immer die breiten Pfade genommen habe. Despotie, wenn er das schon höre! Fürsten seien auch nur arme Schweine, die lebten, litten und stürben wie alle anderen. Die wahren Tyrannen seien die Naturgesetze.

Aber der Verstand, sagte Humboldt, forme die Gesetze!

Der alte kantische Unsinn. Gauß schüttelte den Kopf. Der Verstand forme gar nichts und verstehe wenig. Der Raum biege und die Zeit dehne sich. Wer eine Gerade zeichne, immer weiter und weiter, erreiche irgendwann wieder ihren Ausgangspunkt. Er zeigte auf die niedrig im Fenster stehende Sonne. Nicht einmal die Strahlen dieses ausbrennenden Sterns kämen auf geraden Linien herab. Die Welt könne notdürftig berechnet werden, aber das heiße noch lange nicht, daß man irgend etwas verstehe.

Humboldt verschränkte die Arme. Erstens, die Sonne brenne nicht aus, sie erneuere ihr Phlogiston und werde in Ewigkeit scheinen. Zweitens, was sei das mit dem Raum? Am Orinoko habe er Ruderer gehabt, die ähnliche Witze gemacht hätten. Er habe das Gefasel nie verstanden. Auch hätten sie oft sinnverwirrende Substanzen eingenommen.

Gauß erkundigte sich, was ein Kammerherr eigentlich zu tun habe.

Verschiedenes, dies und das. Dieser Kammerherr jedenfalls berate den König bei wichtigen Entscheidungen, führe seine Erfahrung ins Feld, wo immer sie von Nutzen sei. Oft werde er bei diplomatischen Gesprächen zu Rate gezogen. Der König wünsche seine Anwesenheit bei fast jeder Abendmahlzeit. Er sei ganz versessen auf Berichte aus der Neuen Welt.

Also werde man fürs Essen und Plaudern bezahlt?

Der Sekretär kicherte, wurde blaß und bat um Entschuldigung, er habe Husten.

Die wahren Tyrannen, sagte Eugen in die Stille, seien nicht die Naturgesetze. Es gebe starke Bewegungen im Land, Freiheit sei nicht mehr bloß ein Schillersches Wort.

Bewegungen von Eseln, sagte Gauß.

Er habe sich immer besser mit Goethe verstanden, sagte Humboldt. Schiller sei seinem Bruder näher gewesen.

Von Eseln, sagte Gauß, die es nie zu etwas brächten. Die vielleicht etwas Geld erben würden und einen guten Namen, aber keine Intelligenz.

Sein Bruder, sagte Humboldt, habe erst kürzlich eine tiefsinnige Studie über Schiller verfaßt. Ihm selbst habe Literatur ja nie viel gesagt. Bücher ohne Zahlen beunruhigten ihn. Im Theater habe er sich stets gelangweilt.

Ganz richtig, rief Gauß.

Künstler vergäßen zu leicht ihre Aufgabe: das Vorzeigen dessen, was sei. Künstler hielten Abweichungen für eine Stärke, aber Erfundenes verwirre die Menschen, Stilisierung verfälsche die Welt. Bühnenbilder etwa, die nicht verbergen wollten, daß sie aus Pappe seien, englische Gemälde, deren Hintergrund in Ölsauce verschwimme, Romane, die sich in Lügenmärchen verlören, weil der Verfasser seine Flausen an die Namen geschichtlicher Personen binde.

Abscheulich, sagte Gauß.

Er arbeite an einem Katalog von Pflanzen- und Naturmerkmalen, an welche sich zu halten man die Maler gesetzlich verpflichten müsse. Ähnliches sei für die dramatische Dichtung zu empfehlen. Er denke an Listen der Eigenschaften wichtiger Persönlichkeiten, von denen abzuweichen dann nicht mehr in der Freiheit eines Autors liegen dürfe. Falls Herrn Daguerres Erfindung eines Tages zur Perfektion komme, würden die Künste ohnehin überflüssig.

Der da schreibe Gedichte. Gauß wies mit dem Kinn auf Eugen.

Tatsächlich, fragte Humboldt.

Eugen wurde rot.

Gedichte und dummes Zeug, sagte Gauß. Schon seit der Kindheit. Er zeige sie nicht vor, aber manchmal sei er so blöd, die Zettel herumliegen zu lassen. Ein mieser Wissenschaftler sei er, aber als Literat noch übler.

Sie hätten Glück mit dem Wetter, sagte Humboldt. Letzten Monat habe es viel geregnet. Jetzt könne man auf einen schönen Herbst hoffen.

Der lasse sich nämlich aushalten. Sein Bruder sei wenigstens beim Militär. Der da habe nichts gelernt, könne nichts. Aber Gedichte!

Er studiere die Rechte, sagte Eugen leise. Und dazu Mathematik!

Und wie, sagte Gauß. Ein Mathematiker, der eine Differentialgleichung erst erkenne, wenn sie ihn in den Fuß beiße. Daß ein Studium allein nichts zähle, wisse jeder: Jahrzehntelang habe er in die blöden Gesichter junger Leute starren müssen. Von seinem eigenen Sohn habe er Besseres erwartet. Warum ausgerechnet Mathematik?

Er habe es ja nicht gewollt, sagte Eugen. Er sei gezwungen worden!

222

Ach, und von wem?

Der Wechsel von Wetter und Jahreszeiten, sagte Humboldt, mache die eigentliche Schönheit dieser Breiten aus. Der Vielfältigkeit der tropischen Flora stehe in Europa das jährliche Schauspiel einer wiedererwachenden Schöpfung gegenüber.

Von wem wohl, rief Eugen. Wer habe denn einen Gehilfen für die Vermessung gebraucht?

Ein grandioser Gehilfe. Meilen um Meilen habe er zweimal messen müssen wegen all der Fehler.

Fehler in der fünften Nachkommastelle! Die hätten keinerlei Auswirkungen, die seien völlig gleichgültig.

Einen Moment, sagte Humboldt. Meßfehler seien nie gleichgültig.

Und der zerbrochene Heliotrop, fragte Gauß. Der sei dann auch egal?

Messen sei eine hohe Kunst, sagte Humboldt. Eine Verantwortung, die man nicht leichtnehmen dürfe.

Eigentlich sogar zwei Heliotropen, sagte Gauß. Den anderen habe zwar er fallen gelassen, aber nur weil ein Tölpel ihn auf den falschen Waldweg geführt habe.

Eugen sprang auf, griff nach seinem Knotenstock und der roten Mütze und lief hinaus. Die Wohnungstür knallte hinter ihm ins Schloß.

Das habe man davon, sagte Gauß. Dankbarkeit sei zu einem Fremdwort geworden.

Natürlich sei es nicht einfach mit jungen Menschen, sagte Humboldt. Aber man dürfe auch nicht zu streng sein, manchmal helfe etwas Ermutigung mehr als jeder Vorwurf.

Wo nichts sei, könne nichts werden. Und was den Magnetismus betreffe, so sei die Frage falsch gestellt: Es gehe nicht darum, wie viele Magneten es im Erdinneren gebe. So oder so erhalte man zwei Pole und ein Feld, das man durch die Stärke der Magnetkraft und den Inklinationswinkel der Nadel beschreiben könne.

Er habe immer eine Inklinationsnadel mitgeführt, sagte Humboldt. So habe er mehr als zehntausend Ergebnisse gesammelt.

Herr im Himmel, sagte Gauß. Schleppen reiche nicht, man müsse auch denken. Die horizontale Komponente der Magnetkraft lasse sich als Funktion der geographischen Breite und Länge darstellen. Die vertikale Komponente entwickle man am besten in einer Potenzreihe nach dem reziproken Erdradius. Einfache Kugelfunktionen. Er lachte leise.

Kugelfunktionen. Humboldt lächelte. Er hatte kein Wort verstanden.

Er sei aus der Übung, sagte Gauß. Mit zwanzig habe er keinen Tag für solche Kindereien gebraucht, heute müsse er sich eine Woche ausbitten. Er tippte sich an die Stirn. Das hier spiele nicht mehr mit wie früher. Er wünschte, er hätte damals Curare getrunken. Das Menschenhirn sterbe jeden Tag ein wenig ab.

Man könne soviel Curare trinken, wie man wolle, sagte Humboldt. Man müsse es in den Blutstrom träufeln, damit es töte.

Gauß starrte ihn an. Sicher?

Natürlich sei er sicher, sagte Humboldt indigniert. Er habe das Zeug praktisch entdeckt.

Gauß schwieg einen Moment. Was, fragte er dann, sei denn nun wirklich mit diesem Bonpland passiert?

Es werde Zeit! Humboldt stand auf. Die Versammlung warte nicht. Nach seiner Eröffnungsansprache gebe es einen kleinen Empfang für den Ehrengast. Hausarrest!

Wie bitte?

Bonpland stehe in Paraguay unter Hausarrest. Nach der Rückkehr habe er sich in Paris nicht mehr zurechtgefunden. Ruhm, Alkohol, Frauen. Sein Leben habe Klarheit und Richtung verloren, die einzige Sache, die einem nie passieren dürfe. Eine Zeitlang sei er Vorstand der kaiserlichen Ziergärten gewesen und ein wunderbarer Orchideenzüchter. Nach Napoleons Sturz sei er wieder über den Ozean. Drüben habe er einen Gutshof und Familie, aber in einem der Bürgerkriege habe er sich den falschen Leuten angeschlossen, oder eben den richtigen, auf jeden Fall den Verlierern. Ein verrückter Diktator namens Francia, ein Doktor auch noch, habe ihn auf seinem Hof festgesetzt und halte ihn unter ständiger Todesdrohung. Nicht einmal Simón Bolívar habe etwas für Bonpland ausrichten können.

Schrecklich, sagte Gauß. Aber wer sei der Kerl eigentlich? Er habe nie von ihm gehört.

B. Wahrheit

Der
Vater

Eugen Gauß irrte durch Berlin. Ein Bettler hielt ihm seine offene Hand entgegen, ein Hund winselte an seinem Bein empor, ein Droschkenpferd hustete in sein Gesicht, ein Schutzmann herrschte ihn an, nicht herumzugammeln. An einer Ecke kam er mit einem jungen Priester ins Gespräch, aus der Provinz wie er, ebenfalls sehr eingeschüchtert.

Mathematik, sagte der Priester, interessant!

Ach, sagte Eugen.

Er heiße Julian, sagte der Priester.

Sie wünschten einander Glück und nahmen Abschied.

Ein paar Schritte weiter sprach ihn eine Frau an. Die Knie wurden ihm weich vor Schreck, denn von solchen Dingen hatte er gehört. Eilig ging er weiter, drehte sich auch nicht um, als sie ihm nachlief, und erfuhr nie, daß sie ihm bloß hatte sagen wollen, daß er seine Mütze verloren hatte. In einem Wirtshaus trank er zwei Gläser Bier. Die Arme verschränkt, betrachtete er die nasse Tischplatte. Er war noch nie so traurig gewesen. Nicht seines Vaters wegen, denn der war fast immer so, auch nicht wegen seiner Einsamkeit. Es lag an der Stadt selbst. Der Menge der Menschen, der Höhe der Häuser, dem schmutzigen Himmel. Er schrieb ein paar Gedichtzeilen. Sie gefielen ihm nicht. Er starrte vor sich hin, bis zwei

Studenten in Schlapphosen und mit modisch langem Haar sich zu ihm setzten.

Göttingen, fragte der eine Student. Ein berüchtigter Platz. Da gehe es hoch her!

Eugen nickte verschwörerisch, obwohl er davon nichts wußte.

Aber sie werde kommen, sagte der andere Student, die Freiheit, trotz allem.

Sie werde sicherlich kommen, sagte Eugen.

Ungesäumt und wie ein Dieb in der Nacht, sagte der erste.

Nun wußten sie, daß sie etwas gemeinsam hatten.

Eine Stunde später waren sie auf dem Weg. Wie es unter Studenten Sitte war, ging Eugen mit dem einen von ihnen eingehängt, der andere folgte in dreißig Schritten Abstand, damit kein Gendarm sie aufhielt. Eugen verstand nicht, daß man so lange unterwegs sein konnte: Immer neue Straßen, immer noch eine Kreuzung, und auch der Vorrat an umhergehenden Leuten schien unerschöpflich. Wohin wollten die alle, und wie konnte man so leben?

Humboldts neue Universität, erzählte der Student neben Eugen, sei die beste der Welt, organisiert wie keine andere, mit den namhaftesten Lehrern des Landes. Der Staat fürchte sie wie die Hölle.

Humboldt habe eine Universität gegründet?

Der ältere, erklärte der Student. Der anständige. Nicht der Franzosenknecht, der den Krieg über in Paris gehockt habe. Sein Bruder habe ihn öffentlich zu den Waffen gerufen, aber er habe getan, als wäre das Vaterland nichts. Während der Besatzung habe er am Eingang seines Berliner Schlosses ein Schild anbringen lassen, man solle nicht plündern, der Eigentümer sei Mitglied der Pariser Akademie. Widerlich!

Die Straße führte steil aufwärts, dann schräg hinab. Vor einer Haustür standen zwei junge Männer und fragten nach der Losung.

Frei im Kampf.

Das sei die vom letzten Mal.

Der zweite Student trat zu ihnen. Die beiden flüsterten miteinander. Germania?

Schon lange nicht mehr.

Deutsch und frei?

Ach je. Die Wächter tauschten einen Blick. Dann sollten sie eben so hinein.

Über eine Treppe gelangten sie in einen nach Schimmel riechenden Kellerraum. Kisten standen auf dem Boden, in den Ecken stapelten sich Weinfässer. Die zwei Studenten schlugen ihre Rockaufschläge um und entblößten schwarzrote Kokarden, durchwirkt mit Goldfäden. Sie öffneten eine Luke im Boden. Eine enge Stiege führte in einen zweiten, tiefer gelegenen Keller.

Sechs Stuhlreihen vor einem wackligen Stehpult. An den Wänden hingen schwarzrote Wimpel, etwa zwanzig Studenten warteten schon. Alle hatten Stöcke, einige trugen polnische Mützen, andere altdeutsche Hüte. Ein paar steckten in selbstgeschneiderten Schlapphosen mit breiten, mittelalterlichen Gürteln. An den Wänden angebrachte Fackeln warfen tanzende Schatten. Eugen setzte sich, ihm war schwindlig von der schlechten Luft und der Aufregung. Man sage, flüsterte jemand, daß er selbst kommen werde. Er oder einer wie er, man wisse es nicht, er sei in Freyburg an der Unstrut festgesetzt, doch angeblich ziehe er immer wieder inkognito durchs Land. Nicht auszudenken, wenn er es wirklich wäre. Das Herz hielte es ja nicht aus, ihn leibhaftig zu sehen.

Immer mehr Studenten trafen ein, stets in Zweiergruppen, stets eingehängt, meist über die Parole diskutierend, die offenbar keiner gewußt hatte. Hier und dort blätterte einer in einem Gedichtband oder in der *Deutschen Turnkunst*. Manche bewegten die Lippen wie beim Gebet. Eugens Herz klopfte stark. Längst waren alle Stühle belegt; wer jetzt noch kam, mußte sich in einen Winkel zwängen.

Ein Mann stieg mit schweren Schritten die Treppe herab, und es wurde still. Er war schlank und sehr groß, hatte eine Glatze und einen langen grauen Bart. Es war, und seltsamerweise überraschte das Eugen nicht, ihr Tischnachbar in der Gastwirtschaft, der sich am Vortag in ihren Streit mit dem Polizisten gemischt hatte. Langsam, die Arme schwingend, ging er zum Pult. Dort streckte er sich, wartete, bis ein Student mit zittriger Hand, denn zunächst gelang es nicht, und er mußte es mehrmals versuchen, die Kerzen darauf angezündet hatte, und sagte dann mit trockener, hoher Stimme: Meinen Namen sollt ihr nicht wissen!

Ein Student weit hinten stöhnte auf. Ansonsten war es völlig still.

Der Bärtige hob den Arm, winkelte ihn an, wies mit der anderen Hand darauf und fragte, ob man erkenne, was das sei.

Keiner antwortete, keiner atmete. So sagte er es selbst: Muskeln.

Ihr Braven, fuhr er nach einer langen Pause fort, ihr Jungen, ihr Kraftvollen, ihr müßt stärker werden! Er räusperte sich. Denn wer denken wolle, tief und wesensberührend und bis zum Grund, habe den Körper zu straffen. Ein Denken ohne Muskeln sei schwach und matt, sei labbriges Franzosenzeug. Das Kind bete fürs Vaterland, der Jüngling schwärme, der Mann jedoch streite und leide. Er bückte sich und verharrte einen Moment, bevor er in rhythmischen Bewegungen sein Hosenbein hochkrempelte. Auch hier! Er klopfte mit der Faust an seine Wade. Rein und stark, felgaufschwungsfest, klimmzugshart, wer wolle, könne fühlen. Er richtete sich auf und stierte ein paar Sekunden in den Raum, bevor er mit Donnerstimme schrie: Wie dieses Bein sei, so müsse Deutschland werden!

Eugen brachte es fertig, sich umzusehen. Mehreren Zuhörern stand der Mund weit offen, vielen liefen Tränen über das Gesicht, einer hatte zitternd die Augen geschlossen, sein Nebenmann biß sich vor Erregung in die Finger. Eugen blinzelte. Die Luft war noch schlechter geworden, und durch das Schattenspiel der Fackeln war ihm, als wäre er Teil einer viel größeren Menge. Er bemühte sich, das in ihm aufsteigende Schluchzen zurückzudrängen.

Den Burschen, sagte der Bärtige, dürfe nichts beugen. Die Stirn dem Freund, die Brust dem Feind. Was das Volk bedränge, sei nicht Feindeskraft, sondern eigene Schwäche. Eingeschnürt sei es. Er schlug sich mit der flachen Hand auf die Brust. Könne nicht atmen, könne sich nicht rühren, wisse nicht, wohin mit ureigenem Willen und braver Frömmigkeit. Fürst, Franzose und

Pfaffe hielten es in Bann, in welscher Verzärtelung und Verlullung, im Daumenlutschschlaf. Burschentum aber, das sei: Zusammenstehen, keusch und fromm. Denken! Er ballte die Faust und klopfte sich an die Stirn. Ein Denken, dessen heiliges Eintrachtsband kein Teufel zerreißen könne. Endlich werde es doch zur wahren deutschen Kirche führen und das Sein bezwingen. Was aber heiße das, Burschen? Er streckte die Arme aus, ging langsam in die Knie und richtete sich wieder auf. Das heiße, den Körper fassen, den Körper schulen, durch Aufschwung, Abschwung, Klimmzug und Reckbeuge, bis der Kerl ein ganzer sei. Aber wo stehe man heute? Gerade erst, verborgen reisend, sei er Zeuge geworden, wie ein Greis und ein Student, ein deutscher Vater und sein Sohn, zwei treue Männer, polizeischikaniert worden seien, weil sie kein Papierzeug bei sich gehabt hätten. Beherzt habe er eingegriffen, wie ein Deutscher es müsse, habe gottlob den Tyrannenbüttel überwältigt. Täglich begegne man dem Unrecht, allenthalben und überall, wer solle ihm wehren, wenn nicht gute Burschen, die Alkohol und Weib entsagt und sich der Kraft gewidmet hätten, die Deutschlands Mönche seien, frisch und fromm, fröhlich und frei? Den Franzmann habe man vertrieben, nun sei der Fürst an der Reihe, die Unheilige Allianz werde nicht lange mehr stehen, die Philosophie habe die Wirklichkeit zu packen und durchzuwalken, Herrschaftszeit noch einmal! Er hieb auf das Pult, und Eugen hörte sich und die anderen Hurra rufen. Der Bärtige stand ruhig und hoch aufgereckt, die stechenden Augen in die Menge gerichtet. Plötzlich änderte sich seine Miene, und er wich zurück.

Eugen spürte einen Luftzug. Das Geschrei erstarb. Fünf Männer waren hereingekommen: ein kleiner Alter und vier Gendarmen.

Großer Gott, sagte Eugens Nebenmann. Der Pedell!

Er habe es ja gewußt, sagte der alte Mann zu den Gendarmen. Man habe nur beobachten müssen, wie sie alle in Zweiergruppen losmarschiert seien. Zum Glück seien die so dumm.

Drei Gendarmen blieben vor den Stufen stehen, einer ging auf das Rednerpult zu. Der Bärtige sah plötzlich viel schmaler und auch nicht mehr groß aus. Er hob die Hand über den Kopf, aber die drohende Geste mißlang, und schon trug er Handschellen.

Er werde nicht weichen, rief er, während der Polizist ihn zu den Stiegen führte, dem Zwang nicht und keiner Bitte. Die wackeren Burschen würden es nicht erlauben. Dies sei der Moment, da der Sturm beginne. Dann, während er die Stufen hinaufgeschoben wurde: Es sei alles ein Mißverständnis, er könne es erklären. Dann war er schon hinaus.

Er hole Verstärkung, sagte der Pedell und stieg eilig die Treppe hoch.

Keine Gespräche, sagte einer der Gendarmen. Kein Wort, von keinem zu keinem. Sonst gebe es unglaublich was auf den Schädel.

Eugen begann zu weinen.

Er war nicht der einzige. Mehrere junge Männer schluchzten hemmungslos. Ein paar, die aufgesprungen waren, setzten sich wieder. Fünfzig Studenten mit Knotenstöcken, dachte Eugen, und drei Polizisten. Einer mußte angreifen, dann würden die anderen folgen.

Und wenn das nun er wäre? Er konnte es tun. Ein paar Sekunden stellte er es sich vor. Dann wußte er, daß er zu feige war. Er wischte sich die Tränen weg und blieb schweigend sitzen, bis der Pedell mit zwanzig Gendarmen, befehligt von einem großen Offizier mit Seehundschnurrbart, zurückkam.

Mitnehmen, befahl der Offizier, im Kotter erste Vernehmung, um den Stand festzustellen, morgen Übergabe an die Zuständigen!

Ein schmächtiger Junge fiel vor ihm auf die Knie, umklammerte seine Stiefel und bettelte um Milde. Der Offizier sah peinlich berührt an die Decke, ein Gendarm zerrte den Jungen fort. Eugen benützte den Moment, um eine Seite aus seinem Notizbuch zu reißen und eine Nachricht an seinen Vater zu schreiben. Bevor ihm Handschellen angelegt wurden, konnte er den Zettel zusammenknüllen und in der Faust verstecken.

Auf der Straße warteten Polizeifuhrwerke. Die Festgenommenen saßen zusammengedrängt auf langen Bänken, hinter ihnen standen Gendarmen. Zufällig kam Eugen schräg gegenüber vom dumpf vor sich hin starrenden Bärtigen zu sitzen.

Sollen wir ausbrechen, flüsterte ein Student.

Das sei ein Mißverständnis, antwortete der Bärtige, er heiße Kösselrieder und komme aus Schlesien, er sei da in etwas hineingeraten. Ein Gendarm schlug ihm mit seinem Eisenstock auf die Schulter, leise brummend sank er in sich zusammen.

Noch jemand, fragte der Gendarm.

Keiner rührte sich. Die Türen schlossen sich knallend, und sie fuhren los.

Der
Äther

Mit halbgeschlossenen Augen sprach Humboldt von Sternen und Strömen. Seine Stimme war leise, aber im ganzen Saal zu hören. Er stand vor der riesigen Kulisse eines Nachthimmels, auf dem sich Sterne zu konzentrischen Kreisen ordneten: Schinkels Bühnenbild zur Zauberflöte, für diesen Anlaß noch einmal aufgespannt. Zwischen die Sterne hatte man die Namen deutscher Forscher geschrieben: Buch, Savigny, Hufeland, Bessel, Klaproth, Humboldt und Gauß. Der Saal war gefüllt bis zum letzten Platz: Monokel und Brillen, sehr viele Uniformen, sanft bewegte Fächer, sowie, in der Zentrumsloge, die reglosen Gestalten des Kronprinzen und seiner Frau. Gauß saß in der ersten Reihe.

Ach was, flüsterte ihm der gutgelaunte Daguerre ins Ohr, das werde noch Jahre dauern, bis er ein Bild machen könne. Zwar werde es mit der Belichtung irgendwann schon hinkommen, aber er und sein Kompagnon Nièpce hätten nicht die geringste Idee, wie man das Silberjodid fixieren solle.

Gauß zischte, Daguerre zuckte die Achseln und verstummte.

Wer in den Nachthimmel sehe, sagte Humboldt, mache sich keine rechte Vorstellung von den Erstreckungen dieses Gewölbes. Der Lichtnebel der Magellanschen

Wolken über der südlichen Hemisphäre sei keine amorphe Substanz, kein Dunst oder Gas, sondern bestehe aus Sonnen, welche bloß die schiere Entfernung optisch in eins fließen lasse. Ein Milchstraßenabschnitt von zwei Grad Breite und fünfzehn Grad Länge, wie ihn das Okular eines Fernrohres erfasse, enthalte mehr als fünfzigtausend zählbare Sterne und wohl an die einhunderttausend, die man ob ihrer Lichtschwäche nicht mehr unterscheiden könne. Somit bestehe die Milchstraße aus zwanzig Millionen Sonnen, die ein von ihr um einen Durchmesser ihrer selbst entferntes Auge allerdings nur mehr als matten Schimmer wahrnehmen würde, als einen jener Nebelflecke, von denen die Astronomen mehr als dreitausend gezählt hätten. Man frage sich also, warum bei so viel Sternen nicht der ganze Himmel ständig von Licht erfüllt, wieso da draußen so viel Schwärze sei, und komme nicht umhin, ein der Helligkeit entgegengesetztes Prinzip, etwas Hemmendes in den Zwischenräumen, einen lichtlöschenden Äther anzunehmen. Einmal mehr beweise sich so die vernünftige Einrichtung der Natur, denn schließlich hebe jede menschliche Kultur mit der Beobachtung der Bahnen der Himmelskörper an.

Humboldt öffnete zum erstenmal weit die Augen. Einer dieser im schwarzen Äther schwimmenden Körper sei die Erde. Ein Feuerkern, umschlossen von einer starren, einer tropfbar flüssigen und einer elastisch flüssigen Hülle, welche alle drei dem Leben Heimat böten. Selbst in unterirdischen Tiefen habe er lichtlos wucherndes Pflanzenzeug gefunden. Dem Feuerkern der Erde dienten die Vulkane als natürliche Ventile, die steinerne Kruste wiederum sei von zwei Meeren bedeckt, einem aus Wasser und einem aus Luft. Durch beide laufe ein beständiges Strömen: etwa jener berühmte Strom des Golfs, welcher die Wasser des atlantischen Meeres über die Landenge von Nicaragua und Yucatan treibe, dann durch den Kanal von Bahama nordöstlich gegen die Bank von Neufundland und von dort südöstlich zu den Azoren, worin man auch die Ursache für die wunderliche Erscheinung von Palmenfrüchten, fliegenden Fischen und manchmal sogar lebenden Eskimos in ihren Paddelbooten zu sehen habe, die man immer wieder an der irischen Küste antreffe. Er selbst habe im stillen Meer einen nicht minder wichtigen Strom entdeckt, der längs Chile und Peru das kalte Wasser hoher Breiten an die Wendekreise führe. All sein Bitten, er lächelte halb eitel und halb verlegen, habe den Seeleuten nicht austreiben können, ihn den Humboldtstrom zu nennen. Ähnlich bewirkten die Ströme des Luftozeans, in Bewegung gehalten von den Schwankungen der Sonnenwärme und gebrochen an den Schräghängen der großen Steinmassive, daß die Verteilung der Gewächsarten nicht den Breitengraden, sondern isothermisch geschwungenen Linien folge. Dieses System der Ströme verbinde die Erdteile zur wirkenden Einheit. Humboldt schwieg einen Moment, als ob der kommende Gedanke ihn rührte. Wie in den Erdhöhlungen, so auch im Meer, so auch an der Luft: Überall gediehen Pflanzen. Vegetation, das sei die offen liegende, die in stumme Reglosigkeit aufgefaltete Spielart des Lebens. Pflanzen besäßen keine Innerlichkeit, nichts Verstecktes, alles an ihnen sei Außen. Ausgesetzt und wenig geschützt, an die Erde und deren Bedingungen gefesselt, lebten sie doch und überdauerten. Insekten hingegen und Tiere und Menschen seien geschützt und gepanzert. Die konstante Temperatur ihres Inneren setze sie instand, wechselnde Bedingungen zu ertragen. Wer ein Tier ansehe, wisse noch nichts, während das Gewächs jedem Blick sein Wesen offenbare.

Jetzt werde er sentimental, flüsterte Daguerre.

So steige das Leben durch Stadien wachsender Verbergung seiner Organisation, bis es jenen Sprung mache, den man getrost den weitestmöglichen nennen könne: dem Blitzschlag der Vernunft. Hin zu ihm finde keine Entwicklung in Graden statt. Die zweitgrößte Beleidigung des Menschen sei die Sklaverei. Die größte jedoch die Idee, er stamme vom Affen ab.

Mensch und Affe! Daguerre lachte.

Humboldt legte den Kopf in den Nacken und schien den eigenen Worten nachzuhorchen. Das Verständnis des Kosmos sei weit fortgeschritten. Mit Fernrohren erkunde man das Universum, man kenne den Aufbau der Erde, ihr Gewicht und ihre Bahn, habe die Geschwindigkeit des Lichtes bestimmt, verstehe die Ströme des Meeres und die Bedingungen des Lebens, und bald werde man das letzte Rätsel, die Kraft der Magneten, gelöst haben. Das Ende des Wegs sei in Sicht, die Vermessung der Welt fast abgeschlossen. Der Kosmos werde ein begriffener sein, alle Schwierigkeiten menschlichen Anfangs, wie Angst, Krieg und Ausbeutung, würden in die Vergangenheit sinken, wozu gerade Deutschland und nicht zuletzt die Forscher dieser Versammlung den vordringlichsten Beitrag leisten müßten. Die Wissenschaft werde ein Zeitalter der Wohlfahrt herbeiführen, und wer könne wissen, ob sie nicht eines Tages sogar das Problem des Todes lösen werde. Einige Sekunden stand Humboldt unbewegt. Dann verbeugte er sich.

Seit der Rückkehr aus Paris, flüsterte Daguerre in den Applaus, sei der Baron nicht mehr der alte. Es falle ihm schwer, sich zu konzentrieren. Auch neige er zu Wiederholungen.

Gauß fragte, ob er wirklich aus Geldmangel zurückgekommen sei.

Vor allem eines Befehls wegen, sagte Daguerre. Der König habe nicht mehr dulden wollen, daß sein berühmtester Untertan im Ausland lebe. Humboldt habe alle Briefe des Hofes mit Ausflüchten beantwortet, aber der letzte habe eine so klare Anweisung enthalten, daß er sich nur durch offenen Bruch hätte widersetzen können. Und für den, Daguerre lächelte, hätten dem alten Herrn die Mittel gefehlt. Sein lang erwarteter Reisebericht habe das Publikum enttäuscht: Hunderte Seiten voller Meßergebnisse, kaum Persönliches, praktisch keine Abenteuer. Ein tragischer Umstand, der seinen Nachruhm schmälern werde. Ein berühmter Reisender werde nur, wer gute Geschichten hinterlasse. Der arme Mann habe einfach keine Ahnung, wie man ein Buch schreibe! Jetzt sitze er in Berlin, baue eine Sternwarte, habe tausend Projekte und gehe dem ganzen Stadtrat auf die Nerven. Die jüngeren Wissenschaftler lachten über ihn.

Er wisse ja nicht, wie es in Berlin sei. Gauß stand auf. Aber in Göttingen habe er keinen jungen Wissenschaftler getroffen, der kein Esel sei.

Sogar mit dem höchsten Berg sei es nichts, sagte Daguerre und folgte Gauß zum Ausgang. Man habe inzwischen herausgefunden, daß der Himalaja viel höhere habe. Ein schwerer Schlag für den alten Herrn. Jahrelang habe er es nicht wahrhaben wollen. Außerdem habe er sich nie davon erholt, daß seine Indienexpedition gescheitert sei.

Auf dem Weg zum Foyer rempelte Gauß eine Frau an, trat einem Mann auf den Fuß und schneuzte sich zweimal so laut, daß mehrere Offiziere ihn verächtlich ansahen. Er war es nicht gewöhnt, sich unter so vielen Menschen zu bewegen. Helfend faßte Daguerre nach seinem Ellenbogen, aber Gauß fuhr ihn an. Was ihm einfalle! Er überlegte einen Moment, dann sagte er: Salzlösung.

Aber ja, antwortete Daguerre mitleidig.

Gauß forderte ihn auf, nicht so blöd zu glotzen. Man könne Silberjodid mit gewöhnlicher Salzlösung fixieren.

Daguerre blieb abrupt stehen. Gauß schob sich durch das Getümmel auf Humboldt zu, den er am Eingang des Foyers gesehen hatte. Salzlösung, rief Daguerre hinter ihm. Wieso?

Dafür müsse man kein Chemiker sein, rief Gauß über seine Schulter, ein wenig Verstand reiche. Zögernd trat er ins Foyer, Applaus setzte ein, und hätte Humboldt ihn nicht sofort am Arm gefaßt und weitergeschoben, wäre er davongelaufen. Über dreihundert Menschen hatten auf ihn gewartet.

Die nächste halbe Stunde war eine Qual. Ein Kopf nach dem anderen schob sich vor ihn hin, eine Hand nach der anderen faßte nach der seinen und gab sie an die nächste weiter, während Humboldt ihm mit Flüsterstimme eine sinnlose Reihe von Namen ins Ohr sagte. Gauß überschlug, daß er daheim ziemlich genau ein Jahr und sieben Monate brauchte, um so vielen Leuten zu begegnen. Er wollte nach Hause. Die Hälfte der Männer trug Uniform, ein Drittel hatte Schnurrbärte. Nur ein Siebentel der Anwesenden waren Frauen, nur ein Viertel davon unter dreißig, nur zwei nicht häßlich, und nur eine hätte er gern berührt, aber Sekunden nachdem sie vor ihm geknickst hatte, war sie schon wieder weg. Ein Mann mit zweiunddreißig Ordensspangen hielt Gauß' Hand nachlässig zwischen drei Fingern, mechanisch machte Gauß eine Verbeugung, der Kronprinz nickte und ging weiter.

Er fühle sich nicht wohl, sagte Gauß, er müsse ins Bett.

Er bemerkte, daß seine Samtmütze abhanden gekommen war; irgend jemand hatte sie ihm abgenommen, und er wußte nicht, ob sich das so gehörte oder man ihn bestohlen hatte. Ein Mann klopfte ihm auf die Schulter, als hätten sie sich seit Jahren gekannt, und womöglich war das auch der Fall. Während ein Uniformierter die Hakken zusammenschlug und ein Brillenträger im Gehrock beteuerte, das sei der größte Moment seines Daseins, spürte er Tränen aufsteigen. Er dachte an seine Mutter.

Plötzlich wurde es still.

Ein dünner, alter Herr mit wächsernem Gesicht und unnatürlich aufrechter Haltung war hereingekommen. Mit kleinen Schritten, scheinbar ohne die Beine zu bewegen, glitt er auf Humboldt zu. Beide streckten die Arme aus, faßten einander an den Schultern und beugten den Kopf wenige Zentimeter vor, dann trat jeder einen Schritt zurück.

Welche Freude, sagte Humboldt.

In der Tat, sagte der andere.

Die Umstehenden applaudierten. Beide warteten, bis

das Klatschen vorbei war, dann wandten sie sich Gauß zu.

Das, sagte Humboldt, sei sein geliebter Bruder, der Minister.

Wisse er, sagte Gauß. Man habe sich vor Jahren in Weimar kennengelernt.

Der Erzieher Preußens, sagte Humboldt, welcher Deutschland seine Universität und der Welt die gültige Theorie der Sprache geschenkt habe.

Einer Welt, sagte der Minister, deren Gestalt niemand anderer als sein Bruder dem Begreifen erschlossen habe. Seine Hand fühlte sich kalt und leblos an, sein Blick war starr wie der einer Puppe. Überhaupt sei er schon lange kein Erzieher mehr. Nur Privatmann und Dichter.

Dichter? Gauß war froh, als er die Hand loslassen konnte.

Er diktiere seinem Sekretär jeden Tag zwischen sieben und halb acht Uhr abends ein Sonett. So halte er es seit zwölf Jahren, und das werde er fortführen bis zu seinem Ableben.

Gauß fragte, ob es gute Sonette seien.

Er sei zuversichtlich, sagte der Minister. Nun aber müsse er aufbrechen.

Sehr bedauerlich, sagte Humboldt.

Allerdings, sagte der Minister, ein wunderbarer Abend, ein großes Vergnügen.

Die beiden streckten die Arme aus und wiederholten das Ritual von vorhin. Der Minister drehte sich zur Tür und ging mit wohlgesetzt kleinen Schritten hinaus.

Eine unverhoffte Freude, wiederholte Humboldt. Plötzlich sah er bedrückt aus.

Er wolle heim, sagte Gauß.

Ein wenig noch, sagte Humboldt. Das sei Gendarmeriekommandant Vogt, dem die Wissenschaft viel verdanke. Er plane, alle Berliner Gendarmen mit Kompassen auszustatten. So könne man neue Daten über die Feldfluktuation in der Hauptstadt sammeln. Der Gendarmeriekommandant war zwei Meter groß, hatte den Schnurrbart eines Seehundes, und sein Händedruck war fürchterlich. Und das hier, fuhr Humboldt fort, sei der Zoologe Malzacher, das der Chemiker Rotter, das der Physiker Weber aus Halle mit seiner Gattin.

Erfreut, sagte Gauß, erfreut. Er war nahe am Losweinen. Immerhin, die junge Frau hatte ein kleines, wohlgeformtes Gesicht, dunkle Augen und ein tief ausgeschnittenes Kleid. Er heftete den Blick auf sie in der Hoffnung, daß ihn das aufheitern werde.

Er sei Experimentalphysiker, sagte Weber. Den elektrischen Kräften auf der Spur. Sie versuchten sich zu verbergen, aber er gebe ihnen keine Chance.

So habe er es auch gemacht, sagte Gauß, ohne die Augen von der hübschen Frau zu wenden. Mit den Zahlen. Vor langer Zeit.

Das wisse er, sagte Weber. Er habe die *Disquisitiones* genauer studiert als die Bibel. Welche er allerdings nicht sehr genau studiert habe.

Die Frau hatte zarte, sehr geschwungene Brauen. Ihr Kleid ließ die Schultern nackt. Gauß fragte sich, wie es wäre, seine Lippen auf diese Schultern zu drücken.

Er träume davon, hörte er Doktor Weber aus Halle weitersprechen, daß sich einmal ein Geist wie der des Herrn Professor, also nicht ein speziell mathematischer, sondern ein universeller, der Probleme löse, wo immer sie sich darböten, der experimentellen Welterkundung widmen möge. Er habe so viele Fragen. Es sei sein größter Wunsch, sie Professor Gauß vorzutragen.

Er habe wenig Zeit, sagte Gauß.

Das möge sein, sagte Weber. Aber in aller Bescheidenheit, es sei nötig, und er sei nicht irgendwer.

Gauß sah ihn zum erstenmal an. Vor ihm stand ein junger Mann mit schmalem Gesicht und hellen Augen.

Er müsse das sagen, erklärte Weber lächelnd, um der Sache willen. Er habe die Wellenbewegungen elektrischer Felder studiert. Seine Schriften würden weithin gelesen.

Gauß fragte nach seinem Alter.

Vierundzwanzig. Weber wurde rot.

Eine schöne Frau haben Sie, sagte Gauß.

Weber dankte. Seine Frau machte einen Knicks, aber sie sah nicht verlegen aus.

Ihre Eltern sind stolz auf Sie?

Er vermute es, sagte Weber.

Er solle ihn morgen nachmittag besuchen, sagte Gauß. Eine Stunde bekomme er, dann müsse er sich trollen.

Das werde reichen, sagte Weber.

Gauß nickte und ging zur Tür. Humboldt rief, er müsse bleiben, der König werde erwartet, aber er konnte nicht mehr, er war todmüde. Der schnurrbärtige Gendarmeriekommandant trat ihm in den Weg, jeder versuchte rechts und links und wieder rechts am anderen vorbeizukommen, und es dauerte eine peinliche Weile, bis sie es schafften. An der Garderobe stand ein warziger Mann, umringt von Studenten, und schimpfte in breitem Schwäbisch: Naturforscher, Besserwisser, verloren im Ansich, logikfern, geistlos, die Sterne seien auch nur Materie! Gauß lief hinaus auf die Straße.

Er hatte Magenschmerzen. Stimmte es, daß es in der Großstadt Fuhrwerke gab, die man einfach anhielt, damit sie einen heimbrachten? Aber da war keines. Es stank. Zu Hause hätte er längst im Bett gelegen, und obwohl er Minna nicht gern sah, ihre Stimme nicht hören wollte und nichts ihn so nervös machte wie ihre Anwesenheit, fehlte sie ihm aus reiner Gewohnheit. Er rieb sich die Augen. Wieso war er so alt geworden? Man ging nicht mehr gut, man sah nicht mehr richtig, und man dachte so langsam. Altern, das war nichts Tragisches. Es war lächerlich.

Er konzentrierte sich und rief sich in allen Einzelheiten den Weg zurück, den Humboldts Kutsche vorhin vom Packhof Nummer vier zum Singverein genommen hatte. Er bekam nicht mehr alle Kurven richtig zusammen, aber die Richtung schien eindeutig: schräg nach links, nordöstlich wohl. Daheim hätte er es durch einen Blick nach oben geklärt, aber in dieser Kloake konnte man keine Sterne sehen. Der lichtauslöschende Äther. Wenn man hier lebte, konnte einem solcher Blödsinn wohl einfallen!

Nach jedem Schritt sah er sich um. Er hatte Angst vor Räubern, vor Hunden und vor Dreckpfützen. Er hatte Angst, daß die Stadt so groß war, daß er nie mehr herausfinden, daß ihr Labyrinth ihn festhalten und nicht zurück nach Hause lassen würde. Aber nein, man durfte sich in nichts hineinsteigern! Eine Stadt, das waren auch nur Häuser, und in hundert Jahren würden die kleinsten größer sein als diese, und in dreihundert – er runzelte die

Stirn, es war nicht leicht, eine exponentielle Wachstumskurve zu überschlagen, wenn man nervös und traurig war und einen der Bauch schmerzte –, in dreihundert Jahren also würden in den meisten Städten mehr Menschen leben als heute in allen deutschen Staaten zusammen. Menschen wie Insekten, in Waben hausend, niederen Arbeiten nachgehend, Kinder zeugend und sterbend. Natürlich würde man die Leichen verbrennen müssen, kein Friedhof könnte das fassen. Und all die Exkremente? Er nieste und fragte sich, ob er nun auch noch krank wurde.

Als sein Gastgeber zwei Stunden später heimkam, fand er Gauß im großen Lehnsessel, pfeiferauchend, die Füße auf einem mexikanischen Steintischchen.

Wohin er so plötzlich verschwunden sei, rief Humboldt, man habe ihn gesucht, habe das Schlimmste vermutet, ein vorzügliches Buffet habe es auch gegeben! Der König sei enttäuscht gewesen.

Ums Buffet tue es ihm leid, sagte Gauß.

Das sei doch keine Art. Viele Leute seien eigens angereist. Das könne man nicht tun!

Dieser Weber gefalle ihm, sagte Gauß. Aber lichtschluckender Äther. So ein Unsinn.

Humboldt verschränkte die Arme.

Occam's razor, sagte Gauß. Die Anzahl der zu einer Erklärung nötigen Annahmen sei so klein wie möglich zu halten. Im übrigen sei der Raum zwar leer, aber gekrümmt. Die Sterne wanderten durch ein sehr unheimliches Gewölbe.

Schon wieder, sagte Humboldt. Astrale Geometrie. Er wundere sich, daß ein Mann wie Gauß diese seltsame Richtung vertrete.

Tue er nicht, sagte Gauß. Er habe früh beschlossen, nie darüber zu publizieren. Er habe keine Lust gehabt, sich dem Gespött auszusetzen. Zu viele Leute hielten ihre Gewohnheiten für Grundregeln der Welt. Er ließ zwei Rauchwölkchen an die Decke steigen. Was für ein Abend! Fast hätte er nicht heimgefunden, und um von dem faulen Personal hereingelassen zu werden, habe er das ganze Haus wachläuten müssen. So dreckige Straßen gebe es kein zweites Mal.

Er sei vermutlich etwas weiter herumgekommen, sagte Humboldt scharf. Und er versichere ihm, es gebe dreckigere. Und es sei ein großer Fehler, sich einfach zu entfernen, wenn so viele Leute zusammenkämen, mit denen man Projekte in die Welt setzen könne.

Projekte, schnaubte Gauß. Gerede, Pläne, Intrigen. Palaver mit zehn Fürsten und hundert Akademien, bis man irgendwo ein Barometer aufstellen dürfe. Das sei nicht Wissenschaft.

Ach, rief Humboldt, was sei Wissenschaft denn dann?

Gauß sog an der Pfeife. Ein Mann allein am Schreibtisch. Ein Blatt Papier vor sich, allenfalls noch ein Fernrohr, vor dem Fenster der klare Himmel. Wenn dieser Mann nicht aufgebe, bevor er verstehe. Das sei vielleicht Wissenschaft.

Und wenn dieser Mann sich auf Reisen mache?

Gauß zuckte die Schultern. Was sich in der Ferne verstecke, in Löchern, Vulkanen oder Bergwerken, sei Zufall und unwichtig. Die Welt werde so nicht klarer.

Dieser Mann am Schreibtisch, sagte Humboldt, brauche natürlich eine fürsorgliche Frau, die ihm die Füße wärme und Essen koche, sowie folgsame Kinder, die seine Instrumente putzten, und Eltern, die ihn wie ein Kind versorgten. Und ein sicheres Haus mit gutem Dach gegen den Regen. Und eine Mütze, damit ihm nie die Ohren schmerzten.

Gauß fragte, wen er damit meine.

Er meine das ganz allgemein.

In diesem Fall: Ja, all das brauche er und mehr. Wie solle es ein Mann sonst aushalten?

Der Diener, bereits im Schlafrock, trat herein.

Humboldt fragte, was das für Sitten seien, ob er nicht klopfen könne?

Der Diener reichte ihm ein Blatt Papier. Das sei eben abgegeben worden, von einem Straßenjungen. Es scheine wichtig.

Uninteressant, sagte Humboldt. Er nehme nicht von irgend jemandem nächtliche Briefe entgegen. Das sei ja wie in einem Stück von Kotzebue! Widerwillig entfaltete er das Papier und las. Merkwürdig, sagte er. Ein Gedicht. Unbeholfen gereimt. Etwas über die Bäume, den Wind und das Meer. Ein Raubvogel komme auch vor und ein König aus dem Mittelalter. Dann breche es ab. Offenbar mangels eines Reimworts auf *Silber*.

Der Diener bat ihn, das Blatt umzudrehen.

Humboldt tat es und las. Großer Gott, sagte er leise.

Gauß setzte sich auf.

Offenbar sei der junge Herr Eugen in Schwierigkeiten geraten. Diesen Zettel habe er aus dem Polizeigefängnis geschmuggelt.

Gauß blickte reglos an die Decke.

Das sei wirklich nicht angenehm, sagte Humboldt. Er sei immerhin Staatsbeamter.

Gauß nickte.

Und helfen könne er auch nicht. Die Dinge würden ihren Gang nehmen. Übrigens könne man sich auf die preußische Justiz verlassen, da geschehe kein Unrecht. Wer nichts begangen habe, könne vertrauen.

Gauß betrachtete seine Pfeife.

Beschämend sei das, sagte Humboldt, sehr unerfreulich. Immerhin handle es sich um seinen Gast.

Mit dem Jungen sei nie etwas anzufangen gewesen, sagte Gauß. Er schob sich den Pfeifenstiel zwischen die Lippen.

Eine Weile schwiegen sie. Humboldt trat ans Fenster und sah in den dunklen Hof hinunter.

Was könne man schon tun?

Ja, sagte Gauß.

Es sei ein langer Tag gewesen, sagte Humboldt. Sie seien beide müde.

Und nicht mehr die Jüngsten, sagte Gauß.

Humboldt ging zur Tür und wünschte eine gute Nacht.

Er rauche noch die Pfeife fertig, sagte Gauß.

Humboldt nahm den Kerzenleuchter mit und schloß die Tür hinter sich.

Gauß verschränkte die Hände hinter dem Kopf. Das einzige Licht kam vom Glimmen seiner Pfeife. Auf der Straße rollte mit blechernem Lärm ein Fuhrwerk vorbei. Gauß nahm die Pfeife aus dem Mund und drehte sie zwischen den Fingern. Er spitzte die Lippen und horchte in die Luft. Schritte näherten sich, die Tür flog auf.

So gehe das nicht, rief Humboldt. Er könne das nicht hinnehmen!

So, sagte Gauß.

Aber man habe wenig Zeit. Heute nacht sei Eugen noch in der Obhut der Gendarmen. Morgen früh werde ihn die Geheimpolizei vernehmen, dann sei nichts mehr aufzuhalten. Wenn sie ihn herausholen wollten, müsse es jetzt sein.

Gauß fragte, ob er wisse, wie spät es sei.

Humboldt starrte ihn an.

Er sei seit Jahren nicht um diese Zeit unterwegs gewesen! Wenn er es recht bedenke, überhaupt noch nie.

Humboldt stellte ungläubig den Kerzenhalter ab.

Na gut. Gauß legte schnaufend die Pfeife weg und stand auf. Das werde ihn unfehlbar noch kränker machen.

Auf ihn wirke er recht gesund, sagte Humboldt.

Das reiche jetzt, rief Gauß. Es sei alles schon schlimm genug. Er müsse sich nicht auch noch beleidigen lassen!

Die
Geister

Gendarmeriekommandant Vogt war ausgegangen. Seine Frau, gewickelt in einen wollenen Hausrock, Gesicht und Haare noch wirr vom Schlaf, sagte ihnen, er sei nach dem Empfang in der Singakademie kurz heimgekommen und dann weggerufen worden, offenbar habe es Verhaftungen gegeben. Kurz vor Mitternacht sei er noch einmal zurückgekehrt, habe sich zivil gekleidet und sei wieder losgefahren. Er halte das einmal die Woche so. Nein, wohin wisse sie nicht.

Da sei wohl nichts zu machen, sagte Humboldt. Er verbeugte sich und wollte gehen.

Er meine schon, sagte Gauß.

Beide sahen ihn fragend an.

Er meine schon, daß man da etwas machen könne. Humboldt sei eben nie verheiratet gewesen und wisse nicht, wie das ablaufe. Eine Frau, deren Mann einmal die Woche nachts weggehe, wisse sehr genau, wo er stecke, und wenn er es nicht verrate, dann erfahre sie es trotzdem. Sie könne jetzt zwei alten Herren einen großen Gefallen tun.

Sie dürfe wirklich nichts sagen, murmelte Frau Vogt.

Gauß trat einen Schritt näher, legte die Hand auf ihren Arm und fragte, warum sie es ihnen so schwer mache. Ob er und sein Freund wie Denunzianten aussähen, wie Leute, die kein Geheimnis bewahren könnten? Er senkte den Kopf und lächelte sie an. Es sei wirklich wichtig.

Aber niemand dürfe wissen, daß es von ihr gekommen sei.

Das sei doch selbstverständlich, sagte Gauß.

Es sei ja nichts Verbotenes. Und auch nur seit dem Tod der Großmutter. Man vermute, daß es verstecktes Geld gebe, aber niemand wisse, wo. Da versuche man eben, was man könne.

Da sehe man es wieder, sagte Gauß, während sie die Treppe hinuntergingen. Frauen könnten nichts für sich behalten. Was einmal die Gattin wisse, erfahre jeder. Ob sie wohl kurz beim Polizeigefängnis halten könnten? Er wolle nach dem Nichtsnutz sehen.

Unmöglich, sagte Humboldt. Er dürfe sich dort nicht blicken lassen.

Der führende Republikaner Europas könne nicht das Polizeigefängnis betreten?

Gerade der führende Republikaner nicht, sagte Humboldt. Seine Position sei fragiler, als es auf den ersten Blick scheine. Auch der Ruhm sei nicht immer ein Schutz. Die Orientierung sei auf dem Orinoko leichter gewesen als in dieser Stadt. Er dämpfte die Stimme. Im Polizeigefängnis trenne die Gendarmerie die Verhafteten nur nach ihrem Stand, die Personalien aber würden erst am nächsten Morgen von der geheimen Polizei aufgenommen. Wenn sie Vogt dazu brächten, den jungen Mann sofort heimzuschicken, würde keine Spur zurückbleiben.

Mit dem Jungen sei es hoffnungslos, sagte Gauß. Dieser Weber gefalle ihm besser.

Man könne es sich nicht aussuchen, sagte Humboldt.

Wahrscheinlich nicht, sagte Gauß und schwieg, bis die Kutsche hielt.

Sie gingen durch einen schmutzigen Hof, eine Treppe hinauf. Zweimal mußten sie stehenbleiben, damit Gauß wieder zu Atem kommen konnte. Sie erreichten den vierten Stock, Humboldt klopfte an die Wohnungstür. Ein blasser Mann mit gezwirbeltem Spitzbart öffnete. Er trug ein goldbesticktes Hemd, Samthosen und abgenutzte Pantoffeln.

Lorenzi, sagte er. Erst nach ein paar Sekunden verstanden sie, daß er sich vorgestellt hatte.

Humboldt fragte, ob der Gendarmeriekommandant hier sei.

Der sei hier, sagte Herr Lorenzi in stockendem Deutsch, und manch anderer auch. Wer aber hereinwolle, müsse in den Kreis treten.

Na gut, sagte Gauß.

Der Kreis dürfe nicht gebrochen werden, sagte Lorenzi, sollten Diesseits und Totenreich nicht durcheinanderkommen. Mit anderen Worten, es koste Geld.

Gauß schüttelte den Kopf, aber Humboldt steckte Lorenzi ein paar Goldmünzen zu, und dieser wich mit einer gewundenen Verbeugung zur Seite.

Der Flur war mit abgewetzten Teppichen ausgelegt. Durch eine halboffene Tür hörte man das Jammern einer Frauenstimme. Sie gingen hinein.

Nur eine einzige Kerze erhellte das Zimmer. Menschen saßen um einen runden Tisch. Das Jammern kam von einem etwa siebzehn Jahre alten Mädchen. Sie trug ein weißes Nachthemd, ihr Gesicht war verschwitzt, die Haare klebten ihr in der Stirn. Zu ihrer Linken saß mit geschlossenen Augen Gendarmeriekommandant Vogt. Neben ihm ein Mann mit Glatze, auch drei ältere Damen, eine Frau in Schwarz, mehrere Herren im dunklen Anzug. Das Mädchen rollte den Kopf und stöhnte. Humboldt wollte wieder hinausgehen, Gauß hielt ihn auf. Lorenzi rückte zwei Stühle heran. Zögernd setzten sie sich an den Tisch.

Und jetzt, sagte Lorenzi, müßten alle einander an den Händen nehmen!

Nie im Leben, sagte Humboldt.

Es sei doch nicht weiter schlimm, sagte Gauß und faßte Lorenzis Hand. Wenn man sie hinauswürfe, wäre ihnen auch nicht geholfen.

Nein, sagte Humboldt.

Sonst gehe es nicht, sagte Lorenzi.

Gauß seufzte und griff nach Humboldts linker Hand, zugleich packte die Frau auf der anderen Seite, sie war ungefähr sechzig und sah wie eine verwitterte Statue aus, die rechte. Humboldt erstarrte.

Das Mädchen warf den Kopf zurück und schrie. Von den Verrenkungen verrutschte ihr Nachthemd. Gauß betrachtete sie mit hochgezogenen Brauen. Ihr Körper fuhr in die Höhe, als wollte sie aufspringen, aber die zwei Männer neben ihr hielten sie fest; sie entblößte die Zähne, verdrehte die Augen, ruckte wimmernd hin und her. Sie habe König Salomon gesehen, ächzte sie, aber er habe nicht kommen wollen, jetzt kündige sich ein anderer an.

Er halte das nicht mehr aus, sagte Humboldt.

Das sei doch eigentlich ganz lustig, sagte Gauß. Und die Kleine sei nicht übel.

Sie schrie auf, eine Zuckung ließ ihren Körper nach hinten schnellen; hätten die Männer sie nicht festgehalten, wäre sie mit ihrem Stuhl umgekippt. Dann beruhigte sie sich, legte den Kopf schief und starrte auf die Tischplatte. Einer sei hier, sagte sie. Dem lasse sein Onkel ausrichten, alles sei verziehen. Ein Sohn erwarte seine Mutter. Weiter sehe sie Bonaparte, den Teufel in Menschengestalt, wie er in der Hölle brenne. Furchtbare Lästerungen stoße er aus und wolle nicht bereuen. Sie drehte horchend den Kopf. Ihr Nachthemd stand bis unter die Brust offen. Ihre Haut glänzte feucht. Von einem anderen erblicke sie den Bruder, er sage, sein Tod sei natürlich und in der Ordnung gewesen, man solle nicht mehr nachforschen. Von einem anderen die Mutter. Sie sei sehr enttäuscht. Sein Werk werde ohne Bedeutung sein, sie wisse jetzt, daß er nur auf ihren Tod gewartet habe, um sich davonzumachen wie ein Herumtreiber, und in der Höhle damals habe er getan, als sehe er sie nicht. Dann sei da ein Kind, das seinen Eltern mitteilen lasse, es gehe ihm den Umständen entsprechend gut, die Halle sei groß, man fliege immerzu, und wenn man sich vorsehe, werde einem kein Schmerz zugefügt. Und eine alte Frau lasse sagen, sie habe kein Geld versteckt und könne nicht helfen. Das Mädchen stöhnte, alle beugten sich vor, aber es kam nichts mehr. Sie gab einen würgenden Laut von sich, dann hob sie den Kopf, löste mit einer leichten Bewegung ihre Hände aus dem Griff der Männer, zog ihr Nachthemd zurecht und lächelte verwirrt vor sich hin.

Na gut, sagte Gauß.

Vogt sah ihn erschrocken über die Tischplatte an. Er hatte sie jetzt erst bemerkt.

Auf ein Wort, sagte Humboldt. Er war blaß, sein Gesicht maskenhaft starr.

Faszinierend, sagte die schwarzgekleidete Frau.

Ein einmaliger Moment der Kommunikation zwischen den Welten, sagte Lorenzi. Alle sahen ihn vorwurfsvoll an, er hatte ohne italienischen Akzent gesprochen; eilig wiederholte er es, wie es sich gehörte. Das Mädchen schaute sich verlegen um. Gauß beobachtete sie aufmerksam.

Vogt fragte, ob sie ihm gefolgt seien.

Gewissermaßen, sagte Humboldt. Einer Bitte wegen. Ein Gespräch unter vier Augen. Er machte Gauß ein Zeichen, daß er bleiben solle, und ging mit Vogt hinaus in den Flur.

Er sei wegen seiner Großmutter hier, flüsterte Vogt. Niemand wisse, wo das Geld sei. Seine Lage sei nicht leicht. Ein Gentleman müsse seine Schulden bezahlen, komme, was wolle. Und da versuche er eben alles.

Humboldt räusperte sich. Er schloß ein paar Sekunden lang die Augen, als müßte er sich zur Ordnung rufen. Ein junger Mann, sagte er dann, der Sohn des Astronomen dort drüben, sei auf einer törichten Versammlung verhaftet worden. Noch sei Zeit, ihn einfach heimzuschicken.

Vogt strich über seinen Schnurrbart.

Man würde dem Land einen Dienst erweisen. Preußen sei viel an der Zusammenarbeit mit diesem Mann gelegen. Es sei im höchsten Interesse, ihn nicht zu verprellen.

Im höchsten Interesse, wiederholte Vogt.

Anderswo, sagte Humboldt, gebe es Orden für so etwas.

Vogt lehnte sich an die Wand. Was man diesen Leuten vorwerfe, sei keine Kleinigkeit. Eine zutiefst bedenkliche Geheimversammlung. Zunächst habe man sogar geglaubt, der verabscheuungswürdige Verfasser der *Deutschen Turnkunst* habe selbst gesprochen. Nun scheine es gottlob, daß der Redner bloß einer der vielen Nachahmer sei, die unter seinem Namen das Land durchstreiften. Ein Eilbote sei jedenfalls unterwegs nach Freyburg, um für Gewißheit zu sorgen.

Die Pest der vorgetäuschten Identitäten, sagte Humboldt. Zwei Mitarbeiter von ihm, Daguerre und Nièpce, arbeiteten an einer Erfindung, die Abhilfe schaffen werde. Dann werde die Obrigkeit offizielle Abbilder haben, und man werde sich nicht mehr als Berühmtheit ausgeben können. Er kenne das Problem gut, kürzlich erst habe in Tirol ein Mann monatelang auf Gemeindekosten gelebt, weil er behauptet habe, Humboldt zu sein und zu wissen, wie man Gold finde.

In jedem Fall, sagte Vogt, die Lage sei ernst. Er sage nicht, daß sich nichts machen lasse. Erwartungsvoll sah er Humboldt an. Aber leicht sei es nicht.

Er müsse nur ins Polizeigefängnis gehen und den jungen Mann heimschicken, sagte Humboldt. Der Name sei noch nicht aufgeschrieben. Keiner werde es erfahren.

Ein Risiko sei dabei, sagte Vogt.

Aber ein geringes.

Gering oder nicht, unter zivilisierten Leuten gebe es für so etwas Abgeltungen.

Humboldt versprach Dankbarkeit.

Die könne sich auf verschiedene Arten äußern.

Humboldt versicherte, daß er in ihm immer einen Freund haben werde. Auch sei er bereit zu jedem Gefallen.

Gefallen. Vogt seufzte. Da gebe es solche und solche.

Humboldt fragte, was er meine.

Vogt stöhnte. Ratlos blickten sie einander an.

Herrgott, sagte Gauß' Stimme neben ihnen. Ob er denn wirklich nicht verstehe? Der Kerl wolle bestochen werden.

Vogt wurde bleich.

Gekauft wolle er werden, sagte Gauß ruhig. Das elende Bürschchen. Der kleine Dreckfresser.

Dagegen verwahre er sich, rief Vogt mit schriller Stimme. Das müsse er sich nicht anhören!

Humboldt machte Gauß hektische Handzeichen. Neugierig kamen die Leute aus dem Salon: Der Glatzkopf und die schwarzgekleidete Frau tuschelten, das Mädchen im Nachthemd sah ihnen über die Schulter.

Müsse er schon, sagte Gauß. Wenn man ein Kotkerl sei, ein ehrloser Lippenbär, ein gieriger Scheißzwerg, solle man auch die Wahrheit vertragen können.

Das reiche jetzt, schrie Vogt.

Aber noch lange nicht, sagte Gauß.

Er werde morgen früh seine Sekundanten schicken!

Um Gottes willen, rief Humboldt, es sei alles ein Mißverständnis.

Die werde er rauswerfen, sagte Gauß. Schöne Tunichtgute müßten das sein, sich von einem Mistkäfer herumschicken zu lassen. Fußtritte könnten die sich holen, in den Arsch und anderswohin!

Mit gepreßter Stimme fragte Vogt, ob das heiße, der Herr verweigere ihm Genugtuung.

Na sicher. So weit komme es noch, daß er sich von einem Stinkmolch totschießen lasse!

Vogt öffnete und schloß den Mund, ballte die Fäuste und starrte an die Decke. Sein Kinn zitterte. Wenn er recht verstanden habe, so habe der Sohn des Herrn Professors Schwierigkeiten. Der Herr Professor solle nicht damit rechnen, seinen Sohn bald wiederzusehen. Er stolperte zum Garderobenständer, packte seinen Mantel, riß einen Hut an sich und rannte hinaus.

Aber das sei sein Hut, rief der Glatzkopf und lief ihm nach.

Das sei ja nun nichts gewesen, sagte Gauß schließlich in das Schweigen. Er warf noch einen langen Blick auf das Medium, dann schob er die Hände in die Taschen und verließ die Wohnung.

Ein schrecklicher Irrtum, sagte Humboldt, als er ihn auf der Treppe eingeholt hatte. Der Mann habe doch kein Geld gewollt!

Ha, sagte Gauß.

Ein hoher Beamte des preußischen Staates sei nicht bestechlich. So etwas habe es nie gegeben.

Ha!

Dafür lege er seine Hand ins Feuer!

Gauß lachte.

Sie traten ins Freie und stellten fest, daß ihre Kutsche weggefahren war.

Dann eben zu Fuß, sagte Humboldt. Es sei schließlich nicht weit, seinerzeit habe er ganz andere Entfernungen gemeistert.

Bitte nicht schon wieder, sagte Gauß. Er könne es nicht mehr hören.

Die beiden sahen einander wütend an, dann gingen sie los.

Es sei das Alter, sagte Humboldt nach einer Weile. Früher habe er jeden überzeugen können. Habe jede Blockade überwunden und jeden Paß bekommen, den er gewollt habe. Ihm habe niemand widerstanden.

Gauß antwortete nicht. Sie gingen schweigend nebeneinanderher.

Gut, sagte Gauß schließlich. Er gebe es zu. Klug sei das von ihm nicht gewesen. Aber es habe ihn nun einmal so geärgert!

Solch einem Medium gehöre das Handwerk gelegt, sagte Humboldt. So nähere man sich den Toten nicht. Ungebührlich sei es, dreist und vulgär! Er sei mit Geistern aufgewachsen und wisse, wie man sich ihnen gegenüber benehme.

Diese Laternen, sagte Gauß. Bald würden sie mit Gas funktionieren, dann werde die Nacht abgeschafft. Sie seien beide in einer zweitklassigen Zeit alt geworden. Was werde jetzt aus Eugen?

Ausschluß vom Studium. Wahrscheinlich Gefängnis. Unter Umständen könne man eine Verbannung arrangieren.

Gauß schwieg.

Manchmal müsse man akzeptieren, sagte Humboldt, daß man Menschen nicht helfen könne. Er habe Jahre gebraucht, um sich damit abzufinden, daß er nichts für Bonpland zu tun vermöge. Er könne sich deshalb nicht jeden Tag grämen.

Nur müsse er es Minna beibringen. Sie hänge ganz idiotisch an dem Jungen.

Was nun einmal fallen wolle, sagte Humboldt, das müsse man fallen lassen. Schön klinge das nicht, aber es sei nur die härtere Seite, die brutale gewissermaßen, des gelingenden Lebens.

Sein Leben liege hinter ihm, sagte Gauß. Er habe ein Heim, das ihm nichts bedeute, eine Tochter, die keiner wolle, und einen ins Unglück geratenen Sohn. Auch seine Mutter werde nicht mehr lange dasein. Die letzten fünfzehn Jahre habe er Hügel vermessen. Er blieb stehen und sah in den Nachthimmel. Alles in allem könne er nicht erklären, weshalb er sich so leicht fühle.

Er könne es auch nicht, sagte Humboldt. Aber ihm gehe es ähnlich.

Vielleicht sei dies und das noch möglich. Magnetismus. Geometrie des Raumes. Sein Kopf sei nicht mehr wie früher, aber doch noch nicht unbrauchbar.

Er sei nie in Asien gewesen, sagte Humboldt. Das sei doch kein Zustand. Auf einmal frage er sich, ob es nicht ein Fehler sei, die Einladung nach Rußland auszuschlagen.

Natürlich brauche er neue Mitarbeiter. Allein könne er es nicht mehr. Der ältere Sohn sei beim Militär, der Kleine noch zu jung, und Eugen falle aus. Aber dieser Wilhelm Weber habe ihm gefallen! Der habe auch eine hübsche Frau. In Göttingen werde eine Physikprofessur frei.

Einfach werde es nicht, sagte Humboldt. Die Regierung werde jeden seiner Schritte kontrollieren wollen. Doch falls man ihn für schwach und nachgiebig halte, habe man sich geirrt. Von Indien hätten sie ihn ferngehalten. Nach Rußland werde er gehen.

Experimentalphysik, sagte Gauß. Das sei etwas Neues. Darüber müsse er nachdenken.

Mit etwas Glück, sagte Humboldt, könne er bis nach China kommen.

Die
Steppe

Was, meine Damen und Herren, ist der Tod? Im Grunde nicht erst das Verlöschen und die Sekunden des Übergangs, sondern schon das lange Nachlassen davor, jene sich über Jahre dehnende Erschlaffung; die Zeit, in der ein Mensch noch da ist und zugleich nicht mehr und in der er, ist auch seine Größe lange dahin, noch vorgeben kann, es gäbe ihn. So umsichtig, meine Damen und Herren, hat die Natur unser Sterben eingerichtet!

Als der Applaus zu Ende war, hatte Humboldt das Podium schon verlassen. Vor der Singakademie wartete eine Kutsche, die ihn ans Krankenbett seiner Schwägerin brachte. Sie ließ leise und ohne Schmerzen nach, halb im Schlaf und halb dämmernd, öffnete nur noch einmal die Augen, sah zunächst Humboldt an und dann, leicht erschrocken, ihren Ehemann, als fiele es ihr schwer, die beiden zu unterscheiden. Sekunden später war sie tot. Danach saßen die Brüder einander gegenüber, Humboldt hielt die Hand des Älteren, weil er wußte, daß die Situation das verlangte; aber für einige Zeit vergaßen sie völlig, geradezusitzen und klassische Dinge zu sagen.

Ob er sich noch an den Abend erinnere, fragte der Ältere schließlich, als sie die Geschichte von Aguirre gelesen hätten und er beschlossen habe, zum Orinoko zu ziehen? Das Datum sei für die Nachwelt bezeugt!

Natürlich erinnere er sich, sagte Humboldt. Aber er glaube nicht mehr, daß es die Nachwelt interessieren werde, er zweifle auch an der Bedeutung der Flußreise selbst. Der Kanal habe keine Wohlfahrt für den Kontinent gebracht, er liege verlassen und unter Mückenwolken wie je, Bonpland habe recht gehabt. Wenigstens sei ihm das Leben ohne Langeweile vergangen.

Ihm habe Langeweile nie etwas ausgemacht, sagte der Ältere. Nur allein habe er nicht sein wollen.

Er sei immer allein gewesen, sagte Humboldt, vor der Langeweile aber habe er Todesangst.

Er habe sehr darunter gelitten, sagte der Ältere, daß er nie Kanzler geworden sei, Hardenberg habe es verhindert, dabei sei es ihm doch bestimmt gewesen!

Niemand, sagte Humboldt, habe eine Bestimmung. Man entschließe sich nur, eine vorzutäuschen, bis man es irgendwann selbst glaube. Doch so vieles passe nicht dazu, man müsse sich entsetzliche Gewalt antun.

Der Ältere lehnte sich zurück und sah ihn lange an. Immer noch die Knaben?

Das hast du gewußt?

Immer.

Lange sprach keiner von ihnen, dann stand Humboldt auf, und sie umarmten einander so förmlich wie stets.

Sehen wir uns wieder?

Sicher. Im Fleische oder im Licht.

In der Akademie warteten seine Reisebegleiter, der Zoologe Ehrenberg und der Mineraloge Rose. Ehrenberg war klein, dick und spitzbärtig, Rose war über zwei Meter groß und schien stets feuchte Haare zu haben. Beide trugen dicke Brillen. Der Hof hatte sie Humboldt als Assistenten beigegeben. Gemeinsam überprüften sie die Ausrüstung: das Cyanometer, das Teleskop und die Leydener Flasche von seiner Tropenreise, eine englische Uhr, die genauer ging als die alte französische, und für die Magnetmessungen ein besseres Inklinatorium, angefertigt von Gambey persönlich, sowie ein eisenfreies Zelt. Dann fuhr Humboldt ins Charlottenburger Schloß.

Er begrüße diese Reise ins Reich seines Schwiegersohns, sagte Friedrich Wilhelm schwerfällig. Darum ernenne er Kammerherrn Humboldt zum Wirklichen Geheimen Rat, der von nun an mit Exzellenz anzusprechen sei.

Humboldt mußte sich abwenden, so stark war seine Bewegung.

Was ist Ihnen, Alexander?

Es sei nur, sagte Humboldt schnell, wegen des Todes seiner Schwägerin.

Er kenne Rußland, sagte der König, er kenne auch Humboldts Ruf. Er wünsche keine Beschwerden! Es sei nicht nötig, über jeden unglücklichen Bauern in Tränen auszubrechen.

Er habe es dem Zaren versichert, sagte Humboldt in einem Ton, als hätte er es auswendig gelernt. Er werde sich mit der unbelebten Natur befassen, die Verhältnisse der unteren Volksklassen aber nicht studieren. Diesen Satz hatte er bereits zweimal an den Zaren und dreimal an preußische Hofbeamte geschrieben.

Daheim lagen zwei Briefe. Einer des älteren Bruders, der sich für Besuch und Beistand bedankte. Ob wir uns wiedersehen oder nicht, jetzt sind es wieder, wie im Grunde immer schon, nur wir beide. Man hat uns früh eingeschärft, daß ein Leben Publikum benötigt. Beide meinten wir, das unsere sei die ganze Welt. Nach und nach wurden die Kreise kleiner, und wir mußten begreifen, daß das eigentliche Ziel unserer Bemühungen nicht der Kosmos, sondern bloß der andere war. Deinetwegen wollte ich Minister werden, meinetwegen mußtest Du auf den höchsten Berg und in die Höhlen, für Dich habe ich die beste Universität erfunden, für mich hast Du Südamerika entdeckt, und nur Dummköpfen, die nicht verstehen, was ein Leben in Verdoppelung bedeutet, würde dafür das Wort Rivalität einfallen: Weil es Dich gab, mußte ich Lehrer eines Staates, weil ich existierte, hattest Du der Erforscher eines Weltteils zu werden, alles andere wäre nicht angemessen gewesen. Und für Angemessenheit hatten wir immer das sicherste Gespür. Ich ersuche Dich, diesen Brief nicht mit dem Rest unserer Korrespondenz auf die Zukunft kommen zu lassen, auch wenn Du, wie Du mir gesagt hast, von der Zukunft nichts mehr hältst.

Der andere Brief war von Gauß. Auch er schickte gute Wünsche sowie einige Formeln für die magnetischen Messungen, von denen Humboldt keine Zeile verstand. Außerdem empfahl er, unterwegs die russische Sprache zu lernen. Er selbst habe, nicht zuletzt eines vor langer Zeit gegebenen Versprechens wegen, damit begonnen. Falls Humboldt einen gewissen Puschkin träfe, möge er nicht unterlassen, ihn seiner Hochachtung zu versichern.

Der Diener kam herein und meldete, es sei alles bereit, die Pferde habe man gefüttert, die Instrumente aufgeladen, in der Morgendämmerung könne es losgehen.

Tatsächlich half das Russische Gauß über den Ärger daheim, das ständige Jammern und die Vorwürfe Minnas, das triste Gesicht seiner Tochter und all die Fragen nach Eugen. Nina hatte ihm zum Abschied das russische Wörterbuch geschenkt: Sie war zu ihrer Schwester nach Ostpreußen gegangen, hatte Göttingen für immer verlassen. Für einen Moment hatte er sich gefragt, ob vielleicht sie, und nicht Johanna, die Frau seines Lebens gewesen war.

Er war milder geworden. In letzter Zeit brachte er es sogar fertig, Minna ohne Abneigung anzusehen. Etwas an ihrem dünnen, ältlichen, stets anklagenden Gesicht würde ihm fehlen, wäre sie einmal nicht mehr da.

Weber schrieb ihm jetzt häufig. Es sah ganz so aus, als ob er bald nach Göttingen käme. Die Professur wurde frei, und Gauß' Wort hatte Gewicht. Ein Jammer, sagte er zu seiner Tochter, daß du so häßlich bist und er eine Frau hat!

Auf der Rückfahrt von Berlin, als ihm vom Schwanken der Kutsche so schlecht geworden war wie noch nie zuvor im Leben, hatte er sich helfen wollen, indem er das Zittern, Schaukeln und Schlingern bis ins Innerste durchdachte. Nach und nach war es ihm gelungen, sich alle Teile in ihrem Zusammenwirken vorzustellen. Geholfen hatte es kaum, aber ihm war dabei das Prinzip des geringstmöglichen Zwangs klar geworden: Jede Bewegung stimmte so lange mit der des Gesamtsystems überein, wie sie konnte. Sofort nachdem er in den frühen Morgenstunden in Göttingen eingetroffen war, hatte er Weber seine Notizen darüber geschickt, der hatte sie mit klugen Anmerkungen zurückgesandt. In wenigen Monaten würde die Abhandlung erscheinen. So war er nun also Physiker geworden.

Nachmittags machte er lange Spaziergänge durch die Wälder. Inzwischen verirrte er sich nicht mehr, er kannte diese Gegend besser als irgend jemand sonst, schließlich hatte er all dies auf der Karte fixiert. Manchmal war ihm, als hätte er den Landstrich nicht bloß vermessen, sondern erfunden, als wäre er erst durch ihn Wirklichkeit geworden. Wo nur Bäume, Moos, Steine und Graskuppen gewesen waren, spannte sich jetzt ein Netz aus Geraden, Winkeln und Zahlen. Nichts, was einmal jemand vermessen hatte, war noch oder konnte je sein wie zuvor. Gauß fragte sich, ob Humboldt das begreifen würde. Es begann zu regnen, er stellte sich zum Schutz unter einen Baum. Das Gras zitterte, es roch nach frischer Erde, und er hätte nirgendwo anders sein wollen als hier.

Humboldts Troß kam nicht gut voran. Seine Abreise war in die Zeit der Schneeschmelze gefallen; ein Planungsfehler, wie er ihm früher nicht unterlaufen wäre. Die Kutschen sanken im Lehm ein und kamen ständig von der durchnäßten Straße ab, immer wieder mußten sie anhalten und warten. Die Kolonne war zu lang, sie waren zu viele Menschen. Schon Königsberg erreichten sie später als berechnet. Professor Bessel empfing Humboldt mit einem Redeschwall, führte sie durch die neue Sternwarte und ließ seinen Gästen die größte Bernsteinkollektion des Landes zeigen.

Humboldt fragte ihn, ob er nicht früher mit Professor Gauß gearbeitet habe.

Der Höhepunkt seines Lebens, sagte Bessel, wenn auch nicht einfach. Von dem Moment, als der Fürst der Mathematiker ihm in Bremen empfohlen habe, die Wissenschaft aufzugeben und Koch zu werden oder Hufschmied, falls das nicht schon zu anspruchsvoll für ihn sei, habe er sich lange nicht erholt. Immerhin habe er noch Glück gehabt, sein Freund Bartels in Petersburg habe es mit diesem Mann schlimmer getroffen. Gegen solche Überlegenheit helfe nur Sympathie.

Auf der Weiterfahrt nach Tilsit war die Straße vereist, mehrmals brachen die Wagen ein. An der russischen Grenze stand ein Kosakentrupp, der angewiesen war, sie zu begleiten.

Das sei wirklich nicht nötig, sagte Humboldt.

Er solle ihm vertrauen, sagte der Kommandant, es sei nötig.

Er habe Jahre ohne Begleitschutz in der Wildnis verbracht!

Dies sei nicht die Wildnis, sagte der Kommandant. Dies sei Rußland.

Vor Dorpat warteten ein Dutzend Journalisten sowie die gesamte naturwissenschaftliche Fakultät. Sofort wollte man ihnen die mineralogischen und botanischen Sammlungen zeigen.

Gern, sagte Humboldt, allerdings sei er nicht der Museen, sondern der Natur wegen hier.

Um die könne sich einstweilen er kümmern, sagte Rose diensteifrig, daran solle es nicht scheitern, dafür sei er ja mitgereist!

Während Rose die Hügel um die Stadt vermaß, führten der Bürgermeister, der Universitätsdekan und zwei Offiziere Humboldt durch eine unwirklich lange Flucht schlecht gelüfteter Zimmer voller Bernsteinproben. In einem der Steine gab es eine Spinne, wie Humboldt noch nie eine gesehen hatte, in einem anderen einen wunderlich geflügelten Skorpion, den man wohl ein Fabelwesen nennen mußte. Humboldt hielt sich den Stein nahe vor die Augen und blinzelte, aber es half nichts, er sah nicht mehr gut. Davon müsse er eine Zeichnung anfertigen!

Selbstverständlich, sagte der plötzlich hinter ihm stehende Ehrenberg, nahm ihm den Stein aus der Hand und trug ihn weg. Humboldt wollte ihn zurückrufen, aber dann ließ er es. Es hätte seltsam gewirkt vor all den Leuten. Die Zeichnung bekam er nicht, und er sah den Stein nie wieder. Als er Ehrenberg später danach fragte, konnte der sich nicht erinnern.

Sie verließen Dorpat in Richtung Hauptstadt. Ein Kurier der Krone ritt voran, zwei Offiziere hatten sich ihnen angeschlossen, auch drei Professoren sowie ein Geologe der Petersburger Akademie, ein gewisser Wolodin, dessen Anwesenheit Humboldt immer wieder vergaß, so daß er jedesmal zusammenzuckte, wenn Wolodin mit seiner leisen und ruhigen Stimme etwas einwarf. Es war, als widerstünde etwas an diesem blassen Wesen der Fixierung im Gedächtnis oder als beherrschte es in besonderer Perfektion die Kunst der Tarnung. Am Narwa-Fluß mußten sie zwei Tage aufs Nachlassen des Eisgangs warten. Sie waren mittlerweile so zahlreich, daß sie zum Übersetzen die große Fähre brauchten, die nur fahren konnte, wenn der Fluß frei war. So erreichten sie Sankt Petersburg mit Verspätung.

Der preußische Gesandte begleitete Humboldt zur Audienz. Der Zar drückte ihm lange die Hand, versicherte ihm, daß sein Besuch eine Ehre für Rußland sei, und fragte nach Humboldts älterem Bruder, den er vom Kongreß in Wien in deutlicher Erinnerung habe.

In guter?

Nun ja, sagte der Zar, offen gestanden, habe er ihn immer ein wenig gefürchtet.

Jeder europäische Botschafter gab für Humboldt einen Empfang. Mehrmals dinierte er mit der Zarenfamilie. Der Finanzminister, Graf Cancrin, verdoppelte das zugesagte Reisegeld.

Er sei dankbar, sagte Humboldt, wenngleich er mit Wehmut an die Tage denke, als er sich das Reisen noch selbst finanziert habe.

Kein Grund zur Wehmut, sagte Cancrin, er genieße jede Freiheit, und dies, er schob Humboldt ein Blatt hin, sei die bewilligte Route. Er werde unterwegs eskortiert, man erwarte ihn an jeder Station, alle Provinzgouverneure hätten Anweisung, für seine Sicherheit zu sorgen.

Er wisse nicht recht, sagte Humboldt. Er wolle sich frei bewegen. Ein Forscher müsse improvisieren.

Nur wenn er nicht gut geplant habe, wandte Cancrin lächelnd ein. Und dieser Plan, das verspreche er, sei ganz vortrefflich.

Vor der Weiterreise nach Moskau bekam Humboldt nochmals Post: zwei Schreiben vom älteren Bruder, den die Einsamkeit geschwätzig machte. Einen langen Brief von Bessel. Und eine Karte des tief in Magnetexperimente versunkenen Gauß. Er nehme die Sache jetzt ernst, er habe eigens eine fensterlose Hütte errichten lassen, die Tür luftdicht, die Nägel aus nicht magnetisierbarem Kupfer.

Zunächst hatten die Stadträte ihn für verrückt gehalten. Aber Gauß hatte sie so lange beschimpft, hatte gedroht und gejammert und ihnen völlig erfundene Vorteile für Handel, Staatsrenommee und Wirtschaft in Aussicht gestellt, daß sie schließlich zugestimmt und die Hütte neben der Sternwarte gebaut hatten. Nun verbrachte er den Großteil seiner Tage vor einer langen, in einer Verstärkerspule pendelnden Eisennadel. Ihre Bewegung war so schwach, daß man sie mit freiem Auge nicht sah; man mußte ein Fernrohr auf einen über der Nadel angebrachten Spiegel richten, um die feinen Schwankungen der beweglichen Skala zu sehen. Humboldts Vermutung traf zu: Das Erdfeld fluktuierte, seine Stärke änderte sich periodisch. Aber Gauß maß in kürzeren Intervallen als er, er maß genauer, und natürlich rechnete er besser; es belustigte ihn, daß Humboldt entgangen war, daß man die Dehnung des Fadens berücksichtigen mußte, an dem die Nadel hing.

Stundenlang beobachtete Gauß beim Licht einer Öllampe dieses Pendeln. Kein Laut drang zu ihm herein. So wie ihm damals die Ballonfahrt mit Pilâtre gezeigt hatte, was der Raum war, würde er jetzt irgendwann die Unruhe im Herzen der Natur verstehen. Man brauchte nicht auf Berge zu klettern oder sich durch den Dschungel zu quälen. Wer diese Nadel beobachtete, sah ins Innere der Welt. Manchmal schweiften seine Gedanken zur Familie ab. Eugen fehlte ihm, und Minna ging es schlecht, seit er weg war. Sein Jüngster würde bald mit der Schule fertig sein. Auch der war nicht besonders intelligent, er würde wohl nicht studieren. Man mußte sich damit abfinden, man durfte die Menschen nicht überschätzen. Wenigstens verstand er sich mit Weber immer besser, und erst vor kurzem hatte ein russischer Mathematiker ihm eine Abhandlung geschickt, in der die Vermutung geäußert wurde, daß Euklids Geometrie nicht die wahre sei und parallele Linien einander berührten. Seit er zurückgeschrieben hatte, daß ihm keiner dieser Gedanken neu war, hielt man ihn in Rußland für einen Angeber. Bei dem Gedanken, daß andere bekanntmachen würden, was er so lange schon wußte, fühlte er ein ungewohntes Stechen. So alt hatte er also werden müssen, um zu lernen, was Ehrgeiz war. Hin und wieder, wenn er die Nadel anstarrte und nicht zu atmen wagte, um ihren lautlosen Tanz nicht zu stören, kam er sich wie ein Magier der dunklen Zeit vor, wie ein Alchimist auf einem alten Kupferstich. Aber warum nicht? Die *Scientia Nova* war aus der Magie hervorgegangen, und etwas davon würde ihr immer anhaften.

Vorsichtig faltete er die Karte Rußlands auseinander. Man mußte Hütten wie diese über die Leere Sibiriens verteilen, bewohnt von zuverlässigen Männern, die es verstanden, auf Geräte zu achten, Stunden um Stunden vor Teleskopen zu verbringen und ein stilles, aufmerksames Leben zu führen. Humboldt konnte organisieren; vermutlich sogar das. Gauß dachte nach. Als er mit der Liste der geeigneten Standorte fertig war, riß sein jüngster Sohn die Tür auf und brachte einen Brief. Wind schoß herein, Blätter flogen durch die Luft, die Nadel schlug panisch aus, und Gauß gab dem Kleinen zwei Ohrfeigen, die er nicht so bald vergessen würde. Erst nach einer halben Stunde des Stillsitzens und Wartens hatte sich der Kompaß soweit beruhigt, daß Gauß es wagte, sich zu bewegen und den Brief zu öffnen. Man müsse die Pläne ändern, schrieb Humboldt, er könne nicht, wie er wolle, man habe ihm eine Route vorgeschrieben, von der abzuweichen ihm nicht vernünftig erscheine, auf ihr könne er messen, anderswo nicht, und er ersuche, die Berechnungen anzupassen. Gauß legte traurig lächelnd den Brief weg. Zum erstenmal tat Humboldt ihm leid.

In Moskau stockte alles. Es sei ganz unmöglich, sagte der Bürgermeister, daß sein Ehrengast schon weiterfahre. Günstige Jahreszeit hin oder her, die Gesellschaft erwarte ihn, er könne unmöglich Moskau versagen, was er Petersburg gewährt habe. Also mußte Humboldt auch hier jeden Abend, während Rose und Ehrenberg in der Umgebung Steinproben sammelten, ein Diner besuchen; Toasts wurden ausgebracht, Frackträger riefen gläserschwenkend Vivat, und Blasmusiker ließen verstimmte Instrumente schmettern, und teilnehmend fragte immer wieder jemand, ob Humboldt nicht wohl sei. Doch, antwortete er dann und sah nach der untergehenden Sonne, nur habe Musik ihm nie viel gesagt, und müsse es wirklich so laut sein?

Erst nach Wochen gestattete man ihnen, zum Ural weiterzufahren. Noch mehr Begleiter hatten sich angeschlossen, es dauerte allein einen Tag, bis alle Kutschen fahrbereit waren.

Das sei unglaublich, sagte Humboldt zu Ehrenberg, das werde er nicht dulden, das sei doch keine Expedition mehr!

Man könne nicht immer, wie man wolle, mischte sich Rose ein.

Und außerdem, fragte Ehrenberg, was spreche dagegen? Alles kluge, ehrenwerte Menschen, sie könnten ihm Arbeit abnehmen, die ihm vielleicht schwerfalle. Humboldt lief rot an, aber bevor er etwas sagen konnte, setzte sich die Kutsche in Bewegung, und seine Antwort ging im Räderknirschen und Klappern der Hufe unter.

Bei Nischnij Nowgorod bestimmte er mit dem Sextanten die Breite der Wolga. Eine halbe Stunde starrte er durch das Okular, schwenkte die Alhidade, murmelte Berechnungen. Die Mitreisenden sahen respektvoll zu. Das sei, sagte Wolodin zu Rose, als erlebte man eine Reise in der Zeit, als wäre man in ein Geschichtsbuch versetzt, so erhaben sei es. Ihm sei zum Weinen!

Endlich verkündete Humboldt, daß der Fluß fünftausendzweihundertvierzig Komma sieben Fuß breit sei.

Aber natürlich, sagte Rose begütigend.

Zweihundertvierzig Komma neun, um genau zu sein, sagte Ehrenberg. Doch müsse er zugeben, angesichts einer so alten Methode ein ziemlich gutes Ergebnis.

In der Stadt bekam Humboldt Salz, Brot und einen goldenen Schlüssel, wurde zum Ehrenbürger ernannt, hatte den Darbietungen eines Kinderchores zuzuhören und mußte an vierzehn offiziellen und einundzwanzig privaten Empfängen teilnehmen, bevor sie mit einem Wachtschiff die Wolga hinabdurften. Bei Kasan bestand er darauf, eine Magnetmessung durchzuführen. Auf freiem Feld ließ er das eisenfreie Zelt aufstellen, bat um Ruhe, kroch hinein und befestigte den Kompaß an den vorgesehenen Aufhängungen. Er brauchte länger als gewohnt, weil seine Hände zitterten, auch hatten seine Augen vom Wind zu tränen angefangen. Zögernd pendelte die Nadel, beruhigte sich, verharrte für einige Minuten, bis sie wieder zu pendeln begann. Humboldt dachte an Gauß, der jetzt, ein Sechstel des Erdumkreises entfernt, das gleiche tat. Der arme Mann hatte nie etwas von der Welt gesehen. Humboldt lächelte melancholisch, plötzlich tat Gauß ihm leid. Rose pochte von draußen auf die Zeltplane und fragte, ob die Möglichkeit bestehe, die Sache schneller abzuwickeln.

Auf der Weiterreise kamen sie an einem Zug strafgefangener Frauen vorbei, eskortiert von Lanzenreitern. Humboldt wollte anhalten und mit ihnen sprechen.

Ausgeschlossen, sagte Rose.

Ganz und gar undenkbar, stimmte Ehrenberg zu. Er klopfte ans Dach, die Kutsche nahm Fahrt auf, Minuten später hatte ihre Staubwolke den Gefangenenzug verschluckt.

In Perm, es war schon Routine, machten sich Ehrenberg und Rose ans Steinesammeln, während Humboldt mit dem Gouverneur zu Abend aß. Der Gouverneur hatte vier Brüder, acht Söhne, fünf Töchter, siebenundzwanzig Enkel und neun Urenkel sowie eine unklare Anzahl von Cousins. Alle waren da und wollten Geschichten über das Land jenseits des Meeres hören. Er wisse nichts, sagte Humboldt, er könne sich kaum erinnern, er wolle sehr gern zu Bett.

Am nächsten Morgen gab er Anweisung, die Sammlung zu teilen: Man brauche zwei Exemplare von jeder Probe, welche getrennt transportiert werden müßten.

Aber man arbeite längst mit geteilten Sammlungen, sagte Rose.

Schon die ganze Zeit, sagte Ehrenberg.

Kein vernünftiger Forscher mache es anders, sagte Rose. Jeder kenne schließlich Humboldts Schriften.

Sie erreichten Jekaterinenburg. Der Kaufmann, bei

dem Humboldt untergebracht war, trug wie alle Männer hier einen Bart, einen langen Überrock und einen
Leibgurt. Als Humboldt spätabends vom Empfang beim
Bürgermeister heimkam, wollte sein Gastgeber mit ihm
trinken. Humboldt lehnte ab, der Mann begann zu
schluchzen wie ein Kind, schlug sich an die Brust und
rief in schlechtem Französisch, er sei elend, elend, elend
und wolle sterben.

Nun ja, sagte Humboldt beklommen, aber nur ein
Glas!

Vom Wodka wurde Humboldt so schlecht, daß er zwei
Tage im Bett bleiben mußte. Aus Gründen, die keiner
begriff, stellte die Regierung eine Kosakenwache vor das
Haus, und zwei Offiziere waren nicht davon abzubrin-
gen, schnarchend in einer Ecke seines Zimmers zu übernachten.

Als er wieder aufstehen konnte, führten Ehrenberg,
Rose und Wolodin ihn in ein Goldseifenwerk. Den Berg-
hauptmann namens Ossipow beschäftigte die Frage, was
man gegen das Grubenwasser tun könne. Er brachte
Humboldt in einen überschwemmten Stollen: Das Wasser stand hüfthoch, es roch nach Schimmel. Mißmutig sah
Humboldt auf seine durchnäßten Hosenbeine hinab.

Da müsse man besser pumpen!

Man habe nicht genug Geräte, sagte Ossipow kum-
mervoll.

Dann, sagte Humboldt, brauche man eben mehr.

Ossipow fragte, wie man die bezahlen solle.

Weniger Überschwemmungen, sagte Humboldt langsam, und man könne mehr fördern.

Ossipow sah ihn fragend an.

Somit bezahlten die Pumpen sich selbst, nicht wahr?

Ossipow überlegte, dann packte er Humboldt und drückte ihn an seine Brust.

Auf der Weiterfahrt bekam Humboldt Fieber. Er hatte Halsschmerzen, und seine Nase lief ununterbrochen. Eine Erkältung, sagte er und wickelte sich fester in seine Wolldecke. Ob der Kutscher nicht langsamer fahren könne, er sehe gar nichts von den Tannenwäldern!

Leider, sagte Rose, sei das von russischen Kutschern nicht zu verlangen, so hätten sie fahren gelernt, anders nicht.

Sie hielten erst vor dem Magnetberg. Mitten in der Ebene von Wissokaja Gora erhob sich eine Erzmasse aus weißgelbem Ton, alle Kompasse verloren die Orientierung, und Humboldt machte sich an den Aufstieg. Wohl der Erkältung wegen fiel es ihm schwerer als früher; einige Male mußte er sich von Ehrenberg stützen lassen, und als er sich nach einem Stein bücken wollte, tat ihm der Rücken so weh, daß er Rose bat, das Sammeln zu übernehmen. Das war aber überflüssig, da der Vorstand des lokalen Eisenwerks schon auf dem Gipfel wartete, um ein Kästchen mit sorgfältig geordneten Erzproben zu überreichen. Humboldt bedankte sich heiser. Der Wind zerrte wütend an seinem Wollschal.

Also, sagte Rose, wieder hinunter?

Im Eisenwerk wurde ein kleiner Junge herbeigeführt. Der heiße Pavel, sagte der Bergwerksvorstand, sei vierzehn und blöd. Aber er habe diesen Stein gefunden. Der Kleine öffnete eine schmutzige Hand.

Eindeutig ein Diamant, sagte Humboldt nach eingehender Untersuchung.

Ungeheurer Jubel brach aus, die Minenaufseher schlugen einander auf die Schultern, Arbeiter tanzten, der Männerchor begann von neuem zu singen, mehrere der Kumpel gaben Pavel freundschaftliche, doch sehr feste Ohrfeigen.

Nicht übel, sagte Wolodin. Nur einige Wochen im Land und schon den ersten Diamanten Rußlands gefunden, da spüre man die Hand des Meisters.

Er habe ihn nicht gefunden, sagte Humboldt.

Wenn er ihm etwas raten dürfe, sagte Rose, es sei besser, diesen Satz nicht zu wiederholen.

Es gebe eine oberflächliche Wahrheit und eine tiefere, sagte Ehrenberg, gerade als Deutscher wisse man das.

Sei es denn zuviel verlangt, fragte Rose, den Leuten für einen Moment zu geben, was sie wollten?

Wenige Tage später holte sie ein völlig erschöpfter Reiter mit einem Dankschreiben des Zaren ein.

Humboldts Erkältung wurde nicht besser. Sie fuhren durch die mückenschwirrende Taiga. Der Himmel war sehr hoch, und die Sonne schien nicht mehr unterzugehen, so daß die Nacht zu einer vagen Erinnerung wurde. Die Ferne mit ihren grasigen Mooren, niedrigen Bäumen und den Schlangenlinien der Bäche zerfloß in weißem Dunst. Manchmal, wenn Humboldt erschrocken aus sekundenlangem Schlaf auffuhr und feststellte, daß der Zeiger des Chronometers schon wieder eine Stunde übersprungen hatte, schien ihm der Himmel mit seinen Faserwölkchen und der unablässig brennenden Sonne in Segmente aufgeteilt und von Rissen durchzogen, die sich, bewegte er den Kopf, mit seinem Blickfeld verschoben.

Lauernd fragte Ehrenberg, ob noch eine Decke gefällig sei.

Er habe noch nie zwei Decken gebraucht, sagte Humboldt. Doch Ehrenberg hielt ihm ungerührt die Decke hin, und dann siegte die Schwäche über den Ärger, und er griff zu, wickelte sich fest in die weiche Baumwolle und fragte, vielleicht bloß, um sich gegen den Schlaf zu stemmen, wie weit es noch bis Tobolsk sei.

Sehr weit, sagte Rose.

Und auch nicht, sagte Ehrenberg. Das Land sei so unsinnig groß, daß Entfernungen keine Bedeutung hätten. Distanzen lösten sich in abstrakte Mathematik auf.

Etwas an dieser Antwort kam Humboldt impertinent vor, doch er war zu müde, um darüber nachzudenken. Ihm fiel ein, daß Gauß von einer absoluten Länge gesprochen hatte, einer Geraden, der nichts mehr hinzugefügt werden konnte und die sich, wiewohl endlich, so weit dehnte, daß jede mögliche Distanz nur ein Teil von ihr war. Für ein paar Sekunden, im Zwischenreich von Wachen und Schlaf, hatte er das Gefühl, daß diese Gerade etwas mit seinem Leben zu tun hatte und alles hell und deutlich wäre, wenn er nur begriffe, was. Die Antwort schien nahe. Er wollte an Gauß schreiben. Doch dann schlief er ein.

Gauß hatte errechnet, daß Humboldt noch drei bis fünf Jahre zu leben hatte. Seit kurzem beschäftigte er sich wieder mit Sterbestatistik. Es war ein Auftrag der staatlichen Assekuranzkasse, gut bezahlt, zudem mathematisch nicht uninteressant. Gerade hatte er die Lebenserwartungen alter Bekannter überschlagen. Wenn er eine Stunde lang die an der Sternwarte vorbeigehenden Menschen zählte, konnte er abschätzen, wie viele davon in einem Jahr, in drei Jahren, in zehn Jahren unter der Erde sein würden. Das, sagte er, sollten die Astrologen nachmachen!

Man dürfe, antwortete Weber, die Horoskope nicht unterschätzen, eine vollkommene Wissenschaft werde auch sie einzusetzen verstehen, so wie man jetzt beginne, die galvanische Kraft zu nutzen. Außerdem ändere die Glockenkurve der Wahrscheinlichkeit nichts an der simplen Wahrheit, daß keiner ahne, wann er sterben werde; ein Würfel falle immer zum erstenmal.

Gauß bat ihn, keine Torheiten zu reden. Seine Frau Minna, denn sie sei kränklich, werde vor ihm sterben, dann seine Mutter, dann er selbst. Das sage die Statistik, so werde es eintreten. Er starrte noch eine Weile durch das Fernrohr auf die Spiegelskala über dem Empfänger, aber die Nadel schlug nicht aus, Weber antwortete nicht mehr. Wahrscheinlich waren die Impulse wieder unterwegs verlorengegangen.

So plauderten sie häufig. Weber saß drüben in der Stadtmitte im physikalischen Kabinett vor einer zweiten Spule mit einer ebensolchen Nadel. Mit Induktionsgeräten sandten sie zu verabredeten Zeiten Signale hin und her. Etwas ähnliches hatte Gauß vor Jahren mit Eugen und den Heliotropen versucht, aber der Junge hatte sich das diadische Alphabet nicht merken können. Weber hielt das Ganze für eine einzigartige Erfindung, die der Professor nur bekanntmachen müsse, um reich und berühmt zu werden. Er sei schon berühmt, antwortete Gauß dann, und eigentlich auch ziemlich reich. Die Idee sei so naheliegend, daß er sie gern den Dummköpfen überlasse.

Da von Weber nichts mehr kam, stand Gauß auf, schob seine Samtkappe in den Nacken und begab sich auf einen Spaziergang. Der Himmel war überzogen von durchscheinendem Gewölk, es sah nach Regen aus.

Wie viele Stunden hatte er vor dieser Empfangsanlage auf ein Zeichen von ihr gewartet? Wenn Johanna dort draußen war, genauso wie Weber, nur weiter entfernt und anderswo, warum nutzte sie dann nicht die Gelegenheit? Wenn Tote sich von Mädchen im Nachthemd heran- und zurückholen ließen, weshalb verschmähten sie diese erstklassige Vorrichtung? Gauß blinzelte: Etwas mit seinen Augen stimmte nicht, das Firmament schien ihm von Rissen zerfurcht. Er spürte die ersten Regentropfen. Vielleicht sprachen die Toten ja nicht mehr, weil sie in einer stärkeren Wirklichkeit waren, weil ihnen diese hier schon wie ein Traum und eine Halbheit, wie ein längst gelöstes Rätsel erschien, auf dessen Verstrickungen sie sich noch einmal würden einlassen müssen, wollten sie sich darin bewegen und äußern. Manche versuchten es. Die Klügeren verzichteten. Er setzte sich auf einen Stein, das Regenwasser rann ihm über den Kopf und die Schultern. Der Tod würde kommen als eine Erkenntnis von Unwirklichkeit. Dann würde er begreifen, was Raum und Zeit waren, was die Natur einer Linie, was das Wesen der Zahl. Vielleicht auch, warum er sich immer wieder wie eine nicht ganz gelungene Erfindung vorkam, wie die Kopie eines ungleich wirklicheren Menschen, von einem schwachen Erfinder in ein seltsam zweitklassiges Universum gestellt. Er blickte um sich. Etwas Blinkendes zog über den Himmel, auf gerader Linie, sehr hoch oben. Die Straße vor ihm kam ihm breiter vor, die Stadtmauer war nicht mehr zu sehen, und zwischen den Häusern erhoben sich spiegelnde Türme aus Glas. Metallene Kapseln schoben sich in Ameisenkolonnen die Straßen entlang, ein tiefes Brummen erfüllte die Luft, hing unter dem Himmel, schien sogar von der schwach vibrierenden Erde aufzusteigen. Der Wind schmeckte säuerlich. Es roch verbrannt. Da war auch etwas Unsichtbares, über das er sich keine Rechenschaft geben konnte: ein elektrisches Schwingen, zu erkennen nur an einem schwachen Unwohlsein, einem Schwanken in der Realität selbst. Gauß beugte sich vor, und seine Bewegung hob alles auf; mit einem Schreckenslaut erwachte er. Durch und durch naß stand er auf und ging schnell zur Sternwarte zurück. Alt sein, das hieß auch, daß man an jedem Ort einnicken konnte.

Humboldt hatte in so vielen Kutschen gedöst, war von so vielen Pferden gezogen worden und hatte so viele krautbewachsene Ebenen gesehen, die immer dieselbe Ebene, so viele Horizonte, die immer der gleiche Horizont waren, daß er sich selbst nicht mehr wirklich vorkam. Seine Begleiter trugen Masken gegen die Mückenangriffe, ihn aber störten sie nicht, sie erinnerten ihn an seine Jugend und die Monate, in denen er sich am lebendigsten gefühlt hatte. Ihre Eskorte war vergrößert worden, fast hundert Soldaten ritten mit ihnen in solchem Tempo durch die Taiga, daß ans Sammeln und Messen nicht zu denken war. Nur einmal, im Gouvernement Tobolsk, hatte es Schwierigkeiten gegeben: In Ischim war Humboldt zum Mißfallen der Polizei mit polnischen Strafgefangenen ins Gespräch gekommen, dann hatte er sich davongeschlichen, einen Hügel bestiegen und sein Teleskop aufgebaut. Minuten später hatten ihn Soldaten umstellt. Was er da tue, weshalb er ein Rohr auf die Stadt richte? Seine Begleiter hatten ihn befreit, aber Rose hatte ihn vor allen Leuten zurechtgewiesen: Er habe bei der Eskorte zu bleiben, was seien denn das für Ideen!

Ihre Sammlungen wuchsen beständig. Überall warteten Forscher und übergaben ihnen sorgfältig beschriftete Stein- und Pflanzenproben. Ein bärtiger Universitätsprofessor mit Glatze und runden Brillengläsern schenkte ihnen eine winzige Glasflasche mit kosmischem Äther, den er durch eine komplizierte Filteranlage von der Luft getrennt hatte. Das Fläschchen war so schwer, daß man es nur mit zwei Händen heben konnte, und sein Inhalt strahlte solche Dunkelheit aus, daß noch in einiger Entfernung die Dinge undeutlich wurden. Man müsse die Substanz vorsichtig lagern, sagte der Professor und putzte seine beschlagenen Gläser, sie sei leicht entflammbar. Was ihn betreffe, so habe er die Versuchsanordnung abgebaut, außer dem hier sei nichts mehr übrig, und er empfehle, es tief in der Erde zu vergraben. Auch betrachte man es besser nicht lange, das sei nicht gut fürs Gemüt.

Immer öfter hatten die Holzhütten runde Pagodendächer, die Augen der Menschen schienen schmaler, in der Leere des Landes waren immer mehr Jurten kirgisischer Nomaden aufgeschlagen. Vor der Grenze trat ein salutierendes Kosakenregiment an, Fahnen flatterten, eine Trompete schmetterte. Einige Minuten fuhren sie durch bemoostes Niemandsland, dann begrüßte sie ein chinesischer Offizier. Humboldt hielt eine Ansprache über Abend und Morgen, Orient, Okzident und die Menschheit als Ganzes. Dann sprach der Chinese. Dolmetscher gab es nicht.

Er habe einen Bruder, sagte Humboldt leise zu Ehrenberg, der sogar diese Sprache studiert habe.

Der Chinese hob lächelnd beide Hände. Humboldt schenkte ihm einen Ballen blauen Tuchs, der Chinese gab ihm eine Pergamentrolle. Humboldt öffnete sie, sah, daß sie beschrieben war, und starrte beunruhigt auf die Schriftzeichen.

Nun müßten sie aber zurück, flüsterte Ehrenberg, das hier strapaziere schon sehr das Wohlwollen des Zaren, ein Grenzübertritt komme überhaupt nicht in Frage.

Auf dem Rückweg kamen sie an einem kalmückischen Tempel vorbei. Hier gingen düstere Kulte vonstatten, sagte Wolodin, das müsse man sich einmal ansehen.

Ein Tempeldiener in gelber Robe und mit geschorenem Kopf führte sie ins Innere. Goldstatuen lächelten, es roch nach verbranntem Kraut. Ein kleiner, rotgelb angezogener Lama erwartete sie. Der Lama sprach chinesisch *Lama* mit dem Tempeldiener, dieser in gebrochenem Russisch mit Wolodin.

Er habe schon gehört, daß ein Mann unterwegs sei, der alles wisse.

Humboldt protestierte: Er wisse nichts, aber er habe sein Leben damit hingebracht, diesen Umstand zu ändern, er habe Kenntnisse erworben und die Welt bereist, das sei alles.

Wolodin und der Tempeldiener übersetzten, der Lama lächelte. Er klopfte mit der Faust an seinen dicken Bauch. Immer das hier!

Wie bitte, fragte Humboldt.

Hier drinnen stark und groß werden, sagte der Lama.

Genau das habe er immer erstrebt, sagte Humboldt.

Der Lama berührte mit seiner weichen Kinderhand Humboldts Brust. Aber da sei nichts. Wer das nicht verstehe, werde rastlos, laufe durch die Welt wie der Sturm, erschüttere alles und wirke nicht.

Er glaube nicht ans Nichts, sagte Humboldt mit belegter Stimme. Er glaube an Fülle und Reichtum der Natur.

Die Natur sei unerlöst, sagte der Lama, sie atme Verzweiflung.

Ratlos fragte Humboldt, ob Wolodin richtig übersetzt habe.

Zum Teufel, antwortete Wolodin, woher solle er das wissen, das alles ergebe keinen Sinn.

Der Lama fragte, ob Humboldt seinen Hund wecken könne.

Er bedaure, sagte Humboldt, aber er verstehe diese Metapher nicht.

Wolodin beriet sich mit dem Tempeldiener. Keine Metapher, sagte er dann, des Lamas Lieblingshündchen sei vorgestern gestorben, jemand sei irrtümlich daraufgetreten. Der Lama habe den Körper aufgehoben und bitte Humboldt, den er für sehr kenntnisreich halte, das Tier zurückzurufen.

Das könne er nicht, sagte Humboldt.

Wolodin und der Tempeldiener übersetzten, der Lama verbeugte sich. Er wisse, daß ein Eingeweihter das nur selten dürfe, aber er erbitte diese Gunst, der Hund liege ihm sehr am Herzen.

Er könne das wirklich nicht, wiederholte Humboldt, dem vom Kräuterdampf allmählich schwindlig wurde. Er könne nichts und niemanden aus dem Tod wecken!

Er verstehe, sagte der Lama, was der kluge Mann ihm damit sagen wolle.

Er wolle gar nichts sagen, rief Humboldt, er könne es einfach nicht!

Er verstehe, sagte der Lama, ob er dem klugen Mann wenigstens eine Tasse Tee anbieten dürfe?

Wolodin riet zur Vorsicht, man werfe in dieser Gegend ranzige Butter in den Tee. Wenn man nicht daran gewöhnt sei, werde einem furchtbar schlecht.

Humboldt lehnte dankend ab, er vertrage keinen Tee.

Er verstehe, sagte der Lama, auch diese Botschaft.

Es gebe keine Botschaft, rief Humboldt.

Er verstehe, sagte der Lama.

Unschlüssig verbeugte sich Humboldt, der Lama tat es ihm gleich, und sie machten sich wieder auf den Weg.

Vor Orenburg stieß eine weitere Hundertschaft Kosaken zu ihnen, um sie gegen Überfälle der Reiterhorden zu schützen. Sie waren nun über fünfzig Reisende in zwölf Kutschen, mit mehr als zweihundert Soldaten Eskorte. Ständig fuhren sie mit höchster Geschwindigkeit, und trotz Humboldts Bitten gab es keinen Zwischenhalt.

Es sei zu gefährlich, sagte Rose.

Der Weg sei weit, sagte Ehrenberg.

Man habe viel vor, sagte Wolodin.

In Orenburg warteten drei kirgisische Sultane, die mit großem Gefolge angereist waren, um den Mann zu treffen, der alles wußte. Kleinlaut fragte Humboldt, ob er ein paar Hügel besteigen dürfe, das Gestein interessiere ihn sehr, auch habe er lange nicht den Luftdruck gemessen.

Später, sagte Ehrenberg, jetzt gebe es Spiele!

Am Abend vor der Weiterfahrt gelang es Humboldt,

heimlich in seinem Schlafzimmer eine Magnetmessung durchzuführen. Am nächsten Morgen hatte er Rückenschmerzen, von da an ging er ein wenig gebückt. Rücksichtsvoll half Rose ihm in die Kutsche. Als sie an einem Gefangenenzug vorbeikamen, zwang er sich, nicht aus dem Fenster zu sehen.

Bei Astrachan betrat Humboldt das erste Dampfschiff seines Lebens. Zwei Motoren trieben stinkenden Rauch in die Luft, der Stahlkörper des Bootes wälzte sich schwer und widerwillig ins Meer. Die Gischt schien in der Morgendämmerung schwach zu leuchten. Auf einer winzigen Insel gingen sie an Land. Die Füße eingegrabener Taranteln ragten aus dem Sand. Wenn Humboldt sie berührte, zuckten sie, aber die Tiere flohen nicht. Mit fast glücklichem Ausdruck machte er einige Skizzen. Darüber werde er ein langes Kapitel in seine Reisebeschreibung aufnehmen.

Das glaube er weniger, sagte Rose. Mit der Beschreibung sei er betraut, damit brauche Humboldt sich nicht abzugeben.

Er wolle es aber selbst tun, sagte Humboldt.

Er dränge sich nicht vor, sagte Rose, aber er habe nun einmal den Auftrag des Königs.

Das Schiff legte ab, nach kurzem war die Insel außer Sicht. Dichter Nebel umgab sie, Wasser und Himmel waren nicht mehr zu unterscheiden. Nur dann und wann tauchte der bärtige Kopf eines Seehunds auf. Humboldt stand am Bug, starrte hinaus und reagierte zunächst nicht, als Rose sagte, es sei Zeit zum Zurückfahren.

Zurück wohin?

Zunächst ans Ufer, sagte Rose, dann nach Moskau, dann nach Berlin.

Also sei dies der Abschluß, sagte Humboldt, der Scheitelpunkt, die endgültige Wende? Weiter werde er nicht kommen?

Nicht in diesem Leben, sagte Rose.

Es stellte sich heraus, daß das Schiff vom Kurs abgekommen war. Niemand hatte mit solchem Nebel gerechnet, der Kapitän führte keine Karten mit, keiner wußte, in welcher Richtung das Festland lag. Sie kreuzten ziellos, der Nebel schluckte jedes Geräusch bis auf das Stampfen der Motoren. Allmählich werde es gefährlich, sagte der Kapitän, der Treibstoff reiche nicht ewig, und wenn sie zu weit hinaus gerieten, könnte ihnen nicht einmal Gott helfen. Wolodin und der Kapitän umarmten einander, mehrere Professoren begannen zu trinken, weinerliche Hochstimmung breitete sich aus.

Rose ging zu Humboldt an den Bug. Man brauche jetzt die Hilfe des großen Navigators, ohne ihn würden sie sterben.

Und nie zurückkehren, fragte Humboldt.

Rose nickte.

Einfach verschwinden, sagte Humboldt, am Höhepunkt des Lebens aufs Kaspische Meer fahren und nie zurückkommen?

Ganz genau, sagte Rose.

Eins werden mit der Weite, endgültig verschwinden in Landschaften, von denen man als Kind geträumt habe, ein Bild betreten, davongehen und nie heimkehren?

Gewissermaßen, sagte Rose.

Dorthin. Humboldt zeigte nach links, wo das Grau etwas heller zu sein schien, durchzogen von weißlichen Schlieren.

Rose ging zum Kapitän und wies ihn in die entgegengesetzte Richtung. Eine halbe Stunde später erreichten sie die Küste.

In Moskau gab es den größten Ball, den sie bisher erlebt hatten. Humboldt erschien im blauen Frack, wurde hier- und dorthin geschoben, Offiziere salutierten vor ihm, Damen knicksten, Professoren verbeugten sich, dann wurde es still, und der Offizier Glinka trug ein Gedicht vor, das mit dem Brand Moskaus begann und mit einer Strophe über Baron Humboldt, den Prometheus der neuen Zeit, endete. Der Applaus dauerte über eine Viertelstunde. Als Humboldt, etwas heiser und mit zaghafter Stimme, vom Erdmagnetismus sprechen wollte, unterbrach ihn der Rektor der Universität, um ihm einen Zopf aus den Haaren Peters des Großen zu schenken. Gerede und Geschwätz, flüsterte Humboldt in Ehrenbergs Ohr, keine Wissenschaft. Er müsse Gauß unbedingt sagen, daß er jetzt besser verstehe.

Ich weiß, daß Sie verstehen, antwortete Gauß. Sie haben immer verstanden, armer Freund, mehr, als Sie wußten. Minna fragte, ob ihm nicht wohl sei. Er bat sie, ihn in Ruhe zu lassen, er habe laut gedacht. Er war in gereizter Stimmung, allein schon des lächelnden Chinesen wegen, der ihn die ganze Nacht angesehen hatte, so ein Benehmen war nicht einmal im Traum akzeptabel. Außerdem hatte er schon wieder eine Abhandlung über die astrale Geometrie des Raums zugeschickt bekommen, diesmal von niemand anderem als dem alten Martin Bartels. Also hat er mich doch nach all den Jahren überflügelt, sagte er, und ihm war, als antwortete nicht Minna, sondern der bereits in einer Schnellkutsche nach Sankt

Petersburg rasende Humboldt: Die Dinge sind, wie sie sind, und wenn wir sie erkennen, sind sie genauso, wie wenn es andere tun oder keiner. Wie meinen Sie das, fragte der Zar, der Humboldt gerade das Band des Sankt-Annen-Ordens hatte umhängen wollen, und hielt in der Bewegung inne. Hastig versicherte Humboldt, er habe nur gesagt, man dürfe die Leistungen eines Wissenschaftlers nicht überschätzen, der Forscher sei kein Schöpfer, er erfinde nichts, er gewinne kein Land, er ziehe keine Frucht, weder säe noch ernte er, und ihm folgten andere, die mehr, und wieder andere, die noch mehr wüßten, bis schließlich alles wieder versinke. Stirnrunzelnd legte der Zar das Band um seine Schultern, es wurde Vivat gerufen und Bravo, und Humboldt bemühte sich, nicht gebeugt zu stehen. Zuvor auf den Prunkstiegen waren ihm offene Knöpfe an seinem Frackhemd aufgefallen, und errötend hatte er Rose bitten müssen, sie zu schließen, seit neuestem seien seine Finger so klamm. Nun verschwamm ihm der Goldsaal vor Augen, die Lüster strahlten, als käme ihr Licht von anderswo, alles klatschte, und ein dunkelhäutiger Dichter trug mit weicher Stimme ein Poem vor. Humboldt hätte Gauß gern von dem Brief erzählt, der ihn nach über einem Jahr der Reise zerknittert und flekkig in Petersburg erwartet hatte. Schwer und langsam, schrieb Bonpland darin, vergingen seine Tage, die klein gewordene Erde enthalte nur mehr ihn, sein Haus und das Feld darum, alles draußen gehöre der undurchsichtigen Welt des Präsidenten an, er sei gefaßt, hoffe nichts mehr, erwarte das Schlimmste und habe sozusagen die Ruhe gefunden; Du fehlst mir, mein Alter. Ich habe nie jemand getroffen, der Pflanzen mochte wie Du. Humboldt zuckte zusammen, Rose hatte ihn am Oberarm berührt. Alle um die große Tafel sahen ihn an. Er stand auf, doch während seiner etwas konfusen Tischrede dachte er an Gauß. Dieser Bonpland, hätte ihm der Professor wohl geantwortet, hatte allerdings Pech, aber können wir beide uns beklagen? Kein Kannibale hat Sie gegessen, kein Ignorant mich totgeschlagen. Hat es nicht etwas Beschämendes, wie leicht uns alles fiel? Und was jetzt geschieht, ist nur, was einmal geschehen mußte: Unser Erfinder hat genug von uns. Gauß legte die Pfeife weg, zog die Samtmütze über den Hinterkopf, steckte das russische Wörterbuch und den kleinen Puschkin-Band ein und machte sich auf, vor dem Abendessen spazierenzugehen. Sein Rücken schmerzte, sein Bauch ebenso, und in seinen Ohren rauschte es. Dennoch war seine Gesundheit gar nicht übel. Andere waren gestorben, er war noch hier. Immer noch konnte er denken, zwar nichts allzu Kompliziertes mehr, aber für das Nötigste reichte es. Über ihm schwankten die Baumwipfel, in der Ferne ragte die Kuppel seiner Sternwarte auf, später in der Nacht würde er ans Fernrohr gehen und, mehr aus Gewohnheit, als um noch etwas zu finden, das Band der Milchstraße in die Richtung der fernen Spiralnebel verfolgen. Er dachte an Humboldt. Gern hätte er ihm eine gute Rückkehr gewünscht, aber am Ende kam man nie gut zurück, sondern jedesmal ein wenig schwächer, und zuletzt gar nicht mehr. Vielleicht gab es ihn ja doch, den lichtlöschenden Äther. Aber natürlich gebe es ihn, dachte Humboldt in seiner Kutsche, er habe ihn ja dabei, in einem der Fuhrwerke, nur erinnere er sich nicht mehr, wo, es seien Hunderte Kisten, und er habe den Überblick verloren.

Plötzlich wandte er sich Ehrenberg zu. Tatsachen! Aha, sagte Ehrenberg. Tatsachen, wiederholte Humboldt, die verblieben noch, er werde sie alle aufschreiben, ein ungeheures Werk voller Tatsachen, jede Tatsache der Welt, enthalten in einem einzigen Buch, alle Tatsachen und nur sie, der ganze Kosmos noch einmal, allerdings entkleidet von Irrtum, Phantasie, Traum und Nebel; Fakten und Zahlen, sagte er mit unsicherer Stimme, die könnten einen vielleicht retten. Bedenke er zum Beispiel, daß sie dreiundzwanzig Wochen unterwegs gewesen seien, vierzehntausendfünfhundert Werst zurückgelegt und sechshundertachtundfünfzig Poststationen aufgesucht hätten und, er zögerte, zwölftausendzweihundertvierundzwanzig Pferde benützt, so ordne sich die Wirrnis zur Begreiflichkeit, und man fasse Mut. Aber während die ersten Vororte Berlins vorbeiflogen und Humboldt sich vorstellte, wie Gauß eben jetzt durch sein Teleskop auf Himmelskörper sah, deren Bahnen er in einfache Formeln fassen konnte, hätte er auf einmal nicht mehr sagen können, wer von ihnen weit herumgekommen war und wer immer zu Hause geblieben.

Der
Baum

Als Eugen die Küste verschwinden sah, zündete er sich die erste Pfeife seines Lebens an. Gut schmeckte sie nicht, aber wahrscheinlich konnte man sich daran gewöhnen. Er trug jetzt einen Bart und kam sich zum erstenmal nicht wie ein Kind vor.

Der Morgen nach seiner Verhaftung schien lange zurückzuliegen. Der schnurrbärtige Gendarmeriekommandant war in seine Zelle gestürmt und hatte ihm zwei Ohrfeigen von solcher Wucht verpaßt, daß sie ihm den Kiefer ausgerenkt hatten. Wenig später hatte das Verhör begonnen: Ein merkwürdig höflicher Mann im Gehrock fragte ihn traurig, warum er das getan habe. Mit dem Widerstand bei der Inhaftierung habe er sich in Teufels Küche gebracht, sei denn das nötig gewesen?

Aber er habe sich nicht gewehrt, rief Eugen.

Der Geheimpolizist fragte, ob er Preußens Polizei der Lüge bezichtigen wolle. *Lüge*

Eugen bat ihn, Kontakt mit seinem Vater aufzunehmen.

Seufzend fragte der Geheimpolizist, ob er wirklich glaube, das habe man nicht längst getan. Er beugte sich vor, faßte Eugen vorsichtig an beiden Ohren und schlug seinen Kopf mit aller Kraft auf die Tischplatte.

Als Eugen zu sich kam, lag er in einem sauber bezogenen Bett am Rand eines Krankenhausschlafsaals mit vergitterten Fenstern. Dies sei keiner der schlimmen Orte, sagte eine ältliche Schwester, hierher würden nur Adelige verlegt oder Leute, für die sich jemand verwendet habe, er solle froh sein.

Gegen Abend tauchte von neuem der höfliche Geheimpolizist auf. Alles sei geregelt, Eugen werde das Land verlassen. Man rege eine Reise nach Übersee an.

Er wisse nicht recht, sagte Eugen, das sei schon sehr weit.

Eigentlich sei das kein Vorschlag, antwortete der Geheimpolizist, die Idee stehe nicht zur Diskussion, und wüßte Eugen, welchem Schicksal er entgehe, er würde weinen vor Glück.

Am Abend kam sein Vater. Er setzte sich auf den Bettrand und fragte, wie er das seiner Mutter habe antun können.

Er habe das alles nicht vorgehabt, sagte Eugen weinend, er habe von nichts gewußt, er wolle nicht weg.

Geschehen sei geschehen, sagte sein Vater, klopfte ihm geistesabwesend auf die Schulter und schob etwas Geld unter sein Kopfkissen. Der Baron habe alles geregelt, er sei ein feiner Mann, wenn auch etwas verrückt.

Eugen fragte, wovon er leben solle.

Sein Vater zuckte die Schultern. Ob er schon einmal über die Berechnung von Feldern nachgedacht habe?

Feldern, wieso?

Kugelfunktionen, sagte sein Vater nachdenklich, so müsse es zu machen sein. Er fuhr zusammen und sah Eugen an, als erwache er aus einem Traum. Wie auch immer, er werde es schon schaffen! Dann zog er Eugen so fest an sich, daß seine Schulter gegen dessen Kiefer prallte; für ein paar Sekunden war Eugen betäubt vor Schmerz. Als er wieder klar denken konnte, war sein Vater gegangen. Erst jetzt begriff er, daß er ihn nie mehr sehen würde.

Drei Tage später erreichte er den Hafen. Beim Warten auf die Fähre nach England kam er mit drei Handelsreisenden ins Gespräch, gutmütigen Leuten, nicht sehr intelligent, die für neugegründete Bankhäuser arbeiteten und ihn zu einem Kartenspiel aufforderten. Er gewann. Zunächst wenig, dann immer mehr, schließlich so viel, daß sie ihn für einen Betrüger hielten und er schnell gehen mußte. Dabei hatte er nichts anderes getan, als sich die Karten nach Giordano Brunos Methode zu merken, die sein Vater ihm vor Jahren beigebracht hatte: Man mußte jede Karte im Kopf in eine Menschen- oder Tierfigur verwandeln, je alberner desto besser, so daß sie sich zu einer Geschichte zusammenfügten. Wenn man es geübt hatte, konnte man ein Spiel mit zweiunddreißig Blatt im Gedächtnis behalten. Damals war ihm das nie gelungen, und sein Vater hatte schimpfend aufgegeben. Jetzt aber ging es ohne Schwierigkeiten.

In einer anderen Gastwirtschaft trank er zuviel. Die Luft um ihn schien zu flimmern, und er spürte sanfte Müdigkeit in allen Gliedern. Der Wunsch nach Schlaf war so stark, daß er fast die schöne junge Frau übersehen hätte, die plötzlich neben ihm saß. So jung, das erkannte er dann aus der Nähe, war sie zwar gar nicht, und auch nicht ganz so hübsch, doch als er log und sagte, er habe kein Geld, fragte sie ihn beleidigt, ob er sie für so eine halte, und schon um ihr zu zeigen, daß er es nicht tat, nahm er sie auf sein Herbergszimmer mit. Auf dem Weg dorthin dachte er darüber nach, ob es sich gehörte, ihr zu sagen, daß sie seine erste Frau war und er kaum wußte, was er zu tun hatte. Doch dann war es sehr einfach, und als er im Halbdunkel ihre Hände auf seinen Wangen spürte, war er so glücklich und müde, daß er fast eingeschlafen wäre, hätte sie es nicht verstanden, ihn wachzuhalten, und es war gar nicht mehr wichtig, wie jung sie war oder wie sie aussah, und als ihm am nächsten Morgen klar wurde, daß sie seinen ganzen Gewinn mitgenommen hatte, brachte er es nicht fertig, sich zu ärgern. Wie leicht alles wurde, wenn man aufbrach.

Dann war er nach England gekommen: fremde Menschen, eine Sprache aus seltsam klingenden Lauten, fremde Ortsschilder und merkwürdiges Essen. Angeblich lebten Millionen in London, aber er konnte es sich nicht vorstellen; eine Million Menschen, das ergab keinen Sinn. In seinem Gasthof erreichte ihn ein Brief Humboldts, der ihm empfahl, eines der neuartigen Dampfschiffe zu nehmen. Er schloß Ratschläge über den Umgang mit wilden Menschen an: Man müsse freundlich und interessiert wirken und dürfe weder seine Überlegenheit leugnen, noch es unterlassen, Belehrungen zu äußern, das Wohlgefallen an der Unwissenheit anderer sei eine Form der Herablassung. Eugen mußte lachen. Als ob er sich unter Wilden ansiedeln würde! Von seinem Vater kein Wort. Nachts konnte er vor Heimweh und Einsamkeit nicht schlafen. Er nahm das erste Dampfschiff, auf dem eine Passage frei war.

Es gab nur wenige Reisende an Bord, Dampfer fuhren erst seit kurzem über den Ozean, und den meisten war es noch zu neu. Der Himmel war niedrig und bewölkt, Eugens Pfeife ging aus, er wollte sie wieder anzünden, aber der Wind war zu stark. Der Kapitän, der erfahren hatte, daß Eugen etwas von Mathematik verstand, lud ihn in die Steuerkabine ein.

Ob er sich auch für Navigation interessiere?

Nicht im geringsten, antwortete Eugen.

Früher, sagte der Kapitän, wäre so starke Bewölkung ein Problem gewesen, aber heute navigiere man ohne Sterne, man habe jetzt genaue Uhren. Mit einem Harrison-Chronometer komme jeder Laie um die Erdkugel.

Also sei, fragte Eugen, die Zeit der großen Navigatoren vorüber? Kein Bligh mehr, kein Humboldt?

Der Kapitän überlegte. Eugen wunderte sich, warum die Leute immer so lange brauchten, um zu antworten. Es war doch keine schwere Frage! Sie sei vorbei, antwortete der Kapitän schließlich, und werde nie wiederkehren.

In der Nacht, als Eugen mehr der Aufregung als des Motorenlärms und außerdem des Schnarchens seines irischen Kabinengenossen wegen nicht schlafen konnte, setzte ein veritabler Sturm ein: Wellen schlugen mit ungeheurer Kraft gegen den Stahlrumpf, die Motoren heulten, und als Eugen an Deck taumelte, traf ihn die Gischt mit solcher Wucht, daß er fast über Bord gegangen wäre. Triefend naß flüchtete er sich in die Kabine zurück. Der Ire unterbrach sein Gebet.

Er habe eine große Familie, sagte er in dürftigem Französisch, er sei für sie verantwortlich, er dürfe nicht sterben. Sein Vater sei hartherzig gewesen und habe nicht lieben können, seine Mutter sei früh gestorben, nun hole Gott auch ihn.

Seine Mutter lebe noch, sagte Eugen, und sein Vater habe vieles geliebt, bloß nicht ihn. Und er glaube nicht, daß Gott ihn schon bei sich haben wolle.

Am nächsten Morgen war der Ozean ruhig wie ein See. Der Kapitän beugte sich murmelnd über seine Karten, blickte durch den Sextanten und konsultierte die Harrison-Uhr. Sie seien weitab vom Kurs, nun müßten sie neuen Brennstoff aufladen.

Darum legten sie in Teneriffa an. Das Licht war gleißend hell, ein Papagei beobachtete sie neugierig vom Balkon eines gerade erst errichteten Zollhauses. Eugen ging an Land. Männer schrien Befehle, Kisten wurden verladen, spärlich bekleidete Frauen trippelten mit zierlichen Schritten auf und ab. Ein Bettler bat um Almosen, aber Eugen hatte nichts mehr. Ein Käfig öffnete sich, und eine Horde schreiender kleiner Affen stob wie eine Explosion in alle Richtungen davon. Eugen ließ den Hafen hinter sich und ging auf den Umriß des Kegelberges zu. Er fragte sich, wie es wäre, auf dem Gipfel zu sein. Man müßte weit sehen. Die Luft wäre sehr klar.

Am Wegrand war ein Gedenkstein. Ein Relief zeigte den Berg und daneben einen Mann mit Schal, Gehrock und Zylinder. Die Aufschrift verstand Eugen, mit Ausnahme des Namens, nicht. Er setzte sich auf einen Felsbrocken, blies Rauchwölkchen in die Luft und betrachtete das Bild auf dem Stein. Ein Einheimischer mit Poncho und Wollmütze blieb stehen, zeigte darauf, rief etwas auf Spanisch, zeigte auf den Boden, in die Höhe, wieder auf den Boden. Ein Tausendfüßler mit ungewohnt langen Fühlern kletterte Eugens Hosenbein hinauf. Er blickte sich um. So viele neue Pflanzen. Er fragte sich, wie sie alle heißen mochten. Andererseits – wen interessierte es! Es waren bloß Namen.

Er kam zu einem ummauerten Garten, dessen Pforte offen stand. Orchideen klammerten sich an Baumstämme, das Zwitschern Hunderter Vögel durchdrang die Luft. In der Nähe der offenbar neu gebauten Mauer stand ein sehr dicker Baum. Seine Rinde war narbig und rauh, weit oben fächerte sich der Stamm in einen Busch von Ästen auf. Zögernd trat Eugen in seinen Schatten, lehnte sich an den Stamm und schloß die Augen. Als er sie wieder öffnete, stand ein Mann mit einer Harke vor ihm und begann zu schimpfen. Eugen lächelte beschwichtigend. Der Baum sei wohl sehr alt? Der Gärtner stampfte mit dem Fuß auf den Boden und zeigte auf den Ausgang. Eugen bat um Entschuldigung, er habe ausgeruht, er habe für einen Moment geglaubt, ein anderer zu sein oder niemand, es sei ein solch angenehmer Ort. Der Gärtner hob drohend seine Harke, Eugen ging schnell davon.

Der Dampfer legte früh am Morgen ab, nach wenigen Stunden waren die Inseln außer Sichtweite. Tagelang lag der Ozean so ruhig da, daß es Eugen schien, sie bewegten sich nicht. Aber immer wieder zogen sie an Segelschiffen mit geblähten Takelagen, zweimal an anderen Dampfern vorbei. In einer Nacht glaubte Eugen ein Flackern in der Ferne zu sehen, aber der Kapitän riet ihm, nicht darauf zu achten, das Meer schicke Trugbilder, manchmal scheine es zu träumen wie ein Mensch.

Dann kamen stärkere Wellen, ein zerzauster Vogel tauchte aus dem Nebel auf, schrie mißlaunig und verschwand wieder. Der Ire fragte Eugen, ob sie sich zusammentun wollten, ein Geschäft aufmachen, eine kleine Firma.

Warum nicht, sagte Eugen.

Er habe auch eine Schwester, sagte der Ire, sie sei unversorgt, schön sei sie nicht, aber sie könne kochen.

Kochen, sagte Eugen, gut.

Er stopfte den letzten Tabak in seine Pfeife, ging zum Bug und stand dort so lange mit vom Wind tränenden Augen, bis etwas sich im Abenddunst abzeichnete, durchscheinend zunächst und noch nicht ganz wirklich, aber dann immer deutlicher, und der Kapitän lachend antwortete, nein, diesmal sei es keine Chimäre und auch kein Wetterleuchten, das sei Amerika.

Inhalt

Weitere Titel von Daniel Kehlmann